Äripäev

Tee iseloomuni

David Brooks

Tee iseloomuni

Äripäev 2016

Tõlkinud Pille Peensoo
Toimetanud Signe Rummo
Keeletoimetanud Piret Pihlak
Kujundanud Janek Saareoja
Kaane illustratsioon: Shutterstock
Trükitud trükikojas Greif

Infot Äripäeva raamatuklubi raamatute kohta saate aadressil
www.raamatuklubi.aripaev.ee või www.raamatupood.aripaev.ee
ning telefonil 667 0400.

ISBN 978-9949-560-70-7 (trükis)
ISBN 978-9949-560-71-4 (epub)

SISUKORD

Sissejuhatus. Aadam II 11

1. peatükk. Nihe 21
2. peatükk. Kutsumuse leidmine 39
3. peatükk. Enese alistamine 82
4. peatükk. Võitlus 117
5. peatükk. Enese valdamine 160
6. peatükk. Väärikus 195
7. peatükk. Armastus 226
8. peatükk. Korrastatud armastus 273
9. peatükk. Eneseuurimine 312
10. peatükk. Suur Mina 350

Tänusõnad 393
Autorist 396
Allikad 397

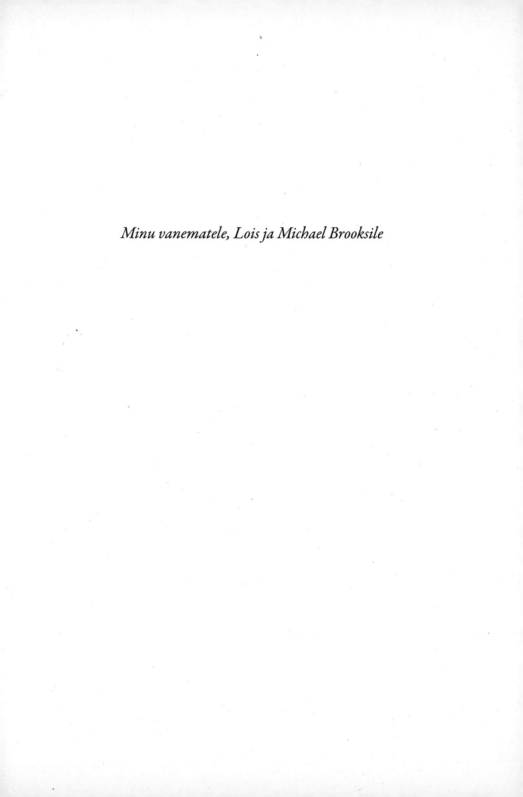

Minu vanematele, Lois ja Michael Brooksile

SISSEJUHATUS: AADAM II

V iimasel ajal olen korduvalt mõelnud selle peale, kui erinevad on elulookirjelduses ja ülistuskõnes esile toodavad väärtused. Elulookirjelduse väärtused on need, mida loetletakse CVs – oskused, mida pakutakse tööjõuturul ja mis aitavad kaasa välisele edule. Ülistuskõne väärtused on sügavamad. Need on väärtused, millest räägitakse matustel, mis on sügaval su olemuses – kas sa oled hea, vapper, aus ja truu; milliseid suhteid sa oled loonud.

Enamik meist ütleks, et ülistuskõne väärtused on olulisemad kui elulookirjelduse omad, kuid ma pean tunnistama, et olen oma elus pikka aega mõelnud viimastele rohkem kui esimestele. Meie haridussüsteem on kindlasti rohkem orienteeritud elulookirjelduse kui ülistuskõne väärtustele. Samuti on seda avalik mõttevahetus – ajakirjade eneseabinõuanded, tarbekirjanduse valda kuuluvad menuraamatud. Enamikul meist on selgem strateegia selle kohta, kuidas edukalt karjääri teha, kui selle kohta, kuidas süvitsi iseloomu kujundada.

Üks raamat, mis on mul aidanud nende väärtuste üle mõelda, on rabi Joseph Soloveitšiku 1965. aastal ilmunud „Üksildane usklik" („Lonely Man of Faith"). Soloveitšik märgib, et esimeses

Moosese raamatus on kaks loomislugu, ning väidab, et need esindavad meie loomuse eri külgi, millele ta pani nimeks Aadam I ja Aadam II.

Soloveitšiku liigitust veidi tänapäevastades võiksime öelda, et Aadam I on meie loomuse ambitsioonikas, karjäärile orienteeritud külg. Aadam I on väline, elulookirjelduse Aadam. Ta tahab ehitada, luua, toota ja avastada. Ta tahab kõrget staatust ja võite.

Aadam II on sisemine Aadam, kes tahab kehastada kindlaid moraalseid väärtusi. Aadam II tahab rahulikku sügavat iseloomu, vaikset, kuid kindlat hea ja kurja tundmist. Ta ei taha mitte ainult head teha, vaid ka hea olla. Aadam II tahab vahetult armastada, ennastohverdavalt teisi teenida, kuuletuda mingile transtsendentsele tõele, ta tahab, et tal oleks puhas hing, mis austaks kõike loodut ja iseenda võimalusi.

Aadam I tahab maailma vallutada, Aadam II tahab kutsumusele kuuletuda, et maailma teenida. Aadam I on loov ja naudib omaenda saavutusi, Aadam II aga loobub mõnikord välisest edust ja staatusest mingi kõrgema eesmärgi nimel. Aadam I küsib, kuidas asjad töötavad, Aadam II küsib, miks asjad olemas on ja milleks me üldse siin oleme. Aadam I tahab aina edasi pürgida, Aadam II soovib naasta oma juurte juurde ning hinnata perekondliku eine soojust. Aadam I moto on „Edu". Aadam II kogeb elu moraalse draamana. Tema moto on „Halastus, armastus, lunastus".

Soloveitšik väitis, et me elame nende kahe Aadama vastuolus. Välist, kuninglikku Aadamat ei saagi täielikult lepitada sisemise, alandliku Aadamaga. Me oleme igaveseks määratud iseendaga sõdima. Meil on kutsumus teostada mõlemat isiksust ning me peame õppima elama kahe loomuse vahelises pinges.

Lisaksin, et selle vastasseisu raske osa seisneb selles, et Aadamad I ja II elavad erineva loogika järgi. Aadam I – loov, ehitav, avastav Aadam – elab sirgjoonelise utilitaarse loogika järgi. See on majanduse loogika. Sisend viib väljundini. Pingutus viib tulemuseni. Harjutamine teeb meistriks. Järgi omaenese huve. Ole nii kasulik kui võimalik. Avalda maailmale muljet.

Aadam II elab vastupidise loogika järgi. See on moraalne, mitte majanduslik loogika. Tuleb anda, et saada. Tuleb alistuda millelegi välisele, et iseendas jõudu koguda. Tuleb ületada oma iha, et saada, mida ihkad. Edu toob kaasa suurima läbikukkumise, milleks on kõrkus. Läbikukkumine toob kaasa suurima edu, milleks on alandlikkus ja õppimine. Enese teostamiseks tuleb end unustada. Enese leidmiseks tuleb end kaotada.

Oma Aadam I karjääri toitmiseks on mõistlik arendada oma tugevaid külgi. Aadam II moraalse tuuma toitmiseks on paratamatult vaja rinda pista oma nõrkustega.

NUTIKAS LOOM

Me elame kultuuris, mis nuumab Aadam I-t, välist Aadamat ning eitab Aadam II-t. Me elame ühiskonnas, mis julgustab meid mõtlema sellest, kuidas paremini karjääri teha, kuid jätab paljud meist nõutuks siseelu arendamise suhtes. Võistlus edu ja imetluse nimel on nii metsik, et muutub kõikehõlmavaks. Tarbimisele suunatud turg julgustab meid elama praktilise arvestuse järgi, rahuldama oma ihasid ning kaotama silmist igapäevaste otsuste juurde kuuluvad moraalsed panused. Kiire ja pealiskaudse kommunikatsiooni müra muudab raskemaks sügavustest kostvate vaiksemate häälte kuulmise. Me elame kultuuris, mis õpetab meid iseend esile tõstma ja reklaamima, kuid ei julgusta eriti alandlikkust, sümpaatiat ega ausat enesega silmitsi seismist, mida kõike on iseloomu ehitamiseks vaja.

Kui sa oled ainult Aadam I, siis muutud sa nutikaks loomaks, osavaks ennast säilitavaks olendiks, kes on meister mänge mängima ja muudab kõik mänguks. Kui sinus enamat pole, siis veedad sa palju aega erialaseid oskusi täiendades, kuid sul pole selget arusaama elu mõtte allikaist, nii et sa ei tea, millele sa peaksid oma oskused pühendama, milline karjäär oleks parim ja kõrgeim. Aastad mööduvad ning sügavaimad osad sinust jäävad uurimata ja struktureerimata. Sul on palju tegemist, kuid ühtlasi ka ähmane aimus, et su elu pole saavutanud oma ülimat sisu ja tähendust. Sa elad alateadliku igavusega, tõeliselt armastamata ja olemata tõeliselt seotud moraalsete eesmärkidega, mis annavad elule väärtuse. Sul puuduvad sisemised kriteeriumid vankumatuks pühendumiseks. Sa ei arenda välja sisemist järjepidevust, terviklikkust, mis suudaks vastu seista üldsuse kõõrdpilkudele või tõsisele hoobile. Sa leiad, et teed asju, mida kiidavad heaks teised, olgu need siis sinu jaoks õiged või mitte. Arutul kombel hindad sa teisi inimesi nende võimete, mitte aga nende väärtuse põhjal. Sul puudub iseloomu ülesehitamise strateegia ning ilma selleta ei lagune tükkideks mitte ainult su siseelu, vaid ka väline elu.

Selle raamatu teema on Aadam II. Räägime sellest, kuidas mõni inimene on endale tugeva iseloomu kujundanud. Räägime ühest kindlast mõtteviisist, mille inimesed on paljude sajandite jooksul omandanud, et lisada oma tuumale terast ning arendada südame-tarkust. Ausalt öelda kirjutasin ma selle raamatu oma hinge pääst-miseks.

Ma ise olen sünnist saati olnud pigem pealiskaudne. Töötan kõiketeadja ja kolumnistina. Mulle makstakse selle eest, et olen nartsissistlik kiidukukk, loobin kerge käega arvamusi, paistan olevat neis kindlam, kui tegelikult olen, paistan targem, kui tege-likult olen, paistan parem ja autoriteetsem, kui tegelikult olen. Pean töötama rohkem kui teised, et vältida eluaegset ennasttäis pinnapealsust. Olen saanud üha teadlikumaks sellest, et nagu pal-jud tänapäeva inimesed, on mu elu moraalsed püüdlused olnud ähmased – olen ähmaselt tahtnud olla hea ja teenida mingit suu-remat eesmärki, omamata seejuures konkreetset moraalisõna-vara, selget arusaama sellest, kuidas elada rikast siseelu, või isegi kindlat teadmist sellest, kuidas iseloom areneb ja kuidas jõuda sügavuseni.

Olen avastanud, et ilma range keskendumiseta meie loomuse Aadam II küljele on lihtne libiseda enesega rahulolevasse moraal-sesse keskpärasusse. Sa oled endale hinnangute andmisel andestav. Sa järgned oma ihadele, kuhu nad sind ka ei viiks, ja kiidad oma tegevuse heaks, kuni sa ei tee silmanähtavalt kellelegi teisele liiga. Sa oletad, et oled piisavalt hea, kui paistad meeldivat ümbritse-vatele inimestele. Selle protsessi käigus taandad sa iseend tasapisi millekski veidi vähemaks, kui olid alguses lootnud. Ilmneb alan-dav vahemaa su tegeliku mina ja ihaldatud mina vahel. Sa mõis-tad, et Aadam I hääl on sinus tugev, Aadam II hääl aga summuta-tud; Aadam I eluplaan on selge, Aadam II oma aga ebamäärane; Aadam I on ärkvel, Aadam II kui uneskõndija.

Ma kirjutasin selle raamatu, olemata kindel, kas suudan järgida iseloomuni viivat teed, kuid tahtsin vähemalt teada, milline see tee välja näeb ja kuidas teised sellel käinud on.

PLAAN

Raamatu plaan on lihtne. Järgmises peatükis kirjeldan vanemat moraaliökoloogiat, mil kehtis „kõvera puu" kultuuriline ja intellektuaalne traditsioon, mis rõhutas meie enda murtust. See oli traditsioon, mis nõudis alandlikkust meie enda piirangute ees. See oli ühtlasi ka traditsioon, mis kinnitas, et igaühes meist on jõudu omaenese nõrkustele vastu seista ja omaenese patte ohjata ning et just enesega silmitsi seismise käigus me loomegi oma iseloomu. Edukas vastuseis nõrkusele ja patule annab meile võimaluse suures moraalses draamas oma rolli mängida. Me võime püüelda millegi enama poole kui õnn. Meil on võimalus kasutada igapäevaseid sündmusi selleks, et ehitada iseendas voorust ja teenida maailma.

Edasi kirjeldan, milline see iseloomu ehitamise meetod päriselus võiks välja näha, tehes seda eluulooliste esseede abil, mis on ühtlasi moraaliesseed. Plutarchosest saati on moralistid püüdnud kindlaid standardeid esitada eeskujude abil. Rikkalikku Aadam II elu ei saa üles ehitada pelgalt jutlusi lugedes või abstraktseid reegleid järgides. Eeskuju on parim õpetaja. Moraalne areng toimub kõige kindlamini soojendatud südamega, kui puutume kokku inimestega, keda me imetleme ja armastame ning kelle jäljendamiseks me teadlikult ja alateadlikult oma elu muudame.

See tõde jõudis mulle kohale pärast seda, kui olin kirjutanud kolumni, kaevates selle üle, kui raske on koolitunnis kogetu põhjal headust õppida. Veterinaar nimega Dave Jolly saatis mulle e-kirja, mis tabas naelapea pihta.

Südameharidust ei saa anda koolitunnis intellektuaalselt õpilastele, kes teevad masinlikult märkmeid ... Hea, targa südameni jõutakse eluaegse järjekindla pingutuse abil, kaevates sügaval sisemuses ja ravides eluaegseid haavu ... Seda ei saa õpetada, e-kirjas selgitada ega säutsuda. See tuleb avastada omaenda südames, kui ollakse lõpuks valmis selle otsinguile minema, ja mitte varem.

Targa inimese töö on neelata frustratsioon alla ning lihtsalt olla lakkamatult omaenda elus hoolivuse, süvenemise ja järjekindluse eeskuju. Targa inimese õpetus on väikseim osa sellest, mida ta annab. See, mis edasi antakse on tema elu terviklikkus, suhtumine vähimatessegi detailidesse.

Ära seda kunagi unusta. Sõnum on isiksus, kelle täiustamine hõlmab üle mitme eluea ulatuvaid pingutusi, mille käivitajaks on olnud üks teine tark inimene, keda praeguseks varjab vastuvõtja eest aja ähmane udu. Elu on palju suurem, kui me arvame, põhjus ja tagajärg on põimunud suurde moraalsesse struktuuri, mis sunnib meid üha enam head tegema, üha paremaks saama, isegi kui me kobame kõige valusamas segases pimeduses.

Need sõnad selgitavad ka selle raamatu metoodikat. Peatükkides 2 kuni 10 toodud portreed kujutavad endast mitmekesist valikut: valged ja mustad, mehed ja naised, usklikud ja ilmikud, kirjanikud ja mittekirjanikud. Keegi neist pole täiuse lähedalgi. Nad elasid aga viisil, mida tuleb tänapäeval harvemini ette. Nad olid teravalt teadlikud omaenese puudustest. Nad võitlesid seesmiselt oma pattudega ja saavutasid teatud enesest lugupidamise. Neile mõeldes ei pööra me eelkõige tähelepanu mitte sellele, mida nad saavutasid – ehkki seda võib olla palju, vaid sellele, kes nad olid. Ma loodan, et nende eeskuju innustab meis kõigis peituvat arglikku soovi olla parem, kuni nende jälgedes käimiseni.

Viimases peatükis võtan need teemad kokku. Selgitan, kuidas meie kultuur on tinginud selle, et hea olla on üha raskem, ning võtan tolle „kõvera puidu" ellusuhtumise punktidena kokku. Kui otsid kärsitult selle raamatu koondsõnumit, siis vaata kohe lõppu.

Mõnikord tuleb tänapäevalgi ette inimesi, kelles on muljetavaldav seesmine terviklikkus. Nad ei ela fragmenteeritud, killustatud elu. Nad on jõudnud seesmise sidususeni. Nad on rahulikud, vaoshoitud ja kindlalt juurdunud. Tormid ei kalluta neid kursilt kõrvale. Vastupanu ei murenda neid. Nende vaim on püsiv ja süda vankumatu. Neis on vaikset kaalukust ja stabiilsust. Nende voorused pole nutikate üliõpilaste õitsvad voorused; need on küpsed voorused, mida näeme inimestes, kes on veidi elanud ning kes on õppinud rõõmust ja valust.

Vahel ei pruugi te neid inimesi isegi märgata, sest kuigi nad võivad paista lahked ja rõõmsameelsed, on nad ühtlasi ka vaoshoitud.

Neis on sedasorti inimeste tagasihoidlikke voorusi, kes on otsustanud olla kasulikud, kuid ei pea maailmale midagi tõestama: neis on alandlikkust, mõõdukust, vaoshoitust, kainust, lugupidamist ja leebet enesedistsipliini.

Neist kiirgab mingit moraalset rõõmu. Nende hääled on ühtlasi vaiksemad, kuid ka kindlamad. Järsule väljakutsele vastavad nad pehmelt. Nad vaikivad, kui neile ebaõiglaselt ülekohut tehakse. Nad on väärikad, kui teised püüavad neid alandada, ja vaoshoitud, kui teised püüavad neid provotseerida. Nad jagavad ohvriande sama malbelt ja igapäevaselt, nagu käiksid toidupoes. Nad ei mõtle sellele, millist muljetavaldavat tööd nad teevad. Nad ei mõtle üldse iseendast. Ebatäiuslikud inimesed nende ümber paistavad neile ainult rõõmu tegevat. Nad lihtsalt tunnevad ära, mida on vaja teha, ja teevad seda.

Nendega rääkides tunned end vaimukama ja targemana. Nad liiguvad eri sotsiaalsetes klassides, olemata pealtnäha sellest isegi teadlikud. Kui oled neid mõnda aega tundnud, saad aru, et sa pole iial kuulnud neid kiitlemas, pole kunagi näinud, et nad oleksid ennast täis või jäärapäised. Nad ei vihja nagu muuseas omaenese erilisusele ja saavutustele.

Nad pole elanud konfliktitus rahus, kuid on pürginud küpsuse poole. Nad on jõudnud veidi lähemale elu põhiprobleemi lahendamisele, milleks on, nagu Aleksandr Solženitsõn ütles: „piir, mis lahutab head kurjast, läheb läbi igaühe südamest"[i].

---

i   Aleksandr Solženitsõn. Gulagi arhipelaag. Kirjandusliku uurimuse katse I–II (Tallinn 1990, tlk Henno Arrak, Helmi Tillemann ja Maiga Varik), 137. – Tlk.

Need on inimesed, kes on rajanud tugeva iseloomu, kes on jõudnud teatud sügavusele. Nende puhul on selle pingutuse lõpuks edu poole pürgimine andnud teed hinge süvendamise eest peetavale võitlusele. Pärast eluaegset tasakaalu otsimist on Aadam I kummardanud Aadam II ees. Neid inimesi me otsimegi.

1. PEATÜKK

NIHE

Pühapäeva õhtuti kordab mu kohalik raadiojaam vanu saateid. Paari aasta eest sõitsin koju ja kuulsin saadet nimega „Käsklus „Esineda!"" – see oli Teise maailmasõja aegne vägedele suunatud meelelahutusprogramm. Saade, mida ma kuulsin, oli eetrisse läinud päev pärast võitu Jaapani üle – 15. augustil 1945.

Selles saates astusid üles ajastu suurimad kuulsused: Frank Sinatra, Marlene Dietrich, Cary Grant, Bette Davis ja paljud teised. Kuid etenduse vapustavaim joon oli selle tagasihoidlikkus ja alandlikkus. Liitlased olid just saavutanud inimkonna ajaloo ühe suurima sõjalise võidu. Sellest hoolimata polnud kuulda mingit rusikaga rinnale tagumist. Keegi ei püstitanud triumfikaari.

„Paistab, et selleks korraks kõik," alustas saatejuht Bing Crosby. „Mida sellisel ajal öelda saab? Ei saa kübarat õhku heita – see on tavaliste pühade jaoks. Ei saa vist keegi enamat teha kui tänada Jumalat, et see läbi on." Seejärel laulis metsosopran Risë Stevens pühaliku „Ave Maria" ning Crosby võttis meeleolu taas kokku: „Meie sügavaim tunne täna on alandlikkus."

Seda tunnet rõhutati kogu saate jooksul. Näitlejanna Burgess Meredith luges sõjakorrespondent Ernie Pyle'i sulest ilmunud lõigu. Pyle oli hukkunud vaid paari kuu eest, kuid jõudnud enne kirjutada artikli, milles ennustas võidu tähendust: „Me võitsime tänu meie vapratele meestele ja paljudele muudele asjadele – Venemaale, Inglismaale ja Hiinale ning aja möödumisele ja loodusandidele. Me ei võitnud seda sellepärast, et saatus oleks meid loonud teistest inimesteks paremaks. Ma loodan, et oleme võites pigem tänulikud kui uhked."

Etendus peegeldas kogu rahva suhtumist laiemalt. Muidugi tuli ette tormilist tähistamist. San Franciscos kaaperdasid meremehed tramme ja rüüstasid alkoholipoode. New Yorgi moepiirkonna tänavad olid kümnesentimeetrise konfetikihiga kaetud.[1] Meeleolu oli mitmesugust. Rõõmu kõrvale mahtus ka pühalikkus ja eneses kahtlemine. Asi oli osalt selles, et sõda oli olnud selline epohhi loov sündmus ning pannud voolama sääraseid verejõgesid, et inimesed tundsid end selle taustal tühisena. Teiseks oli asi viisis, kuidas sõda Vaiksel ookeanil lõppenud oli – tuumapommiga. Terve maailma inimesed olid äsja näinud, millisteks metsikusteks on inimolendid võimelised. Nüüd oli olemas ka relv, mis võis muuta metsikuse apokalüptiliseks. „Teadmine võidust oli samavõrd laetud nii kurbuse ja kahtluse kui ka rõõmu ja tänulikkusega," kirjutas James Agee sama nädala Time'i juhtkirjas. Selle raadiosaate tagasihoidlikkus polnud siiski ainult meeleolu ega stiili küsimus. Saates esinenud inimesed olid saanud osa ühest kõigi aegade suurimast võidust. Nad ei hakanud seepeale iseendale kinnitama, kui vaimustavad nad on. Nad ei trükkinud autodele kleepse, mis kuulutaksid nende enda suurepärasust. Nende esimene reaktsioon oli tuletada endale meelde, et nad pole moraalselt mitte kellestki üle. Kollektiivne impulss oli hoiatada iseend kõrkuse ja eneseülistuse eest. See oli vaistlik vastupanu inimlikult loomulikule ülemäärasele enesearmastuse-kalduvusele.

Jõudsin koju enne saate lõppu ja kuulasin maja ees veel mõnda aega. Seejärel läksin tuppa ja lülitasin televiisorist jalgpallimängu sisse. Mängujuht andis lühikese söödu vabale vastuvõtjale, kes peaaegu kohe, paari meetri pärast kinni võeti. Kaitsja tegi seda, mida edu saavutamise hetkel teevad peaaegu kõik tänapäeva profisportlased. Ta esitas ennastupitava võidutantsu.

Sain aru, et olin just näinud paarimeetrise edasiliikumise eest mängus rohkem eneseülistust kui pärast Ühendriikide võitu Teises maailmasõjas.

See väike kontrast pani minu peas terve rea mõtteid liikuma. Mulle tuli pähe, et see nihe võib sümboliseerida kultuurinihet – nihet enesetaandamise kultuurilt, mis ütleb: „Keegi pole parem kui mina, aga ka mina pole parem kui keegi teine,“ eneseupitamise kultuurile, mis ütleb: „Tunnustage mu saavutusi, olen päris eriline.“ Kuigi see kontrast oli iseenesest tühine, avas see justkui ukse, millest paistis, kui erinevalt saab selles ilmas elada.

VÄIKE MINA

Raadiosaate peale sattumisele järgnenud aastail uurisin toda aega ja tollal olulisi inimesi. See uurimine meenutas mulle kõigepealt, et mitte keegi meist ei peaks kunagi tahtma pöörduda tagasi kahekümnenda sajandi keskpaiga kultuuri juurde. See oli rassistlikum, seksistlikum, antisemiitlikum kultuur. Enamikul meist poleks tollal elades olnud võimalusi, mida me praegu naudime. See oli ka igavam kultuur tuima toidu ja ühetaoliste eluasemetega. See oli emotsionaalselt külm kultuur. Eeskätt isad olid võimetud väljendama armastust oma laste vastu. Abikaasad ei suutnud oma naistes sügavust näha. Tänapäeva elu on väga paljudes tahkudes parem kui toona.

Kuid ühtlasi tundus mulle, et võib-olla oli teatud laadi alandlikkus tollal tavalisem kui tänapäeval, et siis valitses moraaliökoloogia, mis ulatub sajandeid tagasi, kuid pole tänapäeval sedavõrd esiplaanil: see õhutas inimesi olema oma ihade suhtes skeptilisem ja oma nõrkustest teadlikum, olema rohkem valmis oma iseloomu vigadega võitlema ning nõrkusi tugevusteks pöörama. Ma arvan, et seda traditsiooni esindavate inimeste puhul ei tule nii tõenäoliselt ette tunnet, et iga mõtet, tundmust ja saavutust tuleks jalamaid terve maailmaga jagada.

Tolleaegne popkultuur tundus vaoshoitum. Ei olnud sõnumitega T-särke, kirjutusmasina klaviatuuril ei leidunud hüüumärki, polnud ci kõiksugustele haigustele ega muudele probleemidele viitavate värviliste sümpaatia-lintide vikerkaart, ei eputus-numbrimärke ega isiklike või moraalsete loosungitega kleepse põrkeraudadel. Ei topitud auto tagaklaasile kleepse, et kiidelda oma koolide või puhkusepaikadega. Valitsesid rangemad sotsiaalsed sanktsioonid selle vastu, kui (nagu tollal öeldi) keegi kergitas omaenda saba või läks liialt õhku täis.

Sotsiaalset koodi kehastasid näitlejate, näiteks Gregory Pecki ja Gary Cooperi ennast taandav stiil või Joe Friday nimeline tegelane

politseisarjas „Dragnet". Kui Franklin Roosevelti abi Harry Hop-
kins kaotas Teises maailmasõjas poja, pakkus sõjaväejuhtkond või-
malust tema teised pojad ohutusse kohta paigutada. Hopkins keel-
dus sellest, kirjutades tollal märksa tavalisema tagasihoidlikkusega,
et tema teistele poegadele ei peaks andma turvalisi kohti ainult
sellepärast, et nende vennal „Vaiksel ookeanil ei vedanud".[2]

Kahekümne kolmest Dwight Eisenhoweri valitsuskabinetti
kuulunud mehest ja naisest ainult üks – põllumajandussekretär –
avaldas hiljem mälestused, ja need olid uinutamiseni diskreetsed.
Kui Reagani administratsioon oli lõpetanud, avaldas mälestusi
kolmekümnest kabinetiliikmest kaksteist, ja peaaegu kõik need
olid ennastupitavad.[3]

Kui presidendiks kandideeris George Bush vanem, kes oli tollal
üles kasvanud, tõrkus ta oma lapsepõlve väärtuste vaimus iseendast
rääkimast. Kui kõnede autor kirjutas mõnesse tema kõnesse sõna
„mina", siis tõmbas ta selle instinktiivselt maha. Töötajad anusid
teda: „Te kandideerite presidendiks, peate iseendast rääkima."
Mõnikord õnnestus neil teda selleni viia. Kuid järgmisel päeval sai
ta kõne oma emalt. „George, sa räägid jälle endast," ütles ema. Ja
Bush pöördus harjunud vormi juurde tagasi. Ei mingeid „minasid"
kõnedes. Ei mingit enesereklaami.

SUUR MINA

Järgneva paari aasta jooksul kogutud andmed lasevad mul oletada, et me oleme näinud laiaulatuslikku nihet tagasihoidlikkuse kultuurilt sellele, mida võiks nimetada Suure Mina kultuuriks – kultuurist, mis julgustas endasse vaoshoitult suhtuma, kultuurini, mis julgustab nägema iseend universumi keskpaigana.

Sääraseid andmeid polnud raske leida. Näiteks küsis Gallup Organization 1950. aastal abiturientidelt, kas nad peavad end väga oluliseks isikuks. Tollal vastas jaatavalt 12%. Sama küsimus esitati aastal 2005 ning end väga oluliseks pidavaid isikuid polnud mitte 12%, vaid 80%. Psühholoogias on olemas selline asi nagu nartsissismitest. Inimestele loetakse ette lauseid ja palutakse hinnata, kas laused nende puhul kehtivad. Näiteks selliseid lauseid nagu „Mulle meeldib olla tähelepanu keskpunktis ... Võimaluse korral eputan, sest olen eriline ... Keegi peaks minust elulooraamatu kirjutama." Keskmine nartsissismitase on viimase kahekümne aastaga tõusnud 30%. 93% noortest saab punkte rohkem kui 20 aasta tagune keskmine.[4] Kõige rohkem on kasvanud nende inimeste arv, kes nõustuvad lausetega „Ma olen erakordne inimene" ja „Mulle meeldib vaadata oma keha".

Ühes enesearmastuse ilmse kasvuga on tohutult kasvanud kuulsusejanu. Kunagi oli kuulsus enamiku inimeste jaoks elueesmärgina madalal kohal. 1976. aasta küsitluses, mis palus järjestada elu eesmärke, jäi kuulsus 16 eesmärgi hulgas viieteistkümnendaks. Aastal 2007 teatas 51% noori, et kuulsus on nende peamisi isiklikke eesmärke.[5] Ühes uurimuses küsiti keskkoolitüdrukuilt, kellega nad sooviksid kõige meelsamini einestada. Esikohale tuli

Jennifer Lopez, teisele Jeesus Kristus, kolmandale Paris Hilton. Seejärel küsiti tüdrukult, milliseid töid nad sooviksid teha. Kuulsuse – näiteks Justin Bieberi – isikliku assistendi ametit nimetati ligi kaks korda enam kui Harvardi rektori oma. (Õigluse mõttes olgu öeldud, et olen üsna kindel, et ka Harvardi rektor oleks parema meelega Justin Bieberi isiklik assistent.)

Kuhu ma popkultuuris ka ei vaadanud, leidsin aina samu sõnumeid: „Sa oled eriline. Usalda iseennast. Jää endale truuks." Pixari ja Disney filmid räägivad lastele pidevalt, kui imelised nad on. Aktusekõned on tulvil samu klišeid: „Järgi oma kirge. Ära lase end piirata. Vali ise oma tee. Sul on kohustus teha suuri asju, sest sa oled nii suurepärane." See on eneseusu evangeelium.

Ellen DeGeneres ütles 2009. aasta aktusekõnes: „Minu nõuanne teile on jääda endale truuks ja kõik saab korda." Kuulus kokk Mario Batali soovitas: „Järgige omaenese tõde, mida te ise pidevalt väljendate." Anna Quindlen julgustas üht teist auditooriumi „austama oma iseloomu, oma intellekti, oma kalduvusi ja, jah, ka oma hinge, kuulates selle puhast ja selget häält, selle asemel et järgida häbeliku maailma segaseid sõnumeid."

Oma menuraamatus „Söö, palveta, armasta" (olen võib-olla ainus mees, kes on selle läbi lugenud) kirjutas Elizabeth Gilbert: „Jumal ilmutab end mu enda hääle kaudu minus endas ... Jumal on sinus nagu sina ise, täpselt sellisena nagu sa oled."[6]

Hakkasin vaatama, kuidas me oma lapsi kasvatame, ja leidsin märke sellest moraalsest nihkest. Näiteks jutlustasid varased gaidide käsiraamatud eneseohverduse ja enesetühistamise eetikat. Põhiline takistus õnne teel tuleb ülearu innukast tahtmisest panna teised enda peale mõtlema, manitses käsiraamat.

Aastaks 1980 oli toon teistsugune. Gaidide käsiraamat „Kõik sõltub sinust" soovitas tüdrukutel iseendale *rohkem* tähelepanu pöörata: „Kuidas sa saaksid *endaga* parema kontakti? Mida *sina* tunned? ... Iga gaidiprogrammi võimalus saab sind aidata endast paremini aru saada ... Paiguta iseend oma mõtete „pealavale", et saada aru omaenese tunnetest, mõtetest ja tegudest."[7]

Nihet võib tajuda isegi kantslist kõlavaist sõnadest. Üks tänapäeva populaarsemaid hiidkiriku juhte Joel Osteen kirjutab Texasest Houstonist. „Jumal ei loonud sind keskpäraseks," ütleb Osteen oma raamatus „Saa paremaks iseendaks" („Become a Better You"). „Sa oled loodud särama. Oled loodud jätma oma jälge sellel põlvkonnale ... Alusta uskumisest: „Olen välja valitud, esile tõstetud, määratud võitjana elama"."[8]

ALANDLIKKUSE TEE

Aastad möödusid, töö raamatu kallal jätkus ning mu mõtted pöördusid tagasi raadiosaate „Käsklus „Esineda!"" juurde. Mulle ei andnud rahu alandlikkus, mida ma neis häältes kuulsin.

Enesetaandamises, mida saates esinenud ilmutasid, oli midagi esteetiliselt kaunist. Ennast taandav inimene on rahustav ja heasoovlik, ennast upitav inimene aga habras ja ärritav. Alandlikkus tähendab, et ollakse vaba vajadusest kogu aeg oma üleolekut tõestada, egoism aga tähendab ahtas ruumis painavat nälga – ollakse ennasttäis, võistlushimuline ja tunnustusnäljas. Tagasihoidlikkusega käivad kaasas armastuväärsed tunded, nagu imetlus, seltsimehelikkus ja tänumeel. „Tänulikkus," ütleb Cantebury peapiiskop Michael Ramsey, „on pinnas, milles kõrkus kergelt ei kasva."[9]

Säärases alandlikkuses on ka midagi intellektuaalselt muljetavaldavat. Nagu psühholoog Daniel Kahneman kirjutab, on meil „peaaegu piiramatu võime oma teadmatusest teadmatuses olla".[10] Alandlikkus on teadlikkus sellest, et paljut me ei tea ja et paljugi sellest, mida me enda arvates teame, on moonutatud või vale.

Sel moel viib alandlikkus ka elutarkuseni. Montaigne kirjutas kord: „Me võime olla teadlikud teiste inimeste teadmiste abil, kuid me ei saa olla targad teiste tarkuse abil." See on nii, kuna tarkus pole informatsiooni kogum. See on moraalne omadus teada, mida sa ei tea, ning võime töötada välja viis oma teadmatuse, ebakindluse ja piirangutega toime tulla. Warren Buffett tegi omal alal samasuguse tähelepaneku: „Investeerimine ei ole mäng, kus see, kelle IQ on 160, võidab seda, kelle IQ on 130. Kui oled juba keskmiselt intelligentne, siis on vaja iseloomu, et kontrollida ihasid, mille pärast teised hätta satuvad."

Need, keda me targaks peame, on suutnud mingil määral ületada inimloomusse imbunud eelarvamused ja liigse enesekindluse. Oma kõige täielikumas tähenduses on intellektuaalne alandlikkus distantsilt saavutatav täpne eneseteadlikkus. See on elu jooksul toimuv liikumine alates teismelise lähiportreest, millel su nägu täidab kogu lõuendi, maastikumaali vaateni, millel on laiemas perspektiivis näha sinu tugevused ja nõrkused, seosed ja sõltuvused ning roll, mida sa laiemas plaanis mängid.

Ja lõpuks on alandlikkus omamoodi moraalselt muljetavaldav. Igal ajajärgul on olnud oma eelistatud enesearengu meetodid, omad viisid, kuidas ehitada iseloomu ja sügavust. Minu kuuldud raadiosaates üles astunud inimesed kaitsesid iseend oma kõige vähem veetlevate kalduvuste eest – olla uhkust täis, ennastupitav, ülbe.

Tänapäeval vaatlevad paljud meist elu teekonna-metafoori abil – kui läbi välisilma reisimist ja eduredelist üles ronimist. Kui mõtleme oma jälje jätmisest ja eesmärgipärasest elust, mõtleme tihti millegi välise saavutamisest – maailma teenimisest seda mõjutaval viisil, eduka firma rajamisest või kogukonna hüvanguks tegutsemisest.

Tõeliselt alandlikud inimesed kasutavad samuti oma elu kirjeldamiseks teekonna-metafoori. Nad kasutavad selle kõrval ka teist metafoori, mis puutub rohkem siseellu. See on enesega võitlemise metafoor. Nad tõenäoliselt tunnistavad, et oleme kõik sügavalt lõhenenud isiksused, nii hiilgavalt õnnistatud kui ka sügavalt ebatäiuslikud – et meil kõigil on teatud andeid, aga ka teatud nõrkusi. Kui me harjume neisse kiusatustesse langema ega võitle ise oma nõrkustega, siis rikume tasapisi mingi olemusliku osa iseendast. Me ei saa olla nii head, nagu me sisimas tahaksime olla. Me kukume mingil sügaval moel läbi.

Sääraste inimeste jaoks on karjääriredeli välise edu draama küll oluline, kuid elu keskne draama on võitlus iseenda nõrkustega. Nagu ütles populaarne pastor Harry Emerson Fosdick 1943. aastal ilmunud raamatus „Tõeliseks inimeseks olemisest": „Elamisväärne elu algab niisiis võitlusest iseendaga."[11]

Tõeliselt alandlikud inimesed pingutavad kõvasti selle nimel, et süvendada oma parimaid omadusi ja võita halvimaid, et muuta nõrgad kohad tugevaiks. Nad alustavad sellest, et on oma loomuse vigadest teravalt teadlikud. Meie põhiprobleem on enesekesksus ning David Foster Wallace sõnastas selle kenasti Kenyoni kolledži lõpuaktuse kõnes aastal 2005:

> „Kõik, mida ma vahetult kogen, toetab mu sügavat usku sellesse, et olen universumi absoluutne keskpunkt, kogu eksistentsi kõige reaalsem, värvikam ja tähtsam isik. Me mõtleme sellest loomulikust, elementaarsest enesekesksusest harva, sest see on ühiskondlikult nii eemaletõukav. See kehtib enam-vähem ühtmoodi meie kõigi kohta. See on meie loomulik olek, mis on sündides meile kaasa antud. Mõtle: sul pole ühtegi kogemust, mille absoluutses keskpunktis sa poleks olnud. Maailm, nii nagu sa seda koged, on SINU ees või taga, SINUST vasakul või paremal, SINU televiisoris või monitoril. Ja nõnda edasi. Teiste mõtted ja tunded saavad sinuni jõuda ainult mingil moel vahendatuna, su enda omad on aga vahetud, pakilised, tõelised.“

See enesekesksus juhib meid mitmes õnnetus suunas. See viib isekuseni, soovini enda huvides teisi ära kasutada. See viib ka kõrkuseni, soovini näha end kõigist teistest paremana. See viib võimeni ignoreerida ja põhjendada omaenda ebatäiuslikkust ning hinnata üle oma voorusi. Läbi elu liikudes võrdleb enamik meist end teistega ning leiab end alati olevat veidi parema – vooruslikuma, otsustusvõimelisema, parema maitsega. Me otsime kogu aeg tunnustust ning võtame valulise tundlikkusega iga noomitust või solvangut, mis tabab meie enda arvates ära teenitud staatust.

Mingi loomuses peituv ebakõla laseb meil tõsta madalamad armastused kõrgemaist ülespoole. Me kõik armastame ja ihaldame paljusid asju: sõprust, perekonda, populaarsust, riiki, raha jms. Ja meil kõigil on tunne, et mõni armastus on kõrgem või olulisem kui teised. Ma usun, et me kõik järjestame neid armastusi üsna samamoodi. Me kõik teame, et armastus laste või vanemate vastu peaks olema kõrgemal kohal kui armastus raha vastu. Me teame, et armastus tõe vastu peaks olema kõrgem kui armastus populaarsuse vastu. Isegi tänasel relativismi ja pluralismi ajastul on see moraalne hierarhia üks asi, milles me oleme üldiselt ühel nõul, vähemalt enamasti.

Ometigi on meil tihti nende armastustega lood korrast ära. Kui keegi usaldab sulle midagi ja sa lobised selle peol kuulujutuna välja, siis asetad sa oma populaarsusearmastuse sõpruse armastusest kõrgemale. Kui sa räägid koosolekul rohkem, kui kuulad, siis asetad tõenäoliselt oma silmapaistmisiha kõrgemale õppimisest ja seltsimehelikkusest. Me teeme seda kogu aeg.

Inimesed, kes on omaenda loomuse asjus alandlikud, on moraalsed realistid. Moraalsed realistid on teadlikud, et me kõik oleme tehtud „kõverast puust" – meenutagem Immanuel Kanti kuulsat lauset: „Eal pole inimsoo kõverast puust tehtud midagi sirget." „Kõvera puu" inimkonna koolkonda kuulujad on teravalt teadlikud omaenese vigadest ning usuvad, et iseloom ehitatakse üles meie enda nõrkustega võideldes. Nagu kirjutas Thomas Merton: „Hinged on nagu sportlased – nad vajavad väärikaid vastaseid, kes neid proovile paneksid, arendaksid ja tõukaksid oma võimeid täielikumalt ära kasutama."[12]

Siseheitluste jälgi võib näha sääraste inimeste päevikuis. Nad on vaimustuses neil päevil, mil nad on saavutanud mõne väikese võidu isekuse ja südamekalkuse vastu. Ning nad on meeleheitel, kui nad on iseend alt vedanud, jättes mingi heateo laiskusest või väsimusest tegemata või pööramata tähelepanu inimesele, kes vajas osavõtlikkust. On tõenäoline, et nad näevad oma elu moraalse seiklusena. Nagu ütles briti kirjanik Henry Fairlie: „Kui me tunnistame, et kalduvus patule on meie loomuse üks osa, millest meil ei õnnestu iial täielikult lahti saada, siis on meil elus vähemalt midagi teha, mis ei tundu kokkuvõttes lihtsalt asjatu või absurdne."

Mul on sõber, kes igal õhtul voodis veidi mõtleb möödunud päeval tehtud vigade üle. Tema peamine patt, millest võrsuvad paljud muud, on omamoodi südamekalkus. Tal on palju tegemist ja paljud inimesed pretendeerivad tema ajast osa saama. Mõnikord pole ta lõpuni osavõtlik inimeste suhtes, kes küsivad talt nõu või ilmutavad mingit oma nõrkust. Vahel on ta rohkem huvitatud jätma head muljet kui teisi süvitsi kuulama. Võib-olla veetis ta koosolekul rohkem aega, mõeldes sellele, kuidas paista mõjukas, kui sellele, mida teised tegelikult ütlesid. Võib-olla meelitas ta inimesi liiga õliselt.

Igal õhtul mõtleb ta oma vigade peale. Ta toob esile oma korduvad põhipatud ja muud vead, mis võisid neist tuleneda. Seejärel arendab ta välja strateegiaid, mis laseksid järgmisel päeval paremini hakkama saada. Homme püüab ta inimestesse teisiti suhtuda, ta võtab rohkem hoogu maha. Seab hoolivuse prestiižist ettepoole ning hindab kõrgemat enam kui madalamat. Meil kõigil on moraalne vastutus olla päevast päeva üha moraalsem ja ta pingutab, et selles kõige olulisemas sfääris sentimeeterhaaval edasi pürgida.

Sel moel elavad inimesed ei usu, et iseloom oleks kaasa sündinud või automaatne. Seda tuleb pingutades ja oskuslikult ehitada. Seda tööd ette võtmata ei saa olla hea inimene, kes sa tahad olla. Tugeva moraalse tuumata ei saavuta sa isegi kestvat välist edu. Kui sul pole seesmist terviklikkust, siis ühel hetkel juhtub su Watergate, su skandaal, su reetmine. Aadam I sõltub lõppkokkuvõttes Aadam II-st.

Eelnevais lõikudes olen kasutanud sõnu „pingutus" ja „võitlus". Vale on siiski arvata, et moraalne võitlus sisemise nõrkuse vastu on samasugune võitlus nagu sõda või poksimatš – võitlus täis relvade klirinat, vägivalda ja agressiooni. Moraalsed realistid teevad vahel raskeid asju, kui seisavad näiteks kindlalt kurja vastu või suruvad oma ihadele peale kindla enesedistsipliini. Iseloomu ei ehitata siiski ainult kasinuse ja karmusega. Seda ehitatakse ka pehmelt, armastuse ja rõõmu abil. Kui sul on sügavad suhted heade inimestega, siis sa kopeerid ja võtad omaks nende parimaid jooni. Kui sa armastad üht inimest sügavalt, siis tahad teda teenida ning pälvida tema lugupidamise. Suurt kunsti kogedes laiendad oma emotsioonide repertuaari. Mingile eesmärgile pühendudes ülendad oma soove ja organiseerid oma energiaid.

Enamgi veel, võitlus omaenese nõrkuste vastu pole kunagi üksildane võitlus. Mitte keegi ei saavuta meisterlikku enesekontrolli omaette. Inimese tahe, mõistus, kaastunne ja iseloom pole piisavalt tugevad, et pidevalt allutada isekust, kõrkust, ahnust ja enesepettust. Me kõik vajame lunastavat abi väljastpoolt – perekonnalt, sõpradelt, esivanemailt, reeglitelt, traditsioonidelt, institutsioonidelt ja, usklikena, Jumalalt. Me kõik vajame inimesi, kes ütleksid meile, kus me eksime, annaksid nõu, kuidas õigesti talitada, ning julgustaksid, toetaksid, ärgitaksid ja inspireeriksid meid sel teel ning teeksid meiega koostööd.

Selline eluvaade on demokraatlik. Pole vahet, kas sa töötad Wall Streetil või heategevusasutuses, mis jagab vaestele ravimeid. Pole vahet, kas su sissetulek on skaala kõrgeimas või madalaimas otsas. Kangelasi ja tõpraid leidub kõigis maailmades. Kõige olulisem on see, kas sa oled valmis asuma moraalsesse võitlusse iseendaga. Kõige olulisem on, kas oled valmis võitlema seda võitlust hästi – rõõmsalt ja kaastundlikult. Fairlie kirjutab: „Kui me tunnistame oma patusust, kui me teame, et oleme iseendaga sõjajalal, siis võime minna sõtta kui sõdalased – vapralt, hoogsalt, isegi lõbusalt."[13] Aadam I saavutab edu, võites teisi. Aadam II ehitab iseloomu, võites omaenda nõrkusi.

TÄISPÖÖRE

Selle raamatu tegelased on elanud erinevat elu. Igaüks neist pakub omaette näite mingist iseloomu kasvatavast tegevusest. Leidub üks korduv muster: nad kõik pidid kukkuma, et tõusta. Neil tuli laskuda inimliku alandlikkuse orgu, et tõusta iseloomu kõrgustesse.

Tee iseloomuni sisaldab tihti moraalse kriisi, vastasseisu ja paranemise hetki. Katsumuse hetkel omandasid nad järsku parema võime näha iseenda loomust. Igapäevane enesepettus ja enesevalitsuse illusioonid purunesid. Nad pidid end teadlikult alandama, et neil oleks vähimatki lootust tõusta muutununa. Alice pidi oleme väike, et Imedemaale mahtuda. Või nagu Kierkegaard ütles: „Ainult see, kes laskub allilma, päästab armastatu."

Aga siis algas ka ilu. Alandlikkuse orus õppisid nad oma „mina" vaigistama. Ainult „mina" vaigistamise läbi suutsid nad maailma selgesti näha. Ainult mina vaigistamise läbi suutsid nad mõista teisi ja saada aru sellest, mida nad pakuvad.

End vaigistades olid nad avanud ruumi, kuhu armastus sai sisse voolata. Nad said abi inimestelt, kellelt nad abi ei oodanud. Nad avastasid, et teised mõistavad neid ja hoolivad neist nii, nagu nad enne ettegi ei kujutanud. Nad leidsid, et neid armastatakse niisugusel määral, nagu nad pole ära teeninud. Nad ei pidanud abitult ringi vehkima – teiste käed hoidsid neid üleval.

Ei lähe kaua aega, kui alandlikkuse orgu sisenenud inimesed tunnevad end taas olevat rõõmu ja pühendumise kõrgustikel. Nad on pingsalt tööle asunud, sõlminud uusi sõprussuhteid ja välja arendanud uusi armastusi. Vapustatult mõistavad nad, et on oma katsumuste esimesist päevist saati pika tee maha käinud. Nad pöörduvad ja vaatavad, kui palju on selja taha jäänud. Nad ei välju sellest kogemusest paranenuna, vaid teistsugustena. Nad leiavad elukutse või kutsumuse. Nad pühendavad end mingile pikaajalisele kohustusele ning kingivad end täielikult mingile meeleheitlikule ettevõtmisele, mis annab elule mõtte.

Iga selle kogemuse etapp jätab inimese hinge oma jälje. See kogemus vormib ümber nende tuuma, andes sellele suure sidususe, terviklikkuse ja kaalu. Iseloomuga inimesed võivad olla valjud või vaiksed, aga neil kipub olema kindel määr enesest lugupidamist. Enesest lugupidamine pole seesama, mis eneseusaldus või eneseaustus. Enesest lugupidamine ei põhine IQ-l ega ühelgi vaimsel ega kehalisel annil, mis aitaks sind suure konkursiga ülikooli. See ei ole võrdlev. Seda ei saavutata, olles teistest mingil moel parem. See saavutatakse, olles parem, kui sa ise varem olid, olles katsumuste aegadel usaldusväärne, kiusatuste aegadel kindlameelne. See ilmneb inimeses, kelle peale võib moraalses mõttes loota. Eneseusaldust toodavad sisemised, mitte välised triumfid. Selle saavutab ainult inimene, kes on läbi elanud mingi sisemise kiusatuse, kes on astunud vastu oma nõrkustele ja teab: „Halvimalgi juhul suudan ma selle üle elada. Ma saan sellega hakkama."

Äsja kirjeldatud protsess võib aset leida suurelt. Igas elus on suuri sõlmpunkte, mõjukaid katsumusi, mis muudavad sind või murravad. Ent see võib toimuda ka päevast päeva, samm-sammult. Iga päev on võimalik ära tunda väikseid vigu, sirutada teistele inimestele käsi, püüda vigu parandada. Iseloomu ehitatakse nii dramaatiliselt kui ka igapäevaselt.

„Käsklus „Esineda!"" esindas enamat kui lihtsalt esteetikat või stiili. Mida rohkem ma sellesse aega süvenesin, seda enam nägin, et minu silme ees oli hoopis teistsugune moraalne maastik. Ma hakkasin nägema teistsugust vaadet inimloomusele, teistsugust suhtumist sellesse, mis on elus oluline, teistsugust valemit selle kohta, kuidas elada iseloomukindlat ja sügavat elu. Ma ei tea, kui paljud neil päevil seda teistsugust moraaliökoloogiat järgisid, aga mõni tegi seda, ja ma leidsin, et imetlen neid piiritult.

Ma usun, et oleme kogemata selle moraalitraditsiooni hüljanud. Viimaste aastakümnete jooksul oleme kaotanud selle keele, selle elukorralduse viisi. Me ei ole halvad, kuid me oleme moraalselt tahumatud. Me pole isekamad ega müüdavamad kui teiste ajastute inimesed, kuid me oleme kaotanud arusaama sellest, kuidas iseloom on üles ehitatud. „Kõvera puidu" patuteadlikkusel ja patule vastu astumisel põhinev moraalne traditsioon oli pärand, mida anti edasi põlvest põlve. See andis inimestele selgema teadlikkuse sellest, kuidas viljeleda ülistuskõne väärtusi, kuidas arendada oma loomuse Aadam II poolust. Selleta on tänapäeva kultuur pealiskaudsem, just moraali valdkonnas.

Moodsa elu keskne pettus on usk, et Aadam I vallas saavutatu saab pakkuda sügavat rahuldust. See on vale. Aadam I ihad on lõputud ning jõuavad alati ette sellest, mis just äsja saavutatud. Ainult Aadam II saab kogeda sügavat rahuldust. Aadam I taotleb õnne, aga Aadam II teab, et õnnest ei piisa. Elu on moraalne draama ja suurimad rõõmud on moraalsed. Eelolevail lehekülgedel pakun mõningaid tõsielunäiteid sellest, kuidas on sedalaadi elu elatud. Me ei saa minevikku tagasi pöörduda ega peakski seda tahtma. Me saame siiski taasavastada selle moraalitraditsiooni, õppida uuesti tundma seda iseloomusõnavara, ning kaasata selle omaenda ellu.

Aadam II-t ei saa ehitada retseptiraamatu põhjal. Selleks pole mingit seitsmest sammust koosnevat programmi. Me võime vaadelda väljapaistvate inimeste elusid ning püüda aru saada nende elutarkusest. Ma loodan, et suudad järgmistelt lehekülgedelt leida just enda jaoks olulisi õppetunde, isegi kui need pole samad, mis olid olulised minu jaoks. Ma loodan, et me mõlemad oleme pärast järgnevat üheksat peatükki teistsugused ja paremad.

2. PEATÜKK

KUTSUMUSE LEIDMINE

Tänapäeval on Washington Square Parki ümbruskonnas Alam-Manhattanil New Yorgi ülikool, kallid korterid ja kauplused. Aastal 1911 olid pargi põhjaküljel kenad liivakivimajad ning ida- ja lõunakülgedel tehased, kus töötasid peamiselt noored juudi ja itaalia juurtega sisserännanud. Üks kena kodu kuulus proua Gordon Norrie'le, seltskonna matroonile, kelle esiisade hulgas olid kaks iseseisvusdeklaratsioonile alla kirjutanut.

25. märtsil oli proua Norrie äsja istunud sõpradega teed jooma, kui nad kuulsid väljas lärmi. Üks tema külalistest, Frances Perkins, tollal 31aastane, oli pärit Maine'i vanast keskklassi perekonnast, mille juured ulatusid samuti revolutsiooni aegadesse. Ta oli käinud Mount Holyoke kolledžis ning töötas New Yorgi Tarbijate Liigas, tehes lobi lapstööjõu keelustamiseks. Perkins kõneles oma kasvatusest tuleneval koorekihi toonil nagu Margaret Dumont vanades vendade Marxide filmides või proua Thurston Howell III – pikad lamedad *a*-d, hääletud *r*-id ja ümarad vokaalid; sõna „*tomato*" hääldas ta „tom*aah*to".

Uksehoidja kiirustas sisse ja teatas, et väljaku lähedal on tulekahi. Prouad jooksid välja. Perkins kergitas seelikut ja tõttas sündmuskohale. Põles Triangle'i naistepluuside vabrik – see oli Ühendriikide ajaloo üks kuulsamaid tulekahjusid. Perkins nägi kaheksandat, üheksandat ja kümnendat korrust leekides ning kümneid töölisi avatud akende ümber kobaras. Ta astus kõnniteele ja sulas ehmunud pealtvaatajate massi.

Inimesed nägid akendest kukkumas midagi, mida nad pidasid kangakompsudeks. Nad arvasid, et tehaseomanikud päästavad oma parimat materjali. Kompse langes üha edasi ning pealtvaatajad said aru, et need polnudki kompsud. Need olid inimesed, kes hüppasid surmale vastu. „Inimesed olid just hakanud hüppama, kui me sinna jõudsime," mäletas Perkins hiljem. Selle ajani olid nad aknalaudadel seistes vastu pidanud, teised nende selja taga trügimas, kuni tuli jõudis üha lähemale ja lähemale, kuni suits jõudis üha lähemale ja lähemale."[14]

„Nad hakkasid hüppama. Aknal oli liiga palju rahvast ning nad hüppasid ja kukkusid kõnniteele," meenutas naine. „Kõik nad said surma – kõik, kes hüppasid, said surma. See oli kohutav vaatepilt."[15]

Tuletõrjujad hoidsid võrke, kuid kõrgelt kukkuvate kehade kaal rebis neil võrgud käest või rebisid kehad võrgu puruks. Üks naine tühjendas suurejooneliselt oma rahakoti pealtvaatajate poole ja hüppas siis.

Perkins ja teised karjusid ülespoole: ärge hüpake! Abi on tulekul. Aga abi ei tulnud. Leegid praadisid neid selja tagant. Kokku hüppas nelikümmend seitse inimest. Üks noor naine pidas enne hüppamist kirglikult žestikuleerides kõne, kuid keegi ei kuulnud teda. Üks noormees aitas ühe noore naise õrnalt aknaraamile, siis hoidis teda hoonest eemal nagu balletitantsija ja lasi kukkuda. Ta tegi sedasama teise ja kolmanda tüdrukuga. Lõpuks seisis aknalaual neljas tüdruk, kes embas noormeest ja nad suudlesid pikalt. Seejärel hoidis mees ka teda hoonest eemal ja laskis kukkuda. Ning siis oli mees juba ise õhus. Kui ta kukkus ja püksid tuule alla võtsid, märkasid inimesed, et tal olid jalas pruunid ülikonnakingad. „Ma nägin ta nägu, enne kui nad selle kinni katsid," kirjutas üks reporter. „Oli näha, et ta oli tõeline mees. Ta oli teinud oma parima."[16]

Tuli oli valla pääsenud samal pärastlõunal umbes 4.40, kui keegi oli kaheksandal korrusel visanud sigareti või tiku ühte suurde õmblemisest üle jäänud puuvillajääkide hunnikusse. Kuhi võttis kiiresti tuld.

Keegi andis sellest teada tehase juhile Samuel Bernsteinile, kes haaras lähedalt paar ämbrit vett ja kallas need tulle. Sellest oli vähe abi. Puuvillajäägid olid tohutult tuleohtlikud – rohkem kui paber, ja neid oli ainuüksi kaheksandal korrusel terve tonni jagu.[17]

Bernstein tühjendas kasvavasse tulle veel veeämbreid, kuid selleks ajaks polnud neist enam mingit kasu; leegid levisid puust töölaudade kohal rippuvate pabersalvrättideni. Bernstein käskis töölistel tuua trepikojast vooliku. Nad avasid kraani, kuid survet ei olnud. Tulekahju uurinud ajaloolane David von Drehle on väitnud, et Bernstein tegi esimese kolme minutiga saatusliku otsuse. Ta oleks võinud kasutada tule tõrjumiseks kulunud aega ligi 500 töölise evakueerimiseks, kuid võitles selle asemel täiesti kasutult tulega. Kui Bernstein oleks evakueerinud, poleks sel päeval võibolla keegi hukkunud.[18]

Kui Bernstein lõpuks silmad tulemüürilt sai, oli ta vaatepildist vapustatud. Paljud kaheksanda korruse naised läksid garderoobi oma asju võtma. Mõni otsis oma arvestuskaarti, et lahkumist registreerida.

Lõpuks jõudis tulekahjuhäire kümnendal korrusel viibinud kahe vabrikuomanikuni. Tuli oli juba neelanud kaheksanda korruse ja levis kiiresti kümnendale. Üks neist, Isaac Harris, kogus kokku rühma töölisi ja oletades, et oleks enesetapjalik üritada läbi tule alla ronida, hüüdis: „Tüdrukud, lähme katusele! Katusele!" Teine omanik Max Blanck oli hirmust halvatud. Ta seisis tardununa, nägu täis õudust, ühe käe otsas noorim tütar, teise otsas vanim.[19] Üks ametnik, kes oli lahkumas koos firma arveraamatuga, otsustas selle maha visata ja päästa pigem oma ülemuse elu.

Enamik kaheksanda korruse töölisi pääses välja, kuid üheksanda korruse töölisi tabas tuli peaaegu hoiatamata. Nad tunglesid nagu ehmunud kalaparv ühe väljapääsu juurest teise juurde. Lifte oli kaks, kuid need olid aeglased ja üle koormatud. Veepritse ei olnud. Tuletõrjeväljapääs oli lagunenud ja blokeeritud. Tavalistel tööpäevadel otsiti töölised kojumineku käigus läbi, et ennetada vargusi. Tehas oli kujundatud sundima neid väljuma läbi üheainsa pudelikaela. Osa uksi oli lukus. Tulest ümber piiratud töötajad pidid tõusva tule, suitsu ja kabuhirmu õhkkonnas tegema meeleheitlikke otsuseid elu ja surma vahel, lähtudes puudulikust infost.

Kolm sõpra Ida Nelson, Katie Weiner ja Fanny Lansner olid riietusruumis, kui tulekahjuhüüded nendeni jõudsid. Nelson otsustas joosta trepikotta. Weiner läks lifti juurde ja nägi, kuidas lift alla šahti sõidab. Ta hüppas alla ja maandus lifti katusel. Lansner ei teinud seda ega teist ning ei pääsenudki välja.[20]

Mary Bucelli kirjeldas hiljem omaenda osa esimesena välja pääsemise nimel peetud halastamatus heitluses: „Ma ei oska öelda, kui palju käe- ja jalahoope ma jagasin. Andsin ja sain ka ise. Ma lõin neid pikali, kus iganes kohtasin," ütles ta oma kaastööliste kohta. „Hoolitsesin ainult omaenda elu eest ... Säärastel hetkedel valitseb suur segadus ja sa pead mõistma, et ei näe mitte midagi ... Su silmad seletavad paljusid asju, aga sa ei erista midagi. Kogu ses segaduses ja rüseluses ei suuda sa midagi eristada."[21]

Joseph Brenman oli üks vabriku väheseid meestöötajaid. Hulk naisi trügis tema ja liftide vahel, kuid nad olid väikesed ja paljud neist ka jõuetud. Mees kühveldas nad eemale ja tungis lifti turvalisusse. Tuletõrje saabus peagi, kuid nende redelid ei ulatunud kaheksanda korruseni. Voolikuist purskav vesi ulatus vaevu nii kaugele, niisutades hoonet kergelt väljastpoolt.

HÄBI

Triangle'i särgivabriku õudused šokeerisid tervet linna. Inimesed polnud mitte ainult vihased vabrikuomanike peale, vaid tundsid ka ise sügaval sisimas vastutust. Aastal 1909 oli noor vene immigrant nimega Rose Schneiderman juhtinud Triangle'i ja teiste vabrikute töötajad streigile nendesamade probleemide pärast, mis hiljem katastroofiga lõppesid. Firma turvatöötajad ahistasid piketeerijaid. Linn vaatas ükskõikselt pealt nagu ikka vaeste elu. Tulekahjule järgnes kollektiivne vihapurse, mida toitis kollektiivne süütunne selle pärast, et oli enesekeskselt elatud ainult oma elu, kalgilt tundetuna ümbritsevate inimeste elutingimuste ja kannatuste suhtes.

„See, kui häiritud inimesed igal pool olid, ei mahu sõnadesse," meenutas Perkins. „Oli tunne, nagu oleksime kõik midagi valesti teinud. See poleks pidanud nii minema. Meil oli kahju. Minu süü! Minu süü!"[22]

Peeti maha suur mälestusmarss ja miiting, kus olid kohal kõik linna juhtivad kodanikud. Perkins seisis Tarbijate Liiga esindajana laval, kui Rose Schneiderman rahvast ärgitas: „Reedaksin need põlenud laibad, kui räägiksin siin vendlusest. Me oleme teid proovile pannud, kulla avalikkuse liikmed, ega saa rahul olla!

Kunagi olid inkvisitsioonil piinapingid ja pöidlakruvid ja raudhammastega piinamisriistad. Me teame, mis neid tänapäeval asendavad: raudhambad on meie hädavajadused, pöidlakruvid on võimsad ja kiired masinad, mille läheduses me peame töötama, ja piinapink on tulelõksudeks muudetud ehitised, mis neelavad meid samal hetkel, kui need tuld võtavad ...

Me oleme teid proovile pannud, kodanikud! Me paneme teid praegu proovile ning teil leidub paar dollarit armuandi leinavatele emadele, vendadele ja õdedele. Iga kord, kui töölised tulevad tänavale, et protesteerida ainsal nende käsutuses oleval viisil talumatute tingimuste vastu, lastakse seaduse jõulisel käel raskelt meile kaela vajuda ... Ma ei saa siia kogunenuile vendlusest rääkida. Liiga palju on verd valatud!"[23]

Tulekahju ja selle järelkajad jätsid Frances Perkinsisse tugeva jälje. Kuni selle ajani oli ta teinud lobi töötajate õiguste eest ja vaeste kaitseks, kuid ta oli olnud tavapärasel trajektooril, küllap teel tavapärase abielu ja suursuguse heategevusega täidetud elu poole. Pärast tulekahju sai senisest karjäärist kutsumus. Moraalne nördimus suunas ta teisele rajale. Tema isiklikud soovid ja oma mina polnud enam nii keksed ning peamise koha tema elus omandas võitlus ise. Klassikuuluvuslik viisakus langes ära. Ta muutus kärsituks selle viisi suhtes, kuidas kõrgkihtide progressiivsed liikmed vaeseid teenisid. Teda muutis kärsituks nende peenutsemine, soov jääda puhtaks, seista väljaspool tõelist kismat. Perkins muutus karmimaks. Ta viskus poliitikasse kogu selle jõhkruses ja möllus. Ta oli valmis ette võtma moraalselt riskantseid tegevusi, kui need ainult hoiaksid ära katastroofi, nagu langes osaks Triangle'i naistele. Ta oli valmis kompromissideks ja koostööks korrumpeerunud ametnikega, kui see ainult annaks tulemusi. Ta sidus end selle üritusega kogu ülejäänud eluks.

VÄLJAKUTSE

Tänapäeval soovitatakse aktusekõnedes koolilõpetajail järgida oma kirge, usaldada oma tundeid, mitte tunnistada mingeid piire, vaid mõelda oma elu eesmärgi üle ja leida see. Nende klišeede taga seisab oletus, et kui mõtled sellele, kuidas oma elu juhtida, siis peituvad kõige olulisemad vastused sügaval sinus eneses. Kui oled noor ja just täiskasvanuellu astumas, peaksid sa selle mõtteviisi järgi aja maha võtma ja avastama, mis on sinu jaoks tõeliselt tähtis, millised on su prioriteedid, mis äratab sinus kõige sügavamat kirge. Tuleks küsida teatud küsimusi: mis on mu elu eesmärk? mida ma elult tahan? millised on asjad, mida ma tõeliselt hindan – asjad, mida ma ei tee ainult selleks, et end ümbritsevatele inimestele meeldida või neile muljet avaldada?

Selle mõtteviisi järgi saab elu korraldada nagu äriplaani. Esmalt vaatad üle oma anded ja kired. Seejärel püstitad eesmärgid ja paned paika mingid mõõdikud, et mõõta nende eesmärkide poole liikumist. Siis töötad oma sihini jõudmiseks välja strateegia, mis aitab sul eristada asju, mis viivad sind su eesmärkide poole, asjadest, mis tunduvad olulised, kuid juhivad tegelikult ainult tähelepanu kõrvale. Kui defineerida siht algusest peale realistlikuna ning panna oma strateegia paindlikult paika, siis jõuad sihipärase eluni. Jõuad sedalaadi enesemääramiseni, mis on sõnastatud William Ernest Henley luuletuses „Võitmatu": „Olen oma saatuse peremees / Olen oma hinge kapten."

Nõnda kalduvadki inimesed meie individuaalse autonoomia ajastul oma elu korraldama. See on meetod, mis algab ja lõpeb „minaga", algab enesevaatlusega ja lõpeb eneseteostusega. Säärase elu paneb paika hulk isiklikke valikuid. Frances Perkins leidis oma elusihi teise, varasematel aegadel levinuma meetodi abil. Selle meetodi puhul ei küsita, mida ma elult tahan, vaid küsitakse teistsuguseid küsimusi: mida elu minult tahab? Mida mu ümbruskond minult ootab?

Selles asjade skeemis ei loo me oma elu, vaid elu esitab meile väljakutse. Olulised vastused pole mitte sees, vaid väljas. See vaatenurk ei alga mitte iseseisva minaga, vaid konkreetsete asjaoludega, millesse sa juhtumisi oled asetatud. See vaatenurk algab teadlikkusest, et maailm eksisteeris kaua enne sind ja eksisteerib veel kaua pärast sind, ja et oma elu lühikese kestuse jooksul oled sa heidetud saatuse, ajaloo, juhuse, evolutsiooni või Jumala poolt kindlasse kohta, millel on kindlad probleemid ja vajadused. Sinu asi on mõelda välja teatud asjad: mida see keskkond vajab, et sellest saaks tervik? mis vajab parandamist? millised ülesanded ootavad lahendamist? Nagu ütles kirjanik Frederick Buechner: „Millises punktis kohtuvad minu anded ja sügav rõõm maailma sügavate vajadustega?"

Säärast kutsumust kirjeldas Viktor Frankl oma kuulsas, 1946. aastal ilmunud raamatus „Ja siiski tahta elada: psühholoog kogeb omal nahal koonduslaagrit"ⁱⁱ. Psühhiaater Frankl oli Viini juut, kelle natsid 1942. aastal saatsid esmalt getosse ja seejärel mitmesse koonduslaagrisse. Tema naine, ema ja vend surid laagrites. Enamiku oma laagripäevist veetis Frankl raudteerööpaid pannes. Ta ei olnud endale säärast elu planeerinud. See polnud ei tema kirg ega unistus. Ta poleks seda teinud, kui ta oleks oma pilli järgi tantsinud. Ent see oli elu, mille sündmused olid talle ette kirjutanud. Talle sai selgeks, et see, milline inimene temast saab, oleneb sellest, millise sisemise otsusega ta vastab ümbritsevatele asjaoludele.

„See, mida me elult ootasime, ei lugenud õigupoolest," kirjutas ta. „Luges pigem see, mida elu meilt ootas. Pidime lõpetama elu mõtte järele pärimise ja mõtlema selle asemel endast kui elu poolt proovile panduist – päevast päeva, tunnist tundi."²⁴ Frankl järeldas, et elu on andnud talle moraalse ja intellektuaalse ülesande. Elu oli andnud talle tegevuskava.

Tema moraalne ülesanne oli hästi kannatada, olla oma kannatuste vääriline. Ta ei saanud kontrollida oma kannatuste määra ega seda, kas ja millal ta lõpetab gaasikambris või teeäärse laibana – kuid ta sai kontrollida, millise sisemise vastuse ta kannatustele annab. Natsid püüdsid oma ohvreid solvata ja panna neid

---

ii   Eesti keeles Tartu 2002, tõlkinud Piret Metspalu. – Tlk.

inimlikkust hülgama, ning mõni vang läks sellega kaasa või mattis end õnnelikumatesse minevikumälestustesse. Osa vange hakkas siiski solvangutele vastu ning kindlustas omaenda identiteeti. „Need kogemused sai pöörata võiduks, tehes elust sisemise triumfi," mõistis Frankl. Solvangute vastu sai võidelda väikeste väärikusaktide abil, mitte tingimata selleks, et muuta oma välist elu või oma saatust üldse, vaid et toestada oma sisemise struktuuri tugisambaid ja alustalasid. Ta sai harjutada seda, mida ta kutsus „sisekindluseks" – karm omaenda siseseisundi kontroll, oma terviklikkuse distsiplineeritud kaitse.

„Kannatusest sai ülesanne, millele me ei tahtnud selga pöörata," kirjutas Frankl.[25] Olles saanud teadlikuks ülesandest, mille sündmused talle esitasid, mõistis ta oma elu mõtet ja lõppeesmärki ning võimalust, mille sõda oli selle eesmärgi realiseerimiseks andnud. Kui ta oli sündmuste tähendusest aru saanud, muutus ellujäämine ise lihtsamaks. Nagu Nietzsche märkis: „Kui inimese elus on olemas „miks?", siis on peaaegu iga „kuidas?" talle talutav."

Frankli teine ülesanne oli võtta tingimused, millesse ta oli paigutatud, ning muuta need elutarkuseks, mida laia maailma viia. Franklile oli antud intellektuaalselt suurepärane võimalus uurida inimolendeid kõige kohutavamais tingimusis. Tal oli võimalus jagada oma tähelepanekuid teiste vangidega ja ta uskus, et kui jääb ellu, võib ta veeta kogu oma ülejäänud elu seda teadmist maailmaga jagades.

Kui tal oli vaimset energiat, siis rääkis ta vangide rühmadega, õpetades neid elu tõsiselt võtma ning püüdma säilitada sisekindlust. Ta õpetas neid keskendama oma vaimu ülespoole, kujutlusele armastatust, et säilitada, jagada ja tugevdada armastust eemal oleva abikaasa, lapse, vanema või sõbra vastu, kuigi asjaolud soodustasid armastuse hävitamist ja kuigi teise laagrisse saadetud armastatu võis olla juba surnud. Ka läbi jõhkruse ja löga ja laipade võis tõusta ülespoole: „Ma kutsusin Jumalat oma kitsast kongist ja ta vastas mulle universumi ääretust avarusest." Frankli sõnul sai inimene kõigest hoolimata osaleda ekstaatilises kires armastatu vastu ning mõista seeläbi järgnevate sõnade täit tähendust: „Ingli meel mõlgutab igavesti lõputus õndsuses."

Ta õpetas enesetapumõtteid hauduvatele kaaslastele, et elu pole lakanud neile ootusi seadmast ja ka edaspidi oodatakse neilt veel midagi. Pimedas, pärast tulede kustutamist ütles ta oma kaasvangidele, et neid vaatab keegi – sõber, abikaasa, mõni elav või surnud hing, või Jumal –, kellele ei tohi pettumust valmistada.[26] Ta järeldas, et elu „tähendab lõpuks selle probleemidele õige vastuse leidmist ja elu poolt pidevalt esitatavate ülesannete täitmist".[27]

Väheseid meist pannakse nii kohutavaisse ja äärmuslikesse tingimustesse, kuid meile kõigile on antud eeldusi, võimeid, andeid ja omadusi, mida me pole õigupoolest ära teeninud. Meid kõiki pannakse olukordadesse, mis nõuavad tegutsemist, hõlmaku need siis vaesust, kannatusi, perekondlikke vajadusi või võimalust edastada teatud sõnumit. Need asjaolud annavad suurepärase võimaluse meile antut õigustada.

Sinu võime oma kutsumust ära tunda sõltub silmade ja kõrvade olukorrast – sellest, kas need on piisavalt tundlikud, et mõista ülesannet, mille kontekst sulle annab. Nagu ütleb juutide Mishnah: „Sa pole kohustatud tööd lõpetama, kuid sa pole ka vaba hoiduma selle alustamisest."

KUTSUMUS

Franklil, nagu ka Perkinsil, oli kutsumus. Kutsumus pole karjäär. Karjääri valides otsitakse töövõimalusi ja arenguruumi. Karjääri valides otsitakse midagi, mis tooks rahalist ja psühholoogilist tulu. Kui su töö või karjäär ei sobi sulle, siis valid mõne muu.

Kutsumust ei saa valida. Kutsumus on kutse väljastpoolt. Inimesed tunnevad enamasti, et neil pole selles küsimuses valikut. Nende elu muutuks tundmatuseni, kui nad selles suunas ei tegutseks.

Mõnikord esitab kutse nördimus. Frances Perkins oli Triangle'i tulekahju tunnistajaks ning oli nördinud, et maailma koes lastakse püsida säärasel moraalsel rebendil. Teistele esitab kutse mõni tegu. Naine võtab kitarri ja teab sellest hetkest peale, et ta on kitarrist. Pillimäng pole miski, mida ta teeb; kitarrist on keegi, kes ta on. On ka neid, kellele esitab kutse piiblivärss või mõni kirjanduslik lõik. Ühel 1896. aasta hommikul luges Albert Schweitzer piiblist: „Kes iganes tahab päästa oma elu, kaotab selle, aga kes iganes kaotab oma elu minu pärast, see päästab selle." Samal hetkel teadis ta, et tal tuleb loobuda oma üliedukast muusikateadlase ja orelimängija karjäärist, et õppida meditsiini ja asuda džunglis arstina tööle.

Kutsumusega inimene ei pühenda end inimõigustele või haiguse ravile või suurromaani kirjutamisele või inimsõbraliku firma rajamisele sellepärast, et see vastaks mingile kulu-tulu analüüsile. Säärased inimesed pühenduvad oma kutsumusele sügavamatel ja kõrgematel põhjustel kui kasulikkus ning klammerduvad neisse seda raevukamalt, mida enam raskusi üles kerkib. „Inimene, kes tahab head teha, ei tohiks oodata, et teised tema teelt kive eemale veeretaksid. Ta peaks rahulikult oma osa vastu võtma, isegi kui mõni kivi veeretatakse juurde. Ainult see jõud, mis saab takistuste ees tugevamaks, võib võita."[28] On oluline märkida, kuivõrd kutsumuse tunne on vastuolus tänapäeval valitseva loogikaga. Kutsumus ei seisne oma ihade ega vajaduste järgimises sel moel, nagu tänapäeva majandusteadlased meilt ootavad. Kutsumus ei seisne õnneotsingus, kui mõtled „õnne" all head meeleolu, meeldivaid kogemusi või pingutuste ja valu vältimist. Säärasest inimesest saab talle antud ülesande täitmise vahend. Ta kohandab end käsilolevale ülesandele. Aleksandr Solženitsõn tundis end Nõukogude türannia vastu võitlemise tööriistana ja sõnastas seda nõnda: „Olen õnnelikum ja kindlam, mõeldes sellele, et ma ei pea kõike ise planeerima ja juhtima, et ma olen ainult mõõk, mis on teritatud, et tabada musti jõude, võlumõõk, et neid lõhestada ja laiali pilduda. Jumal, ära lase mul lüües murduda. Ära lase mul enda käest pudeneda!"

Ometi pole kutsumusega inimesed enamasti sünged. Esmalt tunnevad nad tavaliselt rõõmu enda tegevusest. Omal ajal tunnustatud teadlane ja teoloog, tänapäeval rohkem krimikirjanikuna tuntud Dorothy L. Sayers tegi vahet kogukonna ja töö teenimise vahel. Inimesed, kes püüavad teenida kogukonda, võltsivad lõpuks oma tööd, olgu see siis romaanikirjutamine või saiaküpsetamine, sest nad pole täiel rinnal käsilolevale tegevusele keskendunud. Kui sa teenid tööd – kui sooritad iga tegevuse täiuslikult –, siis tunned sügavat rahuldust meisterlikkusest ning võid kogukonnale rohkem kasu tuua, kui sa oled kavatsenud. Seda võibki näha kutsumusega inimeste puhul – teatud haaratud ilmet, näljast soovi esitada tantsu või juhtida organisatsiooni viimseni täiuslikult. Nad tunnevad rõõmu oma väärtuste ja tegude sügavast kooskõlast.

Nad tunnevad oma tegevuses imelist kindlust, mis peletab väsimuse ka raskeimaist päevist.

Triangle'i särgivabriku tulekahju polnud ainus sündmus, mis määras Frances Perkinsi elueesmärgi, kuid see oli üks olulisemaid. Õudus oli tema ette asetatud. Nagu paljud inimesed, leidis ta selgema lahenduse õiglase viha lainel. Asi polnud lihtsalt selles, et nii paljud olid surnud – neid ei saanud ometi ellu äratada; asi oli ka „jätkuvas rünnakus üldise süsteemi vastu, mida tulekahju sümboliseeris". Inimeste kohtlemiseks on olemas universaalne viis, mis austab tema kui elusolendi väärikust. Nüüd oldi selle viisi vastu astutud ja inimesi vääralt koheldud. Säärast nördimust kogenu on oma kutsumuse leidnud.

KARM LAPSEPÕLV

Perkins sündis Bostonis Beacon Hillis 10. aprillil 1880. Tema esivanemad olid Ameerikasse tulnud 17. sajandi keskpaiga suure protestantliku migratsiooni käigus ning asusid elama esmalt Massachusettsisse ja siis Maine'i. Üks tema esivanemaist, James Otis, oli sütitav iseseisvussõja kangelane. Teine, Oliver Otis Howard, teenis kindralina kodusõjas ning asutas seejärel Washingtonis mustanahalistele Howardi ülikooli. Howard külastas Perkinseid, kui Frances oli viisteist. Kuna mees oli sõjas käe kaotanud, oli Frances talle kirjutajaks.[29]

Perkinsid olid sajandeid talu pidanud ja telliseid põletanud, valdavalt Maine'i osariigis, Portlandist idas, Damariscotta jõe ääres. Francesi ema kuulus suurde Beanide perre, kes kasvatasid oma tütart traditsioonilises katoliiklikus vaimus: kokkuhoidlikuks, tõsimeelseks ja jõhkruseni ausaks. Fred Perkins luges õhtuti kreeka luulet ning retsiteeris sõpradega kreeka näitemänge. Ta hakkas Francesile kreeka keelt õpetama, kui tüdruk oli seitse või kaheksa. Francesi ema oli tõsine, kunstilembene ja enesekindel. Kui Frances oli kümme, viis ema ta kübarapoodi. Tollal olid moes kõrged ja kitsad sulgede ja paeltega kübarad. Susan Bean Perkins pistis aga Francesile pähe madala, lihtsa kolmnurkse kübara. Tema järgnenud sõnad peegeldasid hoopis teistsugust lastekasvatust, kui see tänapäeval tavaks on. Kui me tänapäeval räägime lastele, kui imelised nad on, siis tollal oli tavalisem, et vanemad seadsid lapsed nende enda piirangute ja nõrkustega silmitsi – aususega, mis võib meile tänapäeval tunduda jõhker.

„Siin, mu kallis, on su kübar," ütles ema. „Peaksid alati midagi seesugust kandma. Sul on väga lai nägu. See on põsesarnade vahel laiem kui ülal. Su pea on meelekohtade kohalt kitsam kui põsesarnade kohalt. Ühtlasi murdub see väga järsku lõuaks. Seepärast peaks su kübar olema vähemalt sama lai kui su põsesarnad. Ära luba endale kunagi kübarat, mis oleks kitsam kui su põsesarnad, sest see teeb su naeruväärseks."[30]

Neil päevil lahjendas globaalkultuuri pehmendav mõju Uus-Inglismaa jänkide kultuuri, kuid see jäi ikkagi tugevaks ja eristatavaks. Jänkid olid endassetõmbunud, iseseisvad, egalitaarsed ja emotsionaalselt vastupidavad. See vastupidavus ulatus vahel jäikuseni, kuid mõnikord motiveeris ja vaheldas seda ohjeldamatu armastus ja õrnus. Uusinglismaalastel kippus olema terav patuteadlikkus ning nad kummardasid Jumalat, kes näitab oma armastust piirangute ja karistuste kaudu. Nad töötasid palju ega kaevelnud.

Ühel õhtul tuli Perkins, kes oli tollal noor naine, uues pidukleidis allkorrusele. Isa ütles, et kleit teeb ta daamilikuks. Perkins kirjutas hiljem: „Isegi kui mul oleks kunagi õnnestunud end kenaks teha – pange tähele, ma ei väida, et see mul kunagi õnnestunud oleks –, siis poleks isa seda mulle kunagi öelnud. See oleks olnud patt."[31]

Jänkid kombineerisid ka oma hoiakut, mida võiks nimetada sotsiaalseks konservatiivsuseks, poliitilise liberalismiga. Eraelus alalhoidlike ja karmidena uskusid nad kogukondlikku kaastundesse ja valitsuse tegevusse. Nad uskusid, et üksikisikuil on kollektiivne vastutus hoida alal „head korda". Juba 18. sajandi keskel ületasid osariiklike ja kohalike omavalitsuste maksumäärad Uus-Inglismaa koloensis näiteks Pennsylvania ja Virginia kolooniate omi kuni kaks korda. Neil oli ka suur usk haridusse. Juba 350 aastat olid Uus-Inglismaa koolid olnud Ühendriikide parimate seas. Uusinglismaalaste haridustase on tänaseni Ühendriikide kõrgemaid.[32]

Perkinsi vanemad tagasid talle hariduse, kuid ta ei saanud kunagi häid hindeid. Tal oli loomupärane jutuanne ja keskkoolist libises ta sorava jutu abil läbi. Seejärel astus ta 1902. aastal Mount Holyoke'i ülikooli. Selle kolledži ja üldse ülikoolide reeglid erinesid tänapäevastest väga palju. Praegu elavad tudengid ühiselamuis enam-vähem ülevaatuseta. Neil on vabadus elada eraelu oma äranägemise järele. Tollal kehtestati neile paljuski tänapäeval absurdseina tunduvaid piiranguid, mis olid mõeldud juurutama aupaklikkust, tagasihoidlikust ja lugupidamist. Siit mõned Perkinsi sisseastumise aegu Holyoke'is kehtinud aupaklikkuskoodeksi reeglid: „Rebased peavad vanemate kaasõpilaste juuresolekul lugupidavalt vaikima. Kui rebane kohtab ülikoolilinnakus vanemat üliõpilast, peab ta lugupidavalt kummardama. Poolaasta-eksamite eel ei tohi ükski rebane kanda pikka seelikut ega ülespan-dud soengut."[33] Perkins elas piirangud ja klassistruktuuriga kaasne-vad vintsutused üle ning temast sai üks oma kursuse tähti; viimasel aastal valiti ta kursusevanemaks.

Tänapäeval kalduvad õpetajad otsima õpilaste intellektuaalselt tugevaid külgi, et neid arendada. Sajandi eest kaldusid õppejõud aga otsima õpilaste moraalselt nõrku külgi, et neid parandada. Ladina keele õpetaja Esther Van Dieman diagnoosis Perkinsil laiskuse, tema kalduvuse olla iseendaga liiga leebe. Van Dieman kasutas ladina keele grammatikat nagu rivitreener marsisammu – usinust arendava kat-sumusena. Ta sundis Perkinsit tundide kaupa töötama, et ta suudaks täpselt ette lugeda ladina verbivorme. Perkins valas pahameelest ja tüdimusest pisaraid, kuid ilmutas hiljem peale sunnitud distsipliini vastu tänulikkust: „Esimest korda sain teadlikuks iseloomust."[34]

Perkinsit huvitasid ajalugu ja kirjandus, aga keemias jõudis ta vaevu edasi. Sellegipoolest õhutas keemia õpetaja Nellie Goldth-waite teda keemiat oma põhierialaks valima. Mõte oli selles, et kui tüdruk on küllalt tugev, et valida põhierialaks oma nõrgim aine, siis on ta küllalt tugev, et saada hakkama kõigega, mida elu talle ette annab. Goldthwaite innustas Perkinsit võtma kõige raskemaid ainekursusi, isegi kui see tõi kaasa keskpärased hinded. Perkins võt-tis väljakutse vastu. Goldthwaite'ist sai tema juhendaja. Aastaid hiljem kirjutas Perkins kooli kvartalikirjas: „Esimeste kursuste üli-õpilase vaim peaks keskenduma teaduslikele kursustele, mis karas-tavad inimvaimu, tugevdavad ja teravdavad seda ning teevad sellest tööriista, millega töödelda ükskõik millist materjali."[35]

Mount Holyoke oli sedasorti kool, mis jätab oma tudengitesse püsiva jälje. Tal polnud erinevalt tänapäeva ülikoolidest kalduvust näha oma rolli puhtalt Aadam I kognitiivseis termineis. Kooli ülesanne polnud mitte ainult mõtlema õpetada. Kooli ülesanne polnud mitte pelgalt aidata tudengitel oma eelduste kohta küsimusi esitada. See kool täitis edukalt ülikooli laiemat rolli: aidata teismelistel täiskasvanuiks saada. Holyoke sisendas enesekontrolli. Ta aitas tudengeil avastada uusi asju, mida armastada. Kool võttis noored naised ja sütitas neis moraalset kirge, andes neile tunde, et inimesed on püütud hea ja kurja võrku ning et elu on kangelaslik võitlus nende suurte jõududega. Tosinkond häält rääkis tudengeile, et neil, kes elavad tasast ja tähelepandamatut elu, õnnestub ehk võitlust vältida, kuid hästi elatud elu sisaldab just võitlusse sööstmist; et suur osa kõige väärikamaist eludest veedetakse piinapingil oma moraalset julgust proovile pannes, hoolimata vastupanust ja naeruvääristamisest; et need, kes otsivad võitlust, on õnnelikumad kui need, kes otsivad naudinguid.

Kool õpetas tudengeile veel, et selle võitluse kangelased pole ennastupitavad, kuulsusjanus hinged, vaid pigem loobumise kangelased, kes järgivad mingit vaevarikast kutsumust. Ta püüdis nende idealismi kärpida ja püsivaks muuta, kritiseerides pelka hootist kaastunnet ning enesega rahulolevat ohverdust. Rõhutati, et teenimine pole miski, mida tehakse südameheadusest, vaid see on kui võlg elu anni eest.

Seejärel pakkus kool õpilastele konkreetseid viise, kuidas elada elu püsivas, kangelaslikus teenimises. Aastakümnete jooksul saatis Mount Holyoke sadu naisi misjonile ja teenistusse Loode-Iraani, Lõuna-Aafrikasse ja Lääne-Indiasse Maharashtrasse. „Tee seda, mida keegi teine ei taha teha; mine sinna, kuhu keegi teine ei taha minna," sisendas kooli asutaja Mary Lyon tudengeile.

Aastal 1901 saabus kooli uus direktor – piibliteadlane Mary Woolley, esimesi Browni ülikooli lõpetajaid. Ta kirjutas Harper's Bazaari essee „Naiste ülikoolihariduse väärtustest" ning see kirjutis oli kantud koolis valitsevast kõrge moraalse ambitsiooni toonist. „Iseloom on hariduse põhiline objekt," teatas ta, jätkates, et „tõelise perspektiivi saamiseks tuleb pea püsti hoida." Tänapäeval viitab see väljend inglise keeles sotsiaalsele tasemele. Tollal viitas see siiski sügavamatele omadustele, nagu püsivus ja tasakaal. „Nende omaduste puudus on tihti nõrk lüli soomusrüüs, mille tõttu head impulsid, kõrged eesmärgid ja tõelised võimed ei leia väljundit."[36]

Mount Holyoke'i haridust valitsesid teoloogia ja antiik – Jeruusalemm ja Ateena. Tudengid pidid saama religioonist hooliva ja kaastundliku eetika ning antiikkreeklastelt ja roomlastelt teatud kangelaslikkuse – olla julge ja vaadata söakalt näkku halvimale, mida maailm võib su poole heita. Oma Harper's Bazaari essees tsiteeris Woolley stoikut Epiktetost: „Elada koos suurte tõdede ja igaveste seadustega – see aitab inimesel olla kannatlik, kui maailm teda tõrjub, ja rikkumatu, kui maailm teda ülistab." Perkins ja Woolley jäid sõpradeks viimase surmani.

Perkinsi ülikoolipäevad olid ka Sotsiaalse Evangeeliumi Liikumise suurima mõju aeg.

Vastuseks linnastumisele ja tööstusliku tootmise juurutamisele hülgasid liikumise juhid, kelle hulgas oli ka Walter Rauschenbusch, isikupärastatud ja erastatud religiooni, mis oli valdav paljudes suursugustes kirikutes. Rauschenbusch oli seisukohal, et ei piisa üksikisikute südamepattude tervendamisest. Sest eksisteerib ka inimeste ülene patt – pahelikud institutsioonid ja ühiskondlik kord, mis põhjustavad rõhumist ja kannatusi. Sotsiaalse evangeeliumi liikumise juhid kutsusid enda järgijaid üles end sotsiaalse reformi heaks töötamisega proovile panema ja puhastama. Nende sõnutsi ei tähendanud tõeliselt kristlik elu üksinda palvetamist ja pattude kahetsemist. Kristlik elu on ennastohverdav teenimine, mis hõlmab endas tegelikku solidaarsust vaestega ja osalemist laiemas Jumala maapcalse kuningriigi parandamise liikumises.

Kursusevanemana valis Perkins kursuse moto: „Olge kindlad." Terve salm, mille Perkins viimasel koospalvetamisel kursusekaaslastele ette luges, on pärit Pauluse esimesest kirjast korintlastele. „Niisiis, mu armsad vennad, olge kindlad, kõigutamatud ning ikka innukad Issanda töös, teades, et teie vaevanägemine Issandas ei ole tühine."

Holyoke veenis Perkinsit, keda oli tema soo ja kasvu tõttu õpetatud ennast tähtsusetuks pidama, et tema ja teised naised on võimelised millekski kangelaslikuks. Selleni jõuti pealtnäha vastuolulisel moel. Naissoost tudengitele ei öeldud, et nad on erilised ja võimelised midagi suurt korda saatma. Selle asemel seati nad silmitsi oma nõrkustega. Neid suruti alla. Suruti alla ja õpetati seejärel, kuidas tõusta ja ümbritsevat mõjutada. Holyoke'i tulles oli Perkins leebe ja jutukas, tagasihoidlik ja võluv. Koolist lahkudes oli ta tugevam, enesekindlam, täis teenimisindu ja selgelt sobimatu elama piiritletud väikekodanlikus maailmas, kus ta oli suureks kasvanud. Kui Frances Perkinsi ema tuli Mount Holyoke'i tütre lõpetamisele, märkis ta jahmunult: „Ma ei tunne oma Fannyt enam ära. Ma ei mõista. Ta on mulle võõras."[37]

LEEBE NÕUDLIKKUS

Perkins teadis, et soovib elus midagi ära teha, kuid ei leidnud pärast kooli lõpetamist endale õiget rakendust. Sotsiaaltöös osalemiseks oli ta liialt kogenematu, mitmelt poolt öeldi talle ära. Ta proovis Illinoisis Lake Forestis asuvas peenes tütarlastekoolis õpetaja-karjääri, kuid see ei vaimustanud teda. Viimaks läks ta Chicagosse ning hakkas tegutsema Hull House'i juures.

Hull House oli vaestekeskus, mille kaasasutaja oli Ameerika Ühendriikide tolleaegne sotsiaalsete reformide eestvedaja Jane Addams. Eesmärk oli pakkuda naistele uut laadi töövõimalusi, viia kokku rikkad ja vaesed ning taasluua kogukonnatunne, mis oli tööstuse tekkides kaotsi läinud. Hull House'i eeskuju oli Londoni Toynbee Hall, kus jõukad kõrgharitud mehed korraldasid vaestega samasuguseid kokkusaamisi nagu omavahel.

Hull House'is elasid rikkad naised vaeste ja töölisklassi esindajatega koos, olles nõuandjad ja abilised ning viies ellu projekte, mis vaesemate elu parandasid. Pakuti koolitusi, lastehoidu, panga-teenuseid, inglise keele tunde ning isegi kunstiõpet.

Tänapäeval kasutatakse heategevust sageli selgelt määratlemata siseelu paikamiseks. Hiljuti uurisin ühe prestiižika ülikooliks ette valmistava kooli juhilt, kuidas nemad valgustavad õpilasi iseloomu küsimustes. Vastuseks tõi koolijuht välja õpilaste kogukonnatööle kuluvate tundide arvu. Mina küsisin temalt sisemise töö kohta, tema tõi mulle näite välistest protsessidest. Tema seisukoht näis olevat, et vaeste laste õpetamine teeb õpetajast hea inimese.

Selline arusaam on laialt levinud. Paljudele on moraalsus ja alt-ruism väga olulised, kuid ilma õige moraalisõnavarata muutuvad moraaliküsimused sageli ressursipaigutusküsimusteks. Kuidas aidata võimalikult paljusid? Kuidas tegutseda tõhusalt? Või kõige hullem: kuidas minusugune meeldiv isik saaks aidata minust õnnetumaid?

Hull House'i õhustik oli sootuks teistsugune. Seal lähtuti konkreetsest teooriast, et kujundada nii vaeseid abistavate inimeste kui ka vaeste endi iseloomu. Addams, nagu paljud ta kaasaegsed, pühendas oma elu abivajajate teenimisele, suhtudes samal ajal kaastundesse kui nähtusesse sügava umbusuga. Tema kahtlus põhines kaastunde ebamäärasel olemusel, asjaolul, et kaastundlike inimeste väljakiiratud tundest pole mingit praktilist kasu. Ta mõistis hukka ka kaastunde subjektiivse poole, mis võimaldas kogukonnatööd tegevatel rikastel end hästi tunda. „Heategevus ja uhkus käivad käsikäes," kirjutas Nathaniel Hawthorne. Addams ei sallinud midagi, mis võinuks asetada abistaja abivajajast kõrgemale.

Addams tahtis, et nagu kõigis edukates abiorganisatsioonides, naudiksid ka Hull House'i töötajad oma tööd, et neile meeldiks see, mida nad teevad. Samas nõudis ta, et nad hoiaksid oma tundmused kontrolli all ning võitleksid väsimatult mistahes üleolekutunde vastu. Hull House'i töötajatel tuli muuta end väikeseks. Neil kästi ohjeldada oma tundeid ning läheneda abivajajate tegelike vajaduste väljaselgitamisele teadusliku kannatlikkusega. Sotsiaaltöötaja pidi jagama tänapäevaste juhtimiskonsultantide kombel praktilist nõu – uurima võimalusi, pakkuma sõprust ning juhatust, aga mitte lubama isiklikul arvamusel domineerida abivajajate arvamuse üle. Vaestel tuli ise oma elu kujundada, mitte muutuda teistest sõltuvaks.

Addams oli tunnistajaks nähtusele, mis on aktuaalne tänapäevalgi: paljud ülikoolilõpetajad on tarmukad, erksad ja muljetavaldavad, kuid 30. eluaastaks on nende sära tuhmunud ja küünilisus kasvanud. Nende ambitsioonid on kuhtunud. Addams kirjutas oma memuaarides „Kakskümmend aastat Hull House'is", et koolis õpetatakse lastele olema ennastohverdav ning ennastunustav, asetama ühiskondlikud ootused isiklikest soovidest ettepoole. Pärast kooli lõpetamist oodatakse aga, et nad suudaksid iseseisvalt hakkama saada, abielluda ning võib-olla teha ka karjääri. Noori naisi õpetatakse suruma alla soovi astuda vastu ülekohtule ja kannatustele. „Tüdrukud jäävad ilma millestki olulisest, milleks neil on tegelikult õigus," kirjutas Addams. „Nende tegevusvabadus on piiratud ning nad on õnnetud; vanemad omakorda pole olukorrast teadlikud ning tragöödia ongi sündinud."[38] Addamsi nägemuses polnud Hull House vaid vaeste abistamise paik; see oli paik, kus varakad kodanikud said teha õilistavat tööd. „Tehtu mõjutab ka tegijat," kirjutas Addams.[39]

Perkins viibis Hull House'is nii pikalt kui võimalik, alguses vaid nädalavahetustel, kuid hiljem järjest kauem. Kui ta sealt viimaks lahkus, sai ta kaasa teadusliku mõtteviisi: oluline on koguda andmeid. Nüüd tundis ta vaesuse keerulisi radu. Ka oli ta kogunud julgust. Järgmiseks töökohaks sai Hull House'i kasvandiku Philadelphias loodud ühing. Tööhõiveagentuuride sildi all meelitati toona naissoost sisserändajaid võõrastemajadesse, kus esines uimastamis- ja sundprostitutsiooni juhtumeid. Perkins paljastas 111 sellist paika, kandideerides ise nende pakutud töödele ja kohtudes sutenööridega silmast silma. 1909. aastal ühines ta kogemuste võrra rikkamana New Yorgis Florence Kelley juhitud

Tarbijate Liigaga. Kelley oli Perkinsi kangelane ja inspiratsiooni-
allikas. „Ta oli plahvatusohtlik, ägedaloomuline ja otsusekindel –
mitte just leebe pühak," kirjutas Perkins hiljem. „Ta elas ja töötas
kui misjonär, ükski ohver ega pingutus polnud talle liiga suur. Ta
oli tundeküllane ja sügavalt usklik, omapärase väljendusviisiga
naine."[40] Tarbijate Liigas võitles Perkins lapstööjõu kasutamise
ning teiste julmuste vastu.

New Yorgis kohtus ta ka boheemlasliku Greenwich Village'i
seltskonnaga: Jack Reediga, kes oli hiljem Venemaal seotud revo-
lutsiooniga; Sinclair Lewisega, kes tegi talle pool-tõsimeelse abi-
eluettepaneku; ning Robert Mosesega, kes osales tollal alternatiiv-
liikumises, kuid kellest sai hiljem New Yorgi võimukas ja kõrge
lennuga insener.

VAOSHOITUS

Perkins karastus Mount Holyoke'is ja Hull House'is järjest enam,
muutudes oma püüdlustes idealistlikumaks ja kirglikumaks.
Triangle'i vabriku tulekahju oli mõlema arengu puhul määrava
tähtsusega.

Samantha Power, Ameerika Ühendriikide esindaja ÜRO juures,
märgib läbinägelikult, et mõni inimene asetab end millegi nimel
võitlusse asudes isiklikult „tulejoonele". Neil inimestel on tunne, et
kaalul on nende endi maine ja isik. Nad võitlevad aktiivselt muu-
hulgas seetõttu, et tunnevad isiklikku seotust, soovides protsessi
käigus leida kinnitust oma emotsioonidele, isikule ja uhkusele.

Pärast tulekahju ei olnud Perkins „tulejoonel". Ta läks Albanysse ning asus tegema lobitööd tööohutusseaduse vastuvõtmise nimel. Ta jättis selja taha New Yorgi jõukast elukeskkonnast pärinevad eelarvamused. Ta jättis selja taha edumeelse poliitika peenekombelisuse. Ta oli nõus tegema koostööd ükskõik kellega ning tegema julmi mööndusi, kui see tähendas edasiminekut. Ta õpetaja, New Yorgi tõusev poliitikategelane Al Smith ütles Perkinsile, et varem või hiljem kaotavad edumeelsed poliitikud huvi kõikide teemade vastu. Selleks, et midagi tegelikult muutuks, soovitas ta teha koostööd libedate seadusandjate ning karmide parteitegelastega. Tuleb olla asjalik ning asetada eesmärk enda isikust ettepoole. Perkins õppis, et langenud maailmas on tihti „plekkidega" inimesed need, kelle abil on võimalik kõige rohkem head korda saata. Albanys hakkas ta tegema lähedast koostööd Tammany Halli poliitmasina osalistega, kellesse kombekamad ringkonnad, kus Perkins varem ringi liikus, suhtusid õudusega.

Albanys õppis Perkins ümber käima vanemate meesterahvastega. Ühel päeval seisis ta parlamendihoone liftide juures, kui liftist väljus tahumatu käitumisega senaator Hugh Frawley, kes asus kirjeldama kinniste uste taga toimunud koosoleku salajasi üksikasju ning kaebas häbiväärse töö üle, mida ta oli tegema sunnitud. Enesehaletsusest haaratud Frawley hüüatas: „Meil kõigil on ju ema."

Perkinsil oli kaust nimega „Märkmeid meeste mõtlemisest", kuhu ta talletas ka kirjeldatud episoodi. See vahejuhtum oli Perkinsi poliithariduses oluline: „Sain tänu sellele vahejuhtumile teada, et poliitikas seostavad mehed naisi emaga. 99% neist tunnevad ja austavad oma ema. Selline primitiivne suhtumine on valdav. Ütlesin endale: „Nii saab midagi ära teha. Tuleb käituda, riietuda ja end ülal pidada nii, et meenutaksin alateadlikult nende ema"."[41]

Perkins oli tollal 33aastane, krapsakas, kuid kindlasti mitte ilus. Seni oli ta rõivavalik olnud moodne. Sellest hetkest alates hakkas ta riietuma nagu ema. Ta kandis valge kaelalipsuga süngeid musti kleite. Ta kandis pärleid ja kolmnurkset musta kübarat ning omandas emaliku käitumislaadi. Meedia märkas muutust ning viis, kuidas ta 60aastaste ja vanemate seadusandliku võimu esindajatega ringi käis, tõi talle hüüdnime Ema Perkins. Perkinsile see hüüdnimi ei meeldinud, kuid kõik muu toimis, nagu pidi. Vanemate meeste usalduse võitmiseks surus ta alla oma seksuaalsuse, naiselikkuse ning osa oma identiteedist. Tänapäeval, mil naised ei peaks edu saavutamiseks ennast alla suruma, oleks see küsitava väärtusega taktika, kuid 1920. aastail oli see vajalik.

Muu hulgas võitles Perkins raevukalt seadusemuudatuse eest, millega sooviti töönädalale seada 54 tunni ülempiir. Ta püüdis töösturitega sõprust sobitada, et neid seaduse taha saada. Teda püüti igati ära petta ja üle kavaldada, kuid sellegipoolest võitis ta osa asjassepuutuvate isikute toetuse. „Mu õde oli vaene ja läks varakult tööle," pihtis poliitik Suur Tim Sullivan Perkinsile. „Mul on kahju tüdrukutest, kes peavad nii töötama, nagu sa kirjeldad. Tahaksin teha neile heateo. Tahaksin teha sulle heateo."[42]

Kui 54tunnise töönädala seadus lõpuks hääletusele jõudis, tehti erand ühele kõige jultunumale, kuid poliitiliselt mõjukaimale tööstusele – konservitööstusele. Seadust toetavad aktivistid olid mitu kuud nõudnud, et erandeid ei tehtaks. Seadus pidi kehtima kõigile tööstustele – eriti konservitööstusele. Perkins oli otsustaval hetkel kohal. Ta pidi sealsamas otsustama, kas tõsiste puudujääkidega seaduseelnõu toetada või see põhimõtte pärast tagasi lükata. Ta kolleegid olid häälekalt eelnõu tagasilükkamise poolt. Perkins aga otsustas puuduliku seaduseelnõuga leppida. Ta ütles seadusandjatele, et tema organisatsioon toetab eelnõu. „Võtan selle vastutuse. Olen otsustanud ja vastutan tagajärgede eest."[43] Paljud progressiivse partei liikmed tõstsid protesti. Perkinsi kõigutamatu õpetaja Florence Kelley kiitis aga Perkinsi otsuse täielikult heaks. Siitpeale tunti Perkinsit nii avalikult kui ka eraviisil kui „poole muna tüdrukut", kes võtab täpselt nii palju, kui olud lubavad.[44]

Umbes samal ajal kohtas Perkins Paul Wilsonit – kena ja heast perekonnast pärit progressiivset poliitikut, kellest sai New Yorgi reformistliku linnapea John Purroy Mitcheli lähedane abiline. Wilson armus Perkinsisse ning aja jooksul õnnestus tal pälvida Perkinsi tähelepanu. „Enne sind," kirjutas Perkins talle, „oli mu elu – kuigi pealtnäha see nii ei tundunud – väga üksildane paik, külm, kõle ja habras ... Kuidagi õnnestus sul mu südamesse tungida ja ma ei suudaks sust kunagi loobuda."[45]

Nende kuramaaž oli omapärane. Perkinsi kirjad Wilsonile on romantilised, siirad ja kirglikud. Sõprade ja kolleegide seltskonnas oli Perkins aga äärmiselt vaoshoitud ning aastakümneid hiljem eitas Perkins varasemate tugevate tunnete olemasolu sootuks. Nad abiellusid 26. septembril 1913. aastal Grace'i kirikus Manhattanil. Nad ei kutsunud tseremooniale oma sõpru ega öelnud neile, et nad abielluvad. Perekonnaliikmetele andsid Perkins ja Wilson küll abielust teada, kuid nii hilja, et nemadki ei saanud osaleda. Perkins riietas end pulmadeks üksi oma Waverly Place'i korteris ning tõenäoliselt läks laulatuse paika jala. Kaks abiellumise tunnistajat olid inimesed, kes lihtsalt juhtusid sel hetkel kirikus olema. Tseremooniale ei järgnenud pidulikku õhtusööki ega muul moel tähistamist.

Aastaid hiljem rääkis Perkins abieluotsusest toonil, mida võiks kasutada hambaarstiaja broneerimisel. „Minus rääkis Uus-Inglismaa uhkus," ütles Perkins aastakümneid hiljem. „Ma ei kibelenud abielluma. Tegelikult oli see mulle vastumeelne. Ma ei olnud enam laps, vaid täiskasvanud naine. Ma polnud kunagi abielluda tahtnud. Mulle meeldis üksi elada."[46] Kuna talt aga sageli uuriti, millal ta endale kaaslase leiab, otsustas ta asjaga ühele poole saada, mõeldes: „Ma tunnen Paul Wilsonit hästi. Ta meeldib mulle ... Mul on tema ja ta sõpradega koos tore, seega võin sama hästi temaga abielluda ja selle teema unustada."

Nende esimesed abieluaastad olid võrdlemisi õnnelikud. Nad elasid kaunis linnamajas Washingtoni väljakul, mis asus üsna lähedal paigale, kus Perkins Triangle'i vabriku tulekahju puhkedes teed jõi. Wilson töötas linnapea teenistuses. Perkins jätkas sotsiaaltööga. Nende kodust sai tolleaegsete poliitaktivistide kooskäimiskoht.

Peagi asjalood halvenesid. John Mitchel hääletati linnapea kohalt maha. Wilsonil oli armulugu seltskonnadaamiga, mis pälvis suurt tähelepanu, kuid vaikiti seejärel maha. Perkins tundis, et abielu lämmatab teda, ning soovis lahutust. „Olen teinud tobedaid vigu," kirjutas Perkins Wilsonile. „Ma ei ole enam endine, mu töö pole enam nii tõhus ning mu vaim on kahvatum."[47]

Siis jäi ta lapseootele. Poeg suri peagi pärast sündimist. Perkins oli murest murtud, kuid ka seda ei mainitud hiljem enam kunagi. Hiljem sai Perkinsist peasekretär vabatahtliku organisatsioonis Maternity Center Association, mille eesmärk oli vähendada emade ja vastsündinute suremust. Talle sündis ka tütar Susanna, kes sai nime Plymouth'i koloonia teise kuberneri naise järgi.

Perkins soovis veel lapsi, kuid 1918. aastaks olid Wilsonit hakanud kimbutama vaimse tervise probleemid. Tundus, et teda oli tabanud bipolaarne meeleoluhäire. Ta pingetaluvus oli kahanenud olematuseni. „Ta meeleolu kõikus pidevalt üles-alla. Vahel oli ta masendunud, vahel erutatud," rääkis Perkins hiljem. 1918. aastast alates oli tasakaalukaid hetki vähe. Ühe maniakaalse hoo ajal investeeris Wilson kogu oma varanduse kahtlase väärtusega kullaärisse ning jäi kõigest ilma. Vahel Perkins kartis temaga kahekesi jääda, sest Wilsonil esines raevuhoogusid ning ta oli Perkinsist palju tugevam. Järgmistel aastakümnetel viibis Wilson suure osa ajast vaimuhaiglates kinnisel ravil, kus Perkins teda nädalavahetuseti külastas. Kodus olles ei suutnud Wilson midagi teha. Teda abistas hooldusõde, keda kutsuti mahendavalt sekretäriks. „Järjest enam lakkas ta inimesena olemast, temast ei olnud enam vestluskaaslast,"[48] kirjutas Perkinsi biograaf George Martin.

Perkinsis käivitus uusinglismaalasele iseloomulik vaoshoitus. Ta nimetas perekonna vara kaotust „selleks õnnetuseks" ja mõistis, et peab pere ülalpidamiseks tööle minema. Sedasorti „õnnetused" jättis ta tagaplaanile. „Ma ei ole nende üle juurelnud ega kogenud freudistlikku kollapsit."[49] Järgnevatel aastakümnetel püüdis ta isiklikku elu avalikkuse eest varjata. Osalt oli see tingitud tema jänkilikust kasvatusest, kuid ta käitumisel olid ka filosoofilised ja veendumuslikud põhjused. Ta uskus, et isiklikud tundmused on avalikustamiseks liialt keerukad; praegune laialdane avalikustamiskultuur oleks teda tõeliselt kohutanud.

Omavahel võistlevad kaks filosoofilist käsitlust, mida ühiskonnakriitik Rochelle Gurstein nimetab vaoshoituse ja avalikustamise parteiks. Vaoshoituse pooldajad usuvad, et avalikustamine mõjub sisemaailma haavatavatele tundmustele jõhkralt ja saastavalt. Avalikustamise pooldajate hinnangul on igasugune salatsemine kahtlane ning elu toimib paremini, kui kõik on avalik ning toimuvad arutelud. Perkins kuulus kahtlemata vaoshoituse pooldajate leeri. Ta oli üks nendest, kelle arvates isiklike tundmuste ja motiivide avalikustamine lihtsustab ning muudab liialt nende tegelikku olemust. Ta oli üks nendest, kelle arvates muutuvad isiklikud tundmused, mida iseloomustab keerukus, nüansirikkus, vastuolulisus, paradoksaalsus ja müstilisus, avalikustamisel ja sõnadesse valamisel labaseks. Juhututtavate või võõraste inimeste ees avameelitsemine on kahjulik. Haprad tundmused rebitakse välja usalduslikust ja intiimsest sfäärist ning sõtkutakse jalge alla. Seetõttu tuleks inimestel suhtuda privaatsussoovi mõistvalt ning leppida sellega, et isiklik on isiklik. Kuigi ta usaldas valitsust vaesteabi korraldamisel ja nõrgemate kaitsmisel, oli riigi sekkumine isiklikku ellu tema jaoks äärmiselt vastumeelne.

Sellisel elufilosoofial oli oma hind. Perkins ei olnud meister sisekaemuse alal. Ta ei hiilanud oskusega olla lähedane. Tema eraelu polnud väga õnnelik. On raske öelda, mis oleks juhtunud, kui ta abikaasa poleks nii pikalt vaimsete probleemidega ravil viibinud, kuid on tõenäoline, et Perkinsi avalik kutsumus oleks sellegipoolest võtnud kogu intiimsuse jaoks vajaliku aja ja energia. Ta oli loodud avalike aktsioonide jaoks. Ta ei osanud armastust hästi vastu võtta, seda jagada ega olla haavatav. Ka tütre eest hoolitsemisel kaldus ta pigem moraalijutlusi pidama, mis andis loodetust vastupidiseid tulemusi. Frances hoidis end raudses haardes ning ootas sama ka tütrelt.

Tütar Susanna oli pärinud isa maniakaalse temperamendi. Kui Susanna oli 16aastane ja Perkins läks tööle Washingtoni Roosevelti administratsiooni, olid ema ja tütar haruharva ühe katuse all. Susanna elus oli mitu rasket depressiooni episoodi. Ta abiellus mehega, kes lõi avalikult üleaisa. 1940. aastaiks oli temast saanud midagi hipilaadset – see oli 20 aastat enne tegelikku hipiliikumise ajastu algust. Ta liitus mitme vastukultuuri liikumisega. Temast sai rumeenlasest skulptori Constantin Brancusi andunud austaja. Ta tegi kõike, et šokeerida hästikasvatatud seltskonda ja häbistada oma ema. Kord kutsus Perkins Susanna seltskondlikule üritusele ja palus tal sobivalt riietuda. Susanna valis välja erkrohelise kleidi ja sättis juuksed hooletult pealaele, kaunistades soengu ja kaela kiiskavate lilledega.

„Olen hakanud uskuma, et olen abikaasa ja tütre närvivapustuse põhjus," pihtis Perkins. „See mõte hirmutab ja tekitab ängi."[50] Susanna ei suutnud kunagi korralikult tööl käia ning Frances pidas teda ülal. Veel 77aastasena loobus Frances oma New Yorgi üürikorterist, et Susannal oleks kusagil elada. Frances pidi minema tööle, et maksta tütre arveid.

Iga voorusega võib kaasneda mõni pahe. Vaoshoitusega võib kaasneda osavõtmatus. Perkins ei olnud lähedaste suhtes emotsionaalselt avatud. Tema avalik kutsumus ei suutnud isikliku elu üksildust kunagi täielikult korvata.

KOHUSTUSED

New Yorgi kuberner Al Smith oli Perkinsi esimene ja suurim poliitiline armastus. Ta oli lojaalne, vastutulelik ja jutukas ning rahvamehelik. Smithi kaudu sai Perkins esimese võimaluse osaleda otsuste tegemisel. Smith määras Perkinsi tööstuskomisjoni, mis tegeles New Yorgi osariigi töötingimuste küsimusega. Soliidse 8000dollarilise aastapalgaga töö viis Perkinsi suurte streikide ja töövaidluste keskmesse. Ta ei olnud mitte ainult harv naine meeste maailmas, vaid tegutses ka meeste maailma kõige mehelikumas valdkonnas. Ta käis tööstuslinnades ning sekkus tarmukate ametiühinguesindajate ja kindlameelsete firmajuhtide vahelistesse ägedatesse vaidlustesse. Mälestustes ei hoople Perkins oma julge ja ehk isegi hulljulge tegutsemisega. See oli lihtsalt töö, mis vajas tegemist. Oma elu kirjeldamisel kasutab Perkins sageli umbisikulist tegumoodi. Vahel ütleb ta küll „mina tegin", kuid sagedasem on distantsi hoidev ja vanamoeline „sai tehtud".

Tänapäeval tundub selline väljendusviis toretsev ja jäik. Perkinsile oli see lihtsalt viis, kuidas vältida isikulist asesõna. Taoline väljendusviis viitab sellele, et Perkinsi arvates oleks iga korralik inimene käitunud tema olukorras samamoodi.

1910. ja 1920. aastail oli Perkinsil võimalus töötada Albanys koos Franklin Delano Rooseveltiga. Roosevelt ei avaldanud Perkinsile head muljet. Perkinsi arvates oli ta pealiskaudne ja veidi upsakas. Rooseveltil oli kombeks rääkides pead kuklasse heita. Hiljem, presidendina, väljendas see žest kindlust ja elurõõmsat optimismi. Noore Rooseveltit juures tähistas see Perkinsi arvates ülbust.

Roosvelt kadus Perkinsi elust, kui teda tabas lastehalvatus. Kui Roosevelt naasis, tunnetas Perkins muutust. Roosvelt ei rääkinud oma haigusest pea kunagi, kuid Perkins tundis, et see „oli mahendanud ta varasemat veidi arrogantset hoiakut".[51]

Kui Roosevelt oli parajasti poliitikasse naasmas, istus Perkins ühel päeval laval ja vaatas, kuidas Roosevelt end kõne pidamiseks poodiumile vinnas. Ta käed, millele ta end toetas, värisesid kogu aja. Perkins taipas, et pärast kõnet peaks keegi varjama ta kohmakat lavalt lahkumist. Ta andis enda taga istuvale naisele märku ning kui Roosevelt oli lõpetanud, kiirustasid nad tema juurde – ametlikult selleks, et õnnitleda, kuid tegelikult selleks, et seelikutega ta liigutusi varjata. Aastate jooksul sai sellest tavapärane tegevus.

Perkins imetles Roosevelti oskust tänulikult ja alandlikult abi vastu võtta. „Hakkasin mõistma, miks on suured religiooniõpetlased pidanud alandlikkust suurimaks vooruseks," kirjutas Perkins hiljem, „ja kui sa seda teadmist ei omanda, õpetab Jumal seda sulle sinu enda alandamise kaudu. Vaid selline inimene on tõeliselt suur, ja nii hakkas ka Franklin Roosevelt liikuma alandlikkuse ja seesmise terviklikkuse poole, mis tegid ta tõeliselt suureks."[52]

Kui Roosevelt valiti New Yorgi kuberneriks, pakkus ta Perkinsile tööstuskomisjoni esimehe kohta. Perkins ei olnud kindel, kas ta peaks pakkumise vastu võtma, sest ta kahtles, kas saab kantselei juhtimisega hakkama. „Usun, et minu võimalik avaliku teenistuse anne seisneb eelkõige õigusalases ja seadusandlikus tegevuses, mitte administratiivvaldkonnas," kirjutas ta Rooseveltile saadetud kirjas. Kui Roosevelt Perkinsile seda töökohta pakkus, andis naine talle päeva järele mõtlemiseks ning teistega nõu pidamiseks. „Kui keegi peaks ütlema, et minu palkamine pole tark tegu või et see toob kaasa probleeme, siis unustame tänase ... Ma ei räägi kellelegi, seega ei teki Teil probleeme."[53]

Roosevelt vastas: „Väga kena, aga minu arvamus sellest ei muutu." Tal oli hea meel määrata nii olulisele ametikohale naisterahvast ning Perkinsi avaliku teenistuja maine oli eeskujulik. Biograaf George Martini sõnutsi oli Perkins administraatorina hea või isegi väga hea; kohtumõistja või seadusandjana täiesti harukordne: „Tal oli õigusalaseks tegevuseks sobilik loomus ning igas olukorras tugev õiglustunne. Ta oli avatud uutele ideedele, mis ei jätnud tagaplaanile seaduse moraalset eesmärki – inimeste heaolu."[54]

Pärast presidendiks saamist pakkus Roosevelt Perkinsile tööministri portfelli. Perkins tõrkus taas. Kui kuulujutud tema võimalikust ministriametist presidendiameti üleminekuajal liikvele läksid, kirjutas Perkins Rooseveltile, et ta loodab, et need ei vasta tõele. „Te olla öelnud, et ajalehtede ennustused kabinetiliikmete osas on 80% valed. Loodan väga, et minu kohta kirjutatu läheb selle 80% alla. Tänukirjad ja muu kaasnev on pakkunud mulle närvikõdi, kuid Teie ja riigi huvides usun, et on parem, kui ministriks saab mõne töölisorganisatsiooni liige – nii kinnistuks põhimõte, et tööliste read on presidendi juures esindatud."[55] Perkins peatus möödaminnes ka pereprobleemidel, mida ta kartis takistuseks saavat. Roosevelt vastas paberitükil: „Olen Teie arvamust kaalunud, kuid ei nõustu sellega."[56]

Perkinsi vanaema oli õpetanud, et kui keegi avab ukse, tuleb alati sisse astuda. Niisiis esitas Perkins Rooseveltile tööministriks hakkamise tingimused. Ministrina soovis ta Rooseveltilt nõustumist terve rea sotsiaalkindlustusküsimustega: ulatusliku töötutoetusega, laialdase riikliku tööhõiveprogrammiga, miinimumpalga seadustega, pensioniealiste sotsiaalkindlustusprogrammiga ning lapstööjõu keelustamisega. „Tundub, et neil teemadel Te mind rahule ei jäta," sõnas Roosevelt. Perkins vastas, et nii see on. Perkins oli üks kahest tippametnikust, kes jäid Rooseveldi juurde kogu presidentuuri ajaks. Perkinsist sai väsimatu uue kursi eest võitleja. Ta oli sotsiaalkindlustussüsteemi rajamise keskne tegelane. Ta oli üks peamisi jõude paljude uue kursi raames loodud tööprogrammide taga, mille hulka kuulusid Alalhoiu Tsiviilteenistus (Civilian Conservation Corps), Föderaaltööagentuur (Federal Works Agency) ja Ühiskondlike Tööde Administratsioon (Public Works Administration). Õiglaste tööstandardite aktiga kehtestas ta esimesed riiklikku miinimumpalka ja ületunde reguleerivad seadused. Ta toetas rahaga üleriigilist lapstööjõu ja töötuskindlustuse alast seadusandlust. Teise maailmasõja ajal oli ta vastu naiste sõjaväkke värbamisele, tajudes, et pikas perspektiivis on naistest rohkem kasu, kui nad saaksid täita sõjaväkke võetud meestest maha jäänud töökohad.

Perkins tundis Franklin Roosevelti läbi ja lõhki. Pärast viimase surma kirjutas Perkins biograafilise essee „Roosevelt, keda ma tundsin", mis on tänase päevani üks meisterlikumaid Roosevelti portreesid. Perkins kirjutas, et Roosevelti otsuseid mõjutas „tema arvamus, et otsused ei ole kunagi lõplikud. Tuleb julgelt teha samme, mis tunduvad hetkel parimad, sest kui midagi ei tööta, on hiljem võimalik teha muudatusi." Roosevelt oli improviseerija, mitte planeerija. Ta otsustas ja kohandas, otsustas ja kohandas. Suurem muutus ilmnes tasahilju.

Selline vaimulaad saab Perkinsi arvates omaseks inimesele, kes on pigem töövahend kui insener: „Iisraeli prohvetid oleksid teda pidanud Issanda tööriistaks. Tänapäevased prohvetid suudaksid sellist mõttelaadi kirjeldada vaid psühholoogia abil, millest nad teavad haletsusväärselt vähe."[57]

Perkins oli Rooseveltiga suhtlemiseks kujundanud eraldi strateegia, sest presidendile olid omased meele- ja suunamuutused, mis vaheldusid selle järgi, kes oli tema viimane nõuandja. Enne presidendiga kohtumist tavatses Perkins koondada ühele lehele kõik valikuvariandid. Koos vaadati valikud üle ning Roosevelt teatas oma eelistuse. Seejärel palus Perkins tal oma otsust korrata: „Kas see on see, millega Te volitate mind jätkama? Olete Te kindel?"

Pärast lühikest vestlust palus Perkins Rooseveltil oma otsust teist korda kinnitada: „Olete Te kindel, et olete esimese variandi poolt? Kuidas on teise ja kolmanda variandiga? Kas mõistate, et kui teeme nii, on nemad meie vastu?" Kordamise kaudu pidi otsus talletuma pildina Roosevelti mällu. Perkins tõi Roosevelti kolmandatki korda sama teema juurde, küsides, kas president mäletab sõnaselgelt oma otsust ning mõistab, kes on tema vastu. „Kas jääte enda juurde? Kas Teie otsus on lõplik?"

President Roosevelt ei astunud alati Perkinsi kaitseks välja, kui see vajalik oleks olnud. Alluvatele püsivalt ustavaks jäämiseks oli ta poliitikuna liiga libe. Mitmele kabinetiliikmele oli Perkins vastumeelne. Üks põhjuseid oli Perkinsi komme koosolekutel lakkamatult rääkida. Ka ei olnud Perkins ajakirjanike lemmik. Ta privaatsusearmastus ning tugev soov abikaasat kaitsta ei lubanud tal end reporterite juuresolekul vabalt tunda ega kunagi avameelitseda. Reporterid omakorda olid osavõtmatud. Aastate jooksul hakkas amet Perkinsit kurnama. Ta maine käis alla. Ta saatis Rooseveltile kahel korral lahkumisavalduse, mille Roosevelt mõlemal korral tagasi lükkas. „Frances, Te ei tohi praegu minna. Praegu ei ole hea aeg," anus Roosevelt. „Ma ei tea kedagi teist. Ma ei harjuks kellegi teisega. Mitte praegu! Palun jääge ja ärge öelge midagi. Teiega on kõik hästi."

1939. aastal süüdistati Perkinsit ametikuriteo sooritamises. Süüdistus oli seotud Austraalia päritolu sadamatöölise Harry Bridgesiga, kes korraldas San Franciscos üldstreigi. Bridgesi kriitikud pidasid meest kommunistiks ning nõudsid riigi õõnestamises kahtlustatava sadamatöölise riigist väljasaatmist. Kui Nõukogude Liit lagunes ja arhiivid avati, selgus, et neil oli olnud õigus. Bridges oli kommunistide agent koodnimega Rossi.[58]

Tollal ei oldud selles kindlad. Tööministeeriumi eestvedamisel toimunud väljasaatmisega seonduvad ülekuulamised venisid. 1937. aastal ilmnes Bridgesi vastu veel süütõendeid ning 1938. aastal alustati väljasaatmismenetlusega. Menetluse peatas kohtuotsus, mis kaevati edasi ülemkohtusse. Väljasaatmise viibimine vihastas Bridgesi kriitikuid, kelle hulgas oli ärivõrgustikke ja teiste töölisliikumiste juhte.

Kriitika põhiraskus oli suunatud Perkinsile. Miks varjas tööminister riigiõõnestajat? Üks kongressiliige väitis, et Perkins on Vene juut ja kommunist. 1939. aasta jaanuaris esitas New Yersey esindaja J. Parnell Thomas Perkinsi vastu ametikuriteo süüdistuse. Meediakajastus oli jõhker. Franklin Rooseveltile anti võimalus Perkinsi kaitseks välja astuda, kuid, soovimata asjasse sekkumisel tekkivat mainekahju, jättis ta Perkinsi üksinda. Vaikis ka enamik Perkinsi liitlasi kongressist. Ka Naisklubide Liit (Federation of Women's Clubs) ei astunud ta kaitseks välja. New York Times kirjutas kahemõttelise juhtkirja. Üldine arvamus oli, et Perkins ongi kommunist, ning keegi ei tahtnud jääda koos temaga vaenajate tulejoonele. Jäid vaid Tammany Halli poliitikud, kes seisid vankumatult Perkinsi kõrval.

Perkinsi vanaema oli talle õpetanud, et ühiskondliku hävingu puhul „tuleb käituda nagu poleks midagi juhtunud". Perkins rügas edasi. Tema selle ajajärgu kirjeldus on kohmakalt sõnastatud, kuid paljastav. „Kui ma oleksin nutnud või valvsuse kaotanud, oleksin koost lagunenud," ütles Perkins hiljem. „Sellised me uusinglismaalased oleme. Me laguneme koost, kui selliseid asju endale lubame. Meie terviklikkus, võime pead selgena hoida ning otsustada ja tegutseda – kõik see, mida mõjutab meie isiklik kannatus või meie isik – oleks purunenud, mul poleks enam olnud keset, millele saan toetuda ning tänu millele saan Jumala juhatusel õigesti tegutseda."[59]

Teisisõnu – Perkins oli teadlik oma haprusest. Kui ta oleks seda endale lubanud, oleks võinud kõik kokku kukkuda. Aastate jooksul oli Perkins sageli käinud Marylandis Cantonsville'is asuvas Kõigi Pühakute kloostris. Tavaliselt viibis ta kloostris kaks-kolm päeva, palvetas viis korda päevas, sõi lihtsat toitu ja töötas aias. Päevad möödusid enamjaolt vaikuses, ning kui nunnad tulid tema juurde põrandat pühkima, tuli neil vahel pühkida tema ümbert, kuna Perkins oli põlvili ja palvetas. Süüdistusprotsessi ajal käis Perkins kloostris nii sageli, kui sai. „Olen avastanud, et vaikimiskohustus on üks kaunimaid asju maailmas," kirjutas ta sõbrale. „See päästab mõttetutest kiusatustest, vaimukatest, iroonilistest ja vihastest sõnavõttudest ... On uskumatu, mida vaikimine inimesega teeb."[60]

Ta mõtiskles ka teemal, mis oli talle kunagi tundunud ebaoluline. Kui keegi annab vaesele kingad, siis kas ta teeb seda vaese inimese või Jumala pärast? Perkins otsustas, et peaks tegema Jumala pärast. Vaesed on tihti tänamatud, mistõttu võid kaotada julguse, kui tugined oma töös vahetule emotsionaalsele tagasisidele. Kui tegutsed Jumala nimel, ei heitu sa kunagi. Inimene, kes on leidnud kutsumuse, ei sõltu heakskiitvast vastukajast. Töö ei pea end igal kuul või aastal ära tasuma. Kutsumuse leidnud inimesed tegutsevad, kuna nende tegevus on olemuslikult hea, mitte tulu pärast, mis tööst tõuseb.

Lõpuks, 8. veebruaril 1939. aastal kohtus Perkins süüdistajatega. Ta ilmus süüdistusprotsessi eest vastutava Esindajatekoja õiguskomitee ette. Perkins esitas pika ja detailse kirjelduse Bridges'i vastu algatatud administratiivsetest protseduuridest, nende põhjustest ning puudustest seadustes, mis ei võimaldanud teha enamat. Perkinsile esitatud küsimused varieerusid skeptilistest jõhkrateni. Perkins palus õelalt ründavatel oponentidel end korrata, uskudes, et keegi ei suuda jääda ebaviisakaks. Kohtuistungil tehtud fotodel näeb Perkins välja kõhn ja kurnatud, kuid ta avaldas komiteele muljet kaasuse üksikasjadega.

Märtsis otsustas komitee lõpuks, et Perkinsi süü pole küllalt tõendatud. Perkins vabastati süüdistusest, kuid lõplik raport oli ebamäärane ja poolik. Meediakajastus oli kasin ning Perkinsi maine oli lõplikult rikutud. Kuna tal ei olnud võimalik tagasi astuda, rügas ta ministriametis veel kuus aastat, tegutsedes peamiselt kuluaarides. Ta jäi stoiliseks ega näidanud üles nõrkust ega eneshaletsust. Kuigi pärast ministriameti lõppu avanes tal võimalus panna toimunust kirja oma nägemus, keeldus Perkins sellest.

Teise maailmasõja ajal teenis ta administratiivprobleemide lahendamisega. Ta käis Rooseveltile peale, et too teeks midagi Euroopa juutide aitamiseks. Teda tegi ärevaks keskvalitsuse suundumus sekkuda eraellu ja kodanikuvabadustesse.

Kui Franklin Delano Roosevelt 1945. aastal suri, vabastati Perkins lõpuks ametist, kuigi president Truman tegi talle ettepaneku asuda tööle avaliku teenistuse komisjoni. Selmet kirjutada tööaastaist mälestusteraamatut, kirjutas ta raamatu hoopis Rooseveltist. Raamat oli väga populaarne, kuid sisaldab väga vähe autobiograafiat.

Perkinsi isiklikku ellu saabus õnn alles elu lõpul. 1957. aastal kutsus noor töö-ökonomist Perkinsi Cornelli ülikooli loenguid pidama. Aastapalk 10 000 dollarit oli vaid veidi rohkem, kui Perkins oli teeninud aastakümneid varem New Yorgi tööstuskomisjoni esimehena, aga ta vajas raha tütre vaimse tervise ravi eest maksmiseks.

Ithacas viibides elas ta esialgu tillukestes kohalikes hotellides; hiljem pakuti talle väikest tuba Telluride'i majas, kus tegutses Cornelli mõne andekaima õpilase korporatsioon. Ta oli kutse üle väga rõõmus. „Tunnen end nagu pruut pulmaööl!" ütles ta sõpradele.[61] Telluride'is jõi ta poistega viskit ja talus vapralt nende muusikat.[62] Ta osales esmaspäevastel maja koosolekutel, kuid võttis harva sõna. Perkins andis poistele Hispaania jesuiidist preestri Baltasar Graciani 17. sajandil kirjutatud käsiraamatu „Käsioraakel ja arukuse kunst", mis õpetas, kuidas võimukoridorides ekseldes säilitada isiklikku terviklikkust. Perkins sai headeks sõpradeks noore professori Allan Bloomiga, kes kogus hiljem kuulsust Ameerika postmodernistlikku kõrgharidust kritiseeriva teosega „Ameerika vaimu varisemine" („The Closing of the American Mind"). Oli ka poisse, kel oli raske mõista, kuidas see väike, võluv ja tagasihoidlik vanaproua võis olla ajaloos mänginud nii olulist rolli.

Perkinsile ei meeldinud lennukid, mistõttu sõitis ta üksi bussiga ning pidi matusele või loengusse jõudmiseks vahel neli-viis korda ümber istuma. Perkins hävitas osa oma dokumente, et nurjata tulevaste biograafide tööd. Reisidel kandis ta käekotis testamendi koopiat, sest ta ei tahtnud surres kellelegi „tüli tekitada".[63] Ta suri 14. mail 1965. aastal 85aastasena üksi haiglas olles. Ta kirstu aitasid kanda mõned Telluride'i maja poisid, kelle hulgas oli ka Paul Wolfowitz, kes töötas hiljem nii Reagani kui ka Bushi administratsioonis. Kirikuõpetaja luges Pauluse esimesest kirjast korintlastele salmi „Olge kindlad", mida Perkins oli üle kuue aastakümne varem Mount Holyoke'i kolledži lõpuaktusel lugenud.

Kolledži aastaraamatu fotol näeme väikest, armast ja arglikku noort naist. Tema haavatavast ilmest ei loe kuidagi välja, et ta on võimeline taluma nii palju raskusi – abikaasa ja tütre vaimse tervise probleeme, katsumusi, mis kaasnesid ühe vähese naisena ülimehelikus maailmas tegutsemisega, poliitiliste võitluste aastakümneid ja hukkamõistvat meediakajastust.

Ka on raske ette näha, kui palju ta suudab raskustest hoolimata korda saata. Perkins tegeles varakult oma nõrkustega – laiskuse ja lobisemishimulisusega, ning valmistas end ette pühendunud eluks. Ta surus alla oma isiku, et võidelda selle nimel, millesse ta uskus. Ta ei peljanud väljakutseid, jäädes sama vankumatuks, kui oli tema elumoto. Ta oli „naine, kes tõi uue kursi", nagu ütleb Kirstin Downey kirjutatud suurepärase biograafia pealkiri.

Ühest küljest oli Perkins samasugune tulihingeline liberaalsete väärtuste eest võitleja, nagu tema tänapäevased kolleegid. Samas olid talle omased ka vaoshoitus ja traditsioonide austamine, kõhklus ning puritaanlik tundelaad. Ta oli julge poliitikas ja majanduses, kuid konservatiivne moraaliküsimustes. Tema enesedistsipliini tagamise pagasis oli tuhandeid väikeseid tegevusi, millega ta kaitses end enesekesksuse, eneseülistuse, ning, kuni elu lõpu poole toimunud kohtuprotsessini, enesessesüüvimise eest. Tema õiglustunne ja vaoshoitus mõjutasid tema eraelu ning ei soosinud avalikkusega suhtlemist. Need omadused aitasid tal aga elada oma kutsumuse teenistuses.

Perkins niivõrd ei valinud sellist elu, kui vastas tunnetatud vajadusele. Kutsumuse omaks võtnud inimese tee eneseteostuseni ei ole sirgjooneline. Selline inimene on valmis loovutama olulise osa iseendast ning leidma enese unustamise kaudu eesmärgi, mis määrab tema uue mina ning pakub rahuldust. Sellised kutsumused sisaldavad pea alati ülesandeid, mis ületavad inimea piirid. Pea alati tähendab selline kutsumus osalemist ajalooprotsessides. Ajaloolise panuse andmise kaudu hüvitab selline kutsumus elu lühiduse. Reinhold Niebuhr kirjutas 1952. aastal:

Mitte midagi, mis väärib tegemist, ei ole võimalik saavutada meie eluajal; seepärast peame leidma lohutust lootusest. Mitte midagi, mis on tõeline või ilus või hea, ei mõista me kohe täielikult; seepärast peame leidma lohutust usust. Mitte midagi, mida me teeme, olgu see kuitahes vooruslik, ei ole võimalik korda saata üksinda; seepärast peame leidma lohutust armastusest. Ükski vooruslik tegu ei ole meie sõbra või vaenlase pilgu läbi vaadatuna sama vooruslik kui meie vaatepunktist. Seepärast peame leidma lohutust ülimast armastusest, milleks on andestus."[64]

3. PEATÜKK

ENESE ALISTAMINE

Ida Stover Eisenhower sündis 1862. aastal Shenandoah' orus Virginias ühena üheteistkümnest lapsest. Tema lapsepõlve täitsid üks katastroof teise järel. Kui ta oli väike tüdruk, tungisid nende majja Uniooni – põhjaosariikide liidu – sõdurid, kes otsisid kahte Ida teismelist venda. Nad ähvardasid lauda maha põletada ning otsisid läbi nii linna kui ka ümbritsevad maavaldused. Ida polnud viieaastanegi, kui suri ta ema; isa suri, kui Ida oli 11aastane.

Lapsed jaotati kaugete sugulaste vahel ära. Idast sai abikokk majapidamises, kus ta peavarju oli saanud. Ta küpsetas pirukaid, saiu ja lihatoite, nõelus sokke ja paikas riideid. Ta ei olnud aga haletsusväärne. Temas oli lapsest saati särtsakust ja indu ning ta pistis julgelt raskustega rinda. Ta oli ületöötanud orb, keda linna-elanikud mäletasid siiski kui visa ja kartmatut, veidi poisilikku tüdrukut, kes saduldamata hobustel läbi linna ratsutas ning kord ka kukkus ja ninaluu murdis.

Tollal katkes tüdrukute haridustee enamjaolt pärast 8. klassi, kuid Idal, kes oli varajases noorukieas õppinud kuue kuuga ise-

seisvalt pähe 1365 piiblisalmi, jagus enese arendamiseks tarmu-
kust, seda nii Aadam I kui ka Aadam II mõistes. Ühel päeval, kui
ta oli 15aastane, läks tema võõrustajapere väljasõidule, jättes Ida
üksinda. Ta pakkis asjad ning hiilis minema, minnes jalgsi Staun-
tonisse. Ta otsis peavarju ja töö ning astus kohalikku keskkooli.

Ta lõpetas kooli, õpetas kaks aastat, ning sai 21aastaselt päran-
duseks 1000 dollarit. 600 dollari (tänapäeval enam kui 10 000 dol-
larit) eest ostis ta eebenipuust klaveri, mida ta hoidis armastusega
kogu elu. Ülejäänud raha panustas ta haridusse. Ta hääletas läände
liikuvale mennoniitide karavanile, kuigi ta ise polnud mennoniit,
ning seadis end koos vennaga sisse uhke nimega Lane'i ülikooli
Lecomptonis Kansases. Idaga koos oli sisseastujaid 14, loenguid
loeti elumaja võõrastetoas.

Ida õppis muusikat. Teaduskonna paberite järgi polnud ta
kõige terasem tudeng, kuid ta oli püüdlik ning sai häid hindeid
tänu kõvale tööle. Ta oli rõõmsameelne, seltskondlik ja ülimalt
optimistliku loomuga ning kursusekaaslased valisid ta esitama
kursuse lõpukõnet.[65] Lane'is kohtas ta ka oma temperamendi täie-
likku vastandit – morni ja kangekaelset noormeest nimega David
Eisenhower. Seletamatul põhjusel nad armusid ning jäid kokku
kogu eluks. Nende lapsed ei mäletanud nende vahel ühtegi tõsist
vaidlust, kuigi David andis Idale selleks põhjust enam kui küll.

Nad abiellusid River Brethreni kirikus, mis kuulus lihtsaid rõi-
vaid, karskust ja patsifismi soosivale väikesele ortodokssele usu-
lahule. Pärast uljast tüdrukupõlve andus Ida rangele, ent mitte
ilmtingimata allaheitlikule elukorraldusele. River Brethreni usu-
lahu naiste rõivaste juurde kuulus tanu. Ühel päeval otsustasid Ida
ja ta sõber, et nad ei taha enam tanu kanda. Kirik pani nad põlu

alla ning sundis istuma üksinda viimastes ridades. Lõpuks jäid nad siiski peale ja võeti, ilma tanudeta, tagasi kogukonda. Ida oli usus järeleandmatu, kuid tema arvates pidi elu olema ka lõbus ja inimsõbralik.

David avas koos partneri Milton Goodiga Kansases Abilene'is poe. Kui pood läks pankrotti, ütles David perele, et Good oli koos poest varastatud rahaga jalga lasknud. See oli väärikat väljapääsu pakkuv vale, mida pojad paistsid uskuvat. Tegelikult oli David Eisenhower üksiklane ja keerulise iseloomuga. Paistab, et ta kas jättis äri lihtsalt maha või läks äripartneriga tülli. Kui äri oli ebaõnnestunud, läks David Texasesse ning jättis raseda Ida koos vastsündinud pojaga koju. „Davidi otsus poepidamine lõpetada ning rase naine üksinda jätta on mõistetamatu," kirjutab ajaloolane Jean Smith. „Tal ei olnud ootamas uut tööd ega ametit, mille juurde naasta."[66]

Lõpuks sai David kaubajaama lihttööliseks. Ida järgnes talle Texasesse ning seadis nende kodu sisse raudteeäärsesse sarasse, kus sündis Dwight. Kui Ida oli 28aastane, olid neil näpud täiesti põhjas. Neil oli 24 dollarit ja 15 senti sularaha ning peale Kansasesse jäänud klaveri vaid veidi maist vara; Davidil aga polnud oskusi, mida tööandjatele pakkuda.[67]

Neile tulid appi Davidi sugulased. Davidile pakuti tööd Abilene'is asuvas meiereis ning nad naasid Kansasesse ja keskklassi ellu. Ida kasvatas suureks viis poega, kellest kõigist said märkimisväärselt edukad inimesed ning kes austasid ema terve oma elu. Dwight ütles hiljem ema kohta: „Ta oli kõige suurepärasem inimene, keda ma olen tundnud."[68] Elu lõpul avaldatud mälestusteraamatus „Vabalt" („At Ease") kirja pandud mälestustest selgub, et

Dwight, hüüdnimega Ike, jumaldas oma ema, kuigi ta väljendus-laad oli talle omaselt vaoshoitud: „Ida Eisenhoweri muretus, ta lai naeratus, ta leebe ja leplik olek muutsid hoolimata ta range-test usulistest tõekspidamistest ja käitumismaneeridest lühimagi külaskäigu tema juurde meeldejäävaks sündmuseks. Poegadele, kel oli olnud privileeg tema seltsis lapsepõlv veeta, on jäänud kustu-matud mälestused."[69]

Eisenhowerite kodus ei joodud, ei mängitud kaarte ega tant-situd. Ka ei olnud kombeks avalikult armastust demonstreerida. Dwighti isa oli vaikne, tõsine ja jäik, Ida samal ajal aga soe ja lihtne. Olid aga Ida raamatud, hoolitsus ja usk haridusse. Dwightist sai innukas klassikalise perioodi ajaloo huviline; ta luges Maratoni ja Salamise lahingutest ja kangelastest nagu Perikles ja Themistokles. Olid ka Ida elav ja lõbus isiksus ning pidevalt ja resoluutselt jaga-tud mõtterad: „Jumal jagab kaardid ja meie mängime nendega", „Uju või upu", „Ela või hääbu". Perekond palvetas ja luges iga päev piiblit, kusjuures poisid lugesid kordamööda ning pidid lugemis-järje üle andma, kui lugemisel eksisid. Kuigi Dwight ei olnud hili-semas elus usklik, oli ta piibellikust metafüüsikast läbi imbunud ning võis vabalt salme peast ette lugeda. Ida oli küll sügavalt usk-lik, kuid pidas ta usulisi tõekspidamisi igaühe südametunnistuse küsimuseks, mida ei tohi teistele peale suruda.

Eisenhoweri presidendikampaaniate ajal kirjeldati Abilene'i kui idüllilist Norman Rockwelli Ameerika maakohta. Tegelikult oli see karm keskkond, millel lasus raske au- ja moraalikoodeks. Endine arenev ja õitsev linnake oli nüüd osa protestantlikust lõunaosast, endiste lõbumajade asemel tegutsesid vanamoeli-sed kooliõpetajannad; üleminek oli olnud kiire. Viktoriaanlikku moraalsust täiendas puritaanlik jäikus, mis ühe ajaloolase sõnutsi tähendas augustiinluse saabumist Ameerikasse.

Ida hakkas poisse kasvatama majas, mis Ike'i hilisema hinnangu järgi oli umbes 75ruutmeetrine. Säästlikkus oli tähtis, enesedistsipliiniga tuli tegeleda iga päev. Enne moodsa meditsiini tulekut oli teravate tööriistade kasutamise ja raske füüsilise töö korral õnnetuste oht suurem ning tagajärjed kohutavamad. Ühel aastal hävitasid saagi massilised tirtsuparved.[70] Dwightil oli teismelisena jalas põletik, kuid ta ei lubanud arstidel jalga amputeerida, sest see oleks teinud lõpu ta jalgpallurikarjäärile. Dwight kaotas aeg-ajalt teadvuse ja palus ühel oma vennal magada ta toa ukselävel, et arst ei saaks tal magamise ajal jalga otsast lõigata. Kord, kui Dwight oli jäetud valvama kolmeaastast Earli, jäi tal lahtine taskunuga aknalauale. Earl upitas noa järele, kuid see libises tal käest ning kukkus otsapidi silma, mis sai viga; Dwight kahetses juhtunut kogu elu.

Keegi võiks uurida, kuidas mõjutas tollane laste suur suremus kultuuri ja uskumusi. Inimesed ilmselt tunnetasid iga päev, et rängad kannatused pole kaugel, et elu on habras ja sisaldab talumatuid raskusi. Kui Ida kaotas poja Pauli, liitus ta isiklikuma ja kaastundlikuma usu otsingutel usulahuga, kellest said hiljem Jehoova tunnistajad. Ka Eisenhower jäi hiljem ilma oma esimesena sündinud pojast Doud Dwightist, keda pere kutsust Ickyks. See oli kogemus, mis jäi alatiseks ta elu varjutama. Aastakümneid hiljem kirjutas ta: „See oli mu elu suurim pettumus ja õnnetus, millest ma pole siiani täielikult üle saanud. Kui ma sellele mõtlen, ja isegi praegu, mil ma sellest kirjutan, tajun taas teravalt seda kohutavat kaotust, mis meid tabas tol pikal ja pimedal päeval pärast 1920. aasta jõule."[71]

Elu haprus ja halastamatus nõudsid teatud distsipliini. Olukorras, kus väikenegi eksisamm võis kaasa tuua suure õnnetuse, mida kesine ühiskondlik turvavõrgustik ei suutnud palju pehmendada, ja kus surm, põud, haigus või reetmine võisid sind igal hetkel tabada, olid iseloom ja distsipliin hädavajalikud. Elu nägi välja selline: kõige keskmes oli pidev ohutunne, mille vastukaaluks ja riskide vähendamiseks olid vajalikud vaoshoitus, tagasihoidlikkus, tasakaalukus ja enesekontroll. Sellises kultuuriruumis elavatel inimestel oli tekkinud moraalne vastuseis kõigele, mis muudab elu veel hädaohtlikumaks, näiteks võlad või abieluvälised lapsed. Nad olid huvitatud kõigest, mis võis aidata selliseid hälbeid vältida.

Ida Eisenhoweri kasvatus tagas poiste huvi hariduse vastu, kuigi tollal ei peetud haridust üldiselt nii oluliseks kui tänapäeval. Nendest 200 lapsest, kellega Dwight 1897. aastal koos esimesse klassi läks, lõpetasid keskkooli vaid 31. Akadeemiline haridus polnud oluline, sest korraliku töö sai ka ilma selleta. Pikaajalise püsikindluse ja edukuse tagasid pigem püsivad harjumused, töövõime ja iseloom, mis tundis ära ja tõrjus eemale laiskuse ja nautlemise. Sellises keskkonnas oli tõsine töössesuhtumine olulisem kui särav mõistus.

Ühel Halloweeni õhtul, kui Eisenhower oli umbes kümneaastane, lubati ta vendadel minna perest perre käima, mis oli tollal palju põnevam ettevõtmine kui tänapäeval. Ike tahtis vendadega kaasa minna, aga vanemad ütlesid, et ta on veel liiga väike. Ta anus neid ja vaatas siis, kuidas vennad minema läksid. Seejärel võttis kontrollimatu raev ta üle võimust. Ta läks näost punaseks. Ta juuksed tõusid turri. Ta jooksis nuttes ja karjudes õue ning hakkas peksma rusikatega vastu õunapuud, kuni käed oli katki ja verised.

Isa raputas teda, andis talle hikkoripuu oksaga naha peale ja saatis üles voodisse. Umbes tund aega hiljem, kui Ike patja nutta tihkus, tuli ema ja istus voodi kõrvale kiiktooli. Viimaks ütles ta piiblisõnadega: „Kes valitseb iseenese üle, on parem kui linna vallutaja."

Poja haavu ravides ja sidudes ütles ema, et poiss hoiduks vihast ja vihkamisest oma hinges. Vihkamisest pole kasu, ütles ema, see kahjustab vaid vihkajat ennast. Ta ütles, et kõigist ta poegadest tuleb just Ike'il kirgede kontrollimist kõige rohkem õppida.

76aastaselt kirjutas Eisenhower: „Olen seda jutuajamist pidanud üheks olulisemaks hetkeks oma elus. Tollal, noorena, tundus, et ema rääkis tunde, kuigi tegelikult sai kõik öeldud ilmselt 15–20 minutiga. Vähemalt mõistsin ma, et olin eksinud, ning olin piisavalt rahunenud, et võisin jääda magama."[72]

Enese hinge alistamine oli Eisenhoweri lapsepõlvemaailma valitseva moraali tingimustes oluline mõiste. See põhines arusaamal, et meie sisim loomus on kahestunud. Me oleme langenud, kuid samas õnnistatud. Ühest küljest oleme patused – isekad, tüssajad, enesepetjad –, teisalt Jumala võrdkujud, taotledes üleloomulikkust ja vooruslikkust. Põhiline eludraama on seesmine moraalne võitlus, igapäevane pingutus, et peletada pattu ja kujundada iseloomu, mis kujutab endast sissejuurdunud korrapäraseid harjumusi ja püsivat kalduvust teha head. Selles nägemuses seisneb elu põhiline võitlus, mis on vajalik küpsuseks ja eneseaustuseks, patu alistamiseks oma hinges. Aadam I ei saanud edeneda, kui poldud tegeletud Aadam II-ga.

PATT

Tänapäeval on sõna „patt" kaotanud jõu. Kõige sagedamini kasutatakse seda rammusatest magustoitudest rääkides. Enamik inimesi eriti ei puuduta igapäevastes vestlustes üksikisiku patu teemat. Kui inimlik kurjus üldse jutuks tuleb, pole peamine teema mitte üksikisikutes, vaid ühiskonnas valitsev kurjus, mis väljendub ebavõrdsuse, rõhumise, rassismi ja muu sellisena.

Oleme patu mõistest loobunud osalt seetõttu, et me ei pea enam inimloomust paheliseks. 18. ja isegi 19. sajandil võtsid paljud omaks sünge enesehinnangu, mida väljendas vana puritaanide palve „Ometi ma patustan": „Igavene Isa, kes sa oled läbinisti hea, kuid mina, alatu, vilets, armetu, pime ..." Tänapäeval oleks selline suhtumine liialt rusuv.

Teiseks kuulutati sõna „patt" kaasabil sageli sõda naudingutele, teiste hulgas ka tervislikele mõnudele, nagu seksile ja meelelahutusele. Patu ettekäändel elati rõõmutut ja piiratud elu. Sõna „patt" aitas vaigistada kehamõnud, muu hulgas hirmutati teismelisi masturbatsiooniga kaasnevate ohtudega.

Veelgi enam, sõna „patt" kuritarvitasid upsakad ja kuivetunud irisejad, keda muutis ärevaks mõte, et keegi kusagil tunneb end ehk hästi, nagu ütles H. L. Mencken, ning kes olid valmis tollele ilmselgelt vääralt käituvale inimesele igal hetkel joonlauaga vastu sõrmi andma. Sõna „patt" kuritarvitasid need, kes uskusid, et lapsi kasvatades tuleb olla karm ja pimesi alistumist nõudev, ning pidasid vajalikuks rikutus oma lastest välja peksta. Seda kuritarvitasid need, kes mingil põhjusel ülistasid kannatusi ja uskusid, et vaid endaga rangelt ringi käies on võimalik saada suureks ja heaks.

Tegelikult on sõna „patt", nagu ka sõnad „kutsumus" ja „hing", vajalik. See on üks neist sõnadest – ja siin raamatus tuleb neid edaspidi veel –, mis tuleb tagasi tuua ja kaasajastada.

Sõna „patt" on vajalik, sest see aitab meeles pidada, et elu on moraalne nähtus. Hoolimata meie pingutustest taandada kõike ajukeemiale, hoolimata meie pingutustest taandada käitumine teatud karjainstinktile, mis on tuletatud suurtest andmehulkadest, hoolimata meie pingutustest asendada sõna „patt" mittemoraalsete sõnadega, nagu „viga" või „eksitus" või „nõrkus", on elus kõige olulisemad isiklik vastutus ja moraalsed valikud: kas olla vapper või arg, aus või valelik, kaastundlik või kalk, truu või ebalojaalne. Kui kaasaegne kultuur püüab asendada pattu selliste mõistetega nagu viga või tundetus või kaotada sõnu, nagu „voorus", „iseloom", „kurjus" ja „pahe", ei muutu elu sellest vähem moraalseks; see tähendab vaid, et oleme hägustanud elu möödapääsmatult moraalset olemust pinnapealse keelepruugiga. See tähendab vaid seda, et mõtleme ja räägime ülaltoodud valikutest ebamäärasemalt ning muutume selle käigus igapäevaste moraalsete valikute suhtes järjest pimedamaks.

Patt moodustab meie vaimse varustuse vajaliku osa ka seetõttu, et patt on ühine, samal ajal kui viga on isiklik. Keegi teeb vea, kuid meid kõiki vaenavad patud, nagu isekus ja mõtlematus. Patt on istutatud meie loomusesse ning antakse edasi põlvest põlve. Me kõik patustame. Patust teadlik olla tähendab tunda südamest kaasa teistele patustajatele. Tuleb meeles pidada, et nagu patt, nii on ka lahendused ühised. Patu vastu saab seista üheskoos, kogukondade ja perekondadega, võideldes enda pattudega ja aidates teisi võidelda nende omadega.

Pealegi on patu mõiste vajalik, sest see on tõde. Patune olla ei tähenda musta pahelist plekki südamel. See tähendab, et sina, nagu me kõik, oled teatud mõttes rikutud. Me tahame teha ühte, aga teeme teist. Tahame midagi, mida ei peaks tahtma. Keegi meist ei taha olla kalk, aga vahel me siiski oleme. Keegi ei taha tegeleda enesepettusega, kuid me mõistuspärastame ümbritsevat pidevalt. Keegi ei taha olla julm, kuid me kõik partsatame vahel ja hiljem kahetseme öeldut. Keegi ei taha olla kõrvalseisja, võtta enda peale hoolimatuse pattu, kuid, nagu ütles luuletaja Marguerite Wilkinson, me kõik patustame „ettekavatsemata armastusväärsusega".

Meie hinged on tõesti plekilised. Ambitsioon, mis paneb meid rajama firmat, põhjustab ka materialistlikku maailmavaadet ja teiste ärakasutamist. Iha, millest sünnivad lapsed, toob kaasa ka abielurikkumise. Enesekindlus, mis võib avalduda originaalsuses ja loomingulisuses, võib põhjustada ka enesekummardamist ja ülbust.

Patt ei ole ebainimlik. See on lihtsalt meie väärastunud kalduvus asjad tuksi keerata, eelistada lühiajalist kasu pikaajalisele, väiksemat suuremale. Patt, mida pidevalt korratakse, muutub lojaalsuseks madalamate tungide suhtes.

Niisiis tekitab patustamine patustamist. Tühised moraalsed kompromissid esmaspäeval põhjustavad suure tõenäosusega veidi suuremaid moraalseid patte teisipäeval. Inimene valetab endale ja peagi ei saa ta enam aru, millal ta seda teeb ja millal mitte. Mõni teine võib olla sattunud näiteks enesehaletsuse küüsi – teda valdab põletav soov olla märter, nii et see neelab ümbritseva endasse samamoodi nagu viha või ahnus.

Inimesed sooritavad suuri patte harva juhuslikult. Selleni jõudmiseks on mindud läbi mitmest uksest. Neil on lahendamata probleeme vihaga. Neil on lahendamata probleeme joomise või narkootikumide tarvitamisega. Neil on lahendamata probleem vähese kaastundega. Korruptsioon sünnitab korruptsiooni. Patt on patustamise palk.

Viimane põhjus, miks patt on meie vaimulaadi vajalik osa, seisneb selles, et ilma patuta laguneks laiali kogu iseloomu kujundamise meetod. Terve igaviku on inimesed pälvinud kuulsust, kui nad on välismaailmas midagi suurt korda saatnud, kuid iseloomu kujundamiseks on tulnud neil võidelda pattudega oma siseilmas. Inimesed muutuvad usaldusväärseks, püsikindlaks ja väärivad eneseaustust, kui nad on võitnud või vähemalt proovinud võita sisemisi deemoneid. Võttes ära patu mõiste, võtate ära millegi, mille vastu hea inimene võitleb. Ilma vastupanuta moraalne lihas lõtvub.

Patuga võitlev inimene mõistab, et moraalseid valikuid tehakse iga päev. Kohtasin kord tööandjat, kes küsib töölesoovijatelt: „Kas sa kirjeldaksid mulle olukorda, mil rääkisid tõtt ja kannatasid selle pärast?" Tegelikult soovib ta selle küsimusega teada, kas töölesoovijatel on prioriteedid paigas – kas nad asetaksid tõearmastuse ettepoole armastusest karjääri vastu.

Abilene'is oleks suurte pattudega tegelemata jätmisega kaasnenud hävitavad tagajärjed. Laiskus võinuks lõppeda farmi laostumisega, õgardlus ja alkoholitarbimine perekonna purunemisega, iharus noore naise hävinguga ning uhkus liigse kulutamise, võlgade ja pankrotiga.

Sellistes paikades polnud inimesed teadlikud vaid patust kui sellisest, vaid patu eri vormidest ning viisidest, kuidas pattudega tegeleda. Mõned patud, näiteks viha ja iha, on kui metsikud loomad. Nende vastu saab kui end vaos hoida. Teised patud, näiteks narrimine ja lugupidamatus, on nagu plekid. Neid saab kustutada vaid andeksandmine, milleks on vajalikud vabanduse palumine, kahetsus, hüvitus ja puhastus. Varastamine ja muud sarnased patud on nagu võlg. Neid saab hüvitada, andes ühiskonnale tagasi selle, mille oled võtnud. Abielurikkumine, altkäemaks ja reetmine sarnanevad riigireetmisega, sest kahjustavad ühiskondlikku korda. Ühiskondlikku harmooniat saab aegamisi taastada suhete ja usalduse taasloomise kaudu. Ülbus ja uhkus tekivad väärastunud soovist staatuse ja üleoleku järele. Ainus abinõu sel juhul on alandlikkus.

Teisisõnu – varematel aegadel pärisid inimesed laialdased moraalsed teadmised ja vajalikud tööriistad, mis olid tekkinud sajanditega ning mida anti edasi põlvest põlve. Nagu keele õppimine, oli seegi pärandus praktilise väärtusega ning seda sai kasutada isiklikes moraalsetes võitlustes.

ISELOOM

Ida Eisenhower oli rõõmsameelne ja südamlik, kuid halbade kommete suhtes oli ta valvel. Ta keelas kodus tantsimise, kaardimängud ja joomise, sest pidas patu väge suureks. Kuna enesekontrolli muskel väsib kiiresti, on parem kiusatusi vältida kui püüda nendega hiljem võidelda.

Ida jagas poegadele põhjatut armastust ja soojust. Ta lubas neil püksipõlvi lõhkuda vabamalt kui tänapäeval kombeks. Samal ajal nõudis ta poistelt pisitasa ja pidevalt eneseohjeldamist.

Kui me tänapäeval ütleme, et keegi surub ennast alla, mõtleme seda tavaliselt kriitikana. See tähendab, et inimene on pinges, jäik või pole teadlik oma tõelistest tunnetest. See on nii seetõttu, et tänapäevane kultuuriruum soosib eneseväljendust. Me kaldume usaldama seesmisi impulsse, mitte väliseid jõudusid, mis soovivad neid impulsse alla suruda. Varem suhtuti kahtlevalt pigem seesmistesse impulssidesse. Sisemusest tõusvaid impulsse sai hoida vaos harjumuste abil.

1877. aastal kirjutas psühholoog William James lühikese uurimuse pealkirjaga „Harjumus". Ta kirjutas, et kui tahetakse elada head elu, tuleb närvisüsteemist teha liitlane, mitte vaenlane. Selleks on vajalikud teatud harjumused, mis peavad juurduma nii sügavalt, et muutuksid loomulikuks ja instinktiivseks. James kirjutas, et soovitud harjumuse kujundamisel – näiteks tervislik toitumine või alati tõe rääkimine – tuleb alustada nii „jõuliselt ja otsusekindlalt kui võimalik". Tee uue harjumuse algusest suursündmus. Seejärel „väldi erandeid", kuni harjumus on saanud sulle täielikult omaks. Üksik erand muudab varasema eduka enesekontrolli olematuks. Seejärel kasuta uut harjumust igal võimalusel. Enesedistsipliini saad harjutada tasuta iga päev. Kehtesta endale kindlad reeglid. „Selline askeetlus sarnaneb kodu kindlustamisega. Kindlustusmaksed ei too inimesele tulu kohe, kui üldse kunagi toovad. Kui tulekahju peaks puhkema, päästavad tasutud maksed hävingust."

William James ja Ida Eisenhower püüdsid kumbki omal moel juurutada pikaajalist püsivust. Yale'i õigusteaduste professor Anthony T. Kronman on öelnud, et iseloom on „komplekt kindlakskujunenud kalduvusi – harjumuspäraseid tundeid ja soove".[73] See on väga aristoteleslik mõte. Kui käitud hästi, muutud ajapikku heaks inimeseks. Muuda oma käitumist ning su käitumine muutub.

Ida rõhutas väikeste enesekontrollitoimingute olulisust: söögilauas istudes etiketist kinnipidamist, kirikusse minemisel parimate pühapäevariiete selgapanemist ja pärast sabati pidamist, kirja kirjutamisel lugupidamise ja austuse märgina viisakusvormelite kasutamist, lihtsa toidu söömist, luksuse vältimist. Sõjaväes hoia vormirõivad puhtad ja kingad viksitud. Kodu hoia korras. Harjuta distsipliini, hoides oma ümbruses väikesed asjad korras.

Ka usuti tollases kultuuris, et käsitsi tehtavad tööd aitavad kujundada iseloomu. Abilene'is tegid kehalist tööd iga päev kõik alates firmaomanikest kuni talupoegadeni, määrides vankritelgi, kühveldades sütt või sõeludes tuhahunnikust põlemata tükke. Eisenhoweri lapsepõlvekodus ei olnud veevärki ning poiste päev algas koidikul kella viiese äratuse, ahju tule tegemise ja kaevust vee toomisega; koduseid töid jagus terve päeva peale: isale meiereisse sooja toidu viimine, kanade söötmine, aastas ligi 500 liitri puuviljade sissetegemine, pesupäeval pesu keetmine, maisi kasvatamine raha saamiseks, veevärgi saabudes torustiku jaoks kraavide kaevamine ja elektri linna jõudes juhtmete majja vedamine. Ike kasvas suureks oludes, mis olid peaaegu vastand sellele, kuidas kasvatatakse paljusid lapsi tänapäeval. Praegu säästetakse lapsi suurest osast töödest, millega pidi tegelema Dwight; samas ei lubata neil pärast koduste tööde tegemist ka nii vabalt mööda metsi ja linna ringi hulkuda. Dwightil oli palju koduseid töid, aga ka palju vaba aega linnas ringi hulkumiseks.

David Eisenhower, Dwighti isa, praktiseeris distsiplineeritud elu rangel ja rõõmutul moel. Ta oli pedantselt korrektne ja otsekohene. Ta oli jäik, eemalolev ja range korraarmastusega. Pärast pankrotti kartis ta igasugust laenuvõtmist ja iga väikseimatki vääratust. Firma juhina sundis ta töötajaid säästma 10% igakuistest sissetulekutest. Töötajad pidid andma talle aru, mida nad olid selle rahaga teinud, kas viinud panka või investeerinud aktsiatesse. David märkis kõik vastused üles ning vabastas ametist need, kelle aruandega ta rahul polnud.

Tundus, et ta ei lõõgastunud kunagi, ta ei viinud poisse kunagi jahile ega kalale ega mänginud nendega kuigivõrd. „Ta oli jäiga iseloomu ja järeleandmatu käitumisega mees," meenutas Edgar, üks poistest, hiljem. „Elu oli tema jaoks tõsine asi ja nii ta seda elas, kainelt ja endassesüüvinult."[74]

Ida seevastu naeratas alati. Ta oli alati valmis olema veidi üleannetu, astuma üle vaoshoitusest, ja kui selleks oli põhjust, jooma isegi tilgakest alkoholi. Vastupidi abikaasale tundus Ida mõistvat, et iseloomu kujundamisel ei saa tugineda vaid enesekontrollile, harjumustele, tööle ja ennastsalgavusele. Mõistus ja tahe on liiga nõrgad, et iga kord ihadest võitu saada. Üksikisik on tugev, aga ainuüksi sellest ei piisa. Et pattude üle võitu saavutada, on vaja välist abi.

Ida iseloomu kujundamise meetodil oli ka hellem pool. Õnneks valitseb meie loomust armastus. Ida ja teised temasugused inimesed mõistavad, et ka armastus on iseloomu kujundamise vahend. Leebem iseloomu kujundamise viis põhineb arusaamal, et meil ei õnnestu alati oma ihadele vastu seista, kuid meil on võimalik neid muuta ja ümber järjestada, kui keskendume sellele, mida peame kõige olulisemaks. Keskendume armastusele oma laste vastu. Keskendume armastusele kodumaa vastu. Keskendume armastusele vaeste ja rõhutute vastu. Keskendume armastusele kodulinna või koduülikooli vastu. Selliste asjade nimel on meeldiv ohvreid tuua. Armastatut teenida on hea tunne. Sel juhul valmistab andmine rõõmu, sest sa soovid, et armsaks peetu elaks ja õitseks.

Peagi on su käitumine muutunud paremaks. Vanemad, kes keskenduvad laste armastamisele, tunnevad, et on valmis lapsi iga päev sõidutama; tõusma keset ööd, kui lapsed on haiged; jätma kõik, kui lastel on mure. Armastaja soovib ohverdada, pühendada oma elu ohvriannina armastatule. Taolistest tunnetest tiivustatud inimene patustab tõenäoliselt veidi vähem.

Ida näitas, et on võimalik olla range ja samas lahke; distsiplineeritud ja samas armastav; teadlik patust ja samas teadlik andestusest, ligimesearmastusest ja halastusest. Aastakümneid hiljem, kui Dwight Eisenhower presidendivannet andis, palus Ida tal avada Piibli Teise Ajaraamatu 7. peatüki 14. salmi: „Ja kui siis minu rahvas, kellele on pandud minu nimi, alandab ennast ja nad palvetavad ja otsivad minu palet ning pöörduvad oma kurjadelt teedelt, siis ma kuulen taevast ja annan andeks nende patu ning säästan nende maa." Kõige edukamalt saab pattude vastu seista sõbralikult elades ja armastades. Oluline on, kuidas sa teed oma tööd, olgu see siis prestiižne või mitte. Nagu varemgi on märgitud – Jumal armastab määrsõnu.

ENESEKONTROLL

Dwight tundub olevat kuulunud nende hulka, kes peavad religiooni ühiskonnale vajalikuks, kuigi ei ole ise usklikud. Pole tõendeid, et ta oleks tunnetanud selgelt Jumala armu või et tal oleks olnud teoloogilisi mõtteid lunastuse kohta. Küll oli ta pärinud ema jutuka loomuse ning tunnetuse, et loomust tuleb pidevalt talitseda ja kontrollile allutada. Tema lähenemine sellele oli aga ilmalik.

Ta oli sünnist saati taltsutamatu iseloomuga. Dwighti lapsepõlv kinnistus Abilene'i elanike mällu üksteisele järgnenud ulatuslike löömingute tõttu. West Pointis oli ta väljakutsuv, mässumeelne ja halva käitumisega. Talle tehti õnnemängude, suitsetamise ja üldise lugupidamatuse tõttu rida noomitusi. Kooli lõpetades oli ta käitumise poolest 164 mehe hulgas 125. kohal. Kord alandati ta seersandi auastmelt reameheks seepärast, et ta oli ballil liiga ülevoolavalt tantsinud. Kogu sõjaväelase karjääri ja presidendiameti vältel oli ta kui kurjast vaimust vaevatud, hoides tol ammusel Halloweeni õhtul nähtud temperamenti vaevu kontrolli all. Tema sõjaväelise karjääri vältel õppisid ta alluvad lugema peatset raevuhoogu ennustavaid märke, näiteks teatud ilmeid, mis ennustasid roppustega vürtsitatud plahvatust. Teist maailmasõda kajastava ajakirjaniku poolt „kohutava temperamendiga härra Põmakaks" kutsutud Eisenhoweri raevukalduvus pulbitses õhukese pealispinna all.[75] „Oli tunne, nagu vaataksid Bessemeri terasesulatusahju," meenutas presidendi abi Bryce Harlow. Eisenhoweri sõjaaegne arst Howard Snyder märkas vahetult enne järjekordset plahvatust presidendi „meelekohtadel pundunud veresoonterägastikku". „Ike'i alluvad tundsid tema raevukuse pärast aukartust," kirjutas presidendi

biograafia autor Evan Thomas.[76] Eisenhoweri vastuvõtusekretär
Tom Stephens märkas, et halvas tujus president kandis sageli
pruuni värvi rõivaid. Stephens nägi Eisenhowerit kontoriaknast.
„Pruun ülikond!" teadis ta teisi ette hoiatada.[77]

Nagu enamikul meist, oli Ike'il kahetine iseloom, ning küllap
pidi ta olema eriti valvas, sest tema loomus oli enam kahestunud
kui paljudel teistel. Sõjaväes oli ta meisterropendaja, kuid naiste-
rahvaste juuresolekul ei kasutanud ta vandesõnu pea kunagi.
Labaste naljade peale keeras ta lihtsalt selja.[78] West Pointis tehti
talle koridoris suitsetamise pärast noomitusi; sõja lõppedes tõm-
bas ta juba neli pakki sigarette päevas. Ühel päeval jättis ta äkki
suitsetamise maha: „Ma andsin endale käsu." Hiljem, 1957. aastal
riigi olukorra kohta peetud kõnes ütles ta: „Nagu öeldud, annab
vabadus võimaluse enese distsiplineerimiseks."[79]

Eisenhoweri seesmised piinad mõjutasid ka keha. Teise maa-
ilmasõja lõpuks oli ta valude pundar. Öösiti vaatas ta lakke, sest
unetus ja ärevus ei lasknud magada; ta jõi ja suitsetas, teda piina-
sid kõripõletikud, krambid, kõrge vererõhk. Ta enesekontrolli-
võime, mida võiks ehk nimetada aadellikuks silmakirjalikku-
seks, oli samuti üüratu. Talle ei olnud looduse poolt antud head
tundmuste varjamise oskust. Ta nägu oli äärmiselt väljendusrikas.
Sellegipoolest manas ta päevast päeva näole enesekindla ja sun-
dimatu, maapoisilikult sõbraliku ilme. Päikesepoisilik loomu-
laad sai talle omaseks. Evan Thomas kirjutab, et Ike olla öelnud
lapselapsele Davidile, et see naeratus ei tulene mitte mingist päi-
keselisest ja rahulolu tekitavast elufilosoofiast, vaid pärineb sellest
ajast, kui poksitreener ta West Pointis pikali maha lõi. „Kui sa ei
suuda ennast maast naeratades püsti ajada," ütles treener, „ei saa sa

vastasest kunagi jagu."[80] Eisenhower arvas, et armee juhtimiseks ja sõja võitmiseks on vaja jätta enesekindel ja rahulik mulje.

> Olen kindlalt otsustanud, et minu käitumine ja avalikkuse ees peetavad sõnavõtud peegeldavad alati kindlat võitu – et kõik minu pessimistlikud mõtted ja kõhklused jäävad minu ja mu padja vahele. Selleks, et see veendumus muutuks käegakatsutavateks tulemusteks, otsustasin armees suhelda nii paljude sõjaväelastega, kui vähegi jaksan. Püüdsin nii kindralite kui ka reameestega kohtudes alati naeratada, neile õlale patsutada ning nende murede vastu huvi tunda.[81]

Ta nuputas välja viisid, kuidas olla üle oma tegelikest tunnetest. Näiteks koostas ta tekkinud viha vaigistamiseks päevikutesse nimekirju inimestest, kes olid teda solvanud. Kui ta tundis, et hakkab ägestuma, hoidis ta end teadlikult vaos. „Viha ei tohi võita. Vihasena pole mõistus selge," kirjutas ta päevikusse.[82] Teinekord kirjutas ta süüdlase nime paberile ning viskas selle seejärel prügikasti – see oli veel üks sümboolne tugevatest tundmustest vabanemise meetod. Eisenhower ei olnud vahetu inimene. Ta oli kirglik inimene, kes hoidis, nagu ta emagi, end kunstlikult vaos.

ORGANISATSIOONI INIMENE

Ida saatis Ike'i Abilene'ist West Pointi 8. juunil 1911. aastal. Ta oli tulihingeline patsifist, kellele oli sõjaväelase elukutse täiesti vastumeelne, kuid ta ütles pojale: „See on sinu valik." Ida saatis poja rongile, läks koju ja lukustas end oma tuppa. Ülejäänud pojad kuulsid läbi ukse ta nuuksumist. Vend Milton ütles hiljem Ike'ile, et see oli esimene kord, mil ta kuulis ema nutmas.[83]

Ike lõpetas West Pointi 1915. aastal. Niisiis möödusid tema karjääri algusaastad Esimese maailmasõja varjus. Olles treenitud võitluseks, ei näinud ta oma silmaga sõda, mis pidi lõpetama kõik sõjad. Ta ei lahkunud Ameerika Ühendriikidest. Neil aastail treenis ta järelkasvu, tegutses jalgpallitreenerina ning korraldas logistikat. Ta pidas raevukat võitlust selle nimel, et teda sõtta saadetaks ning 1918. aasta oktoobris, 28aastaselt, saigi ta vastava käsu. Ta pidi sõitma Prantsusmaale 18. novembril. Sõda muidugi lõppes 11. novembril. See oli valus löök. „Küllap veedame ülejäänud elu, selgitades, miks me sõtta ei läinud," kaebas ta kaasohvitserile saadetud kirjas. Seejärel andis ta üllatavalt avameelse tõotuse: „Jumala nimel teen ma edaspidi kõik selleks, et kaotatut tasa teha."[84]

Otsekohe tal oma tõotust pidada ei õnnestunud. Eisenhower edutati kolonelleitnandiks 1918. aastal, enne, kui ta pidi Prantsusmaale sõitma. Järgmine edutamine toimus alles 20 aasta pärast, 1938. aastal. Armees oli külluses sõja ajal edutatud ohvitsere ning edenemisvõimalused olid kasinad, kuna sõjaväelaste read olid 1920. aastail kahanemas ja armee ei mänginud Ameerika ühiskonnas enam olulist rolli. Ike'i karjäär jäi toppama, samal ajal kui ta tsiviilisikutest vendade elu läks tõusujoones. Neljakümnendaisse eluaastaisse jõudnud Eisenhower oli vendadest kõige vähem saavutanud. Ta oli keskealine. Oma esimese tärni sai ta alles 51aastaselt. Keegi ei oodanud temalt midagi erilist.

Maailmasõdadevahelistel aastatel töötas Ike jalaväeohvitseri, jalgpallitreeneri ja staabiohvitserina ning käis hooti Jalaväe Tankikoolis, Maaväe Juhtimis- ja Staabikolledžis koolis ja lõpuks ka Sõjakolledžis. Aeg-ajalt päästis Ike valla pettumuspahvakuid, mis olid põhjustatud sõjaväelise institutsiooni kohmakast bürokraatiast ja sellest, kuidas tema võimalusi lämmatati ja annet raisati. Üldiselt oli ta siiski üllatavalt vaoshoitud. Temast sai tüüpiline organisatsiooni inimene. Ida käitumisõpetust oli lihtne sõjaväe käitumiskoodeksi vastu vahetada. Ta allutas isiklikud soovid rühmahuvidele.

Oma mälestustes kirjutas ta, et kolmekümnendaiks eluaastaiks oli ta õppinud „sõjaväe olulisima õppetunni – sõduri koht on seal, kuhu ülemused on ta saatnud."[85] Tal tuli täita lihtsaid ülesandeid. „Parim lahendus oli lasta endamisi aur välja, misjärel sai asuda töö kallale."[86]

Staabiohvitserina, mis ei olnud ei ihaldatud ega glamuurne roll, omandas Eisenhower teadmised protseduuridest, protsessist, meeskonnatööst ja organisatsioonist. Ta õppis ära organisatsioonis läbilöömise saladused. „Uues paigas teen kõigepealt selgeks, kes on parim mees oma ametis. Jätan isiklikud eelistused tagaplaanile ning toetan igati selle inimese mõtteid."[87] Hiljem kirjutas ta teoses „At Ease": „Püüa alati suhelda lähemalt nendega ning õppida niipalju kui võimalik neilt, kes teavad sinust rohkem, kes on sinust edukamad, kes näevad asju selgemalt kui sina." Eisenhower ei väsinud rõhutamast ettevalmistuse olulisust: „Plaanid pole olulised, planeerimine on," tavatses ta öelda. Või teisisõnu: „Usalda planeerimist, mitte plaane."

Ta sai aimu ka iseenda olemusest. Ta hakkas kaasas kandma tundmatu autori luuletust:

> Võta ämber, täida veega,
> pane käsi sisse – randmeni.
> Nüüd välja tõmba see; auk, mis jääb järele,
> näitab, kui palju sinust puudust tuntakse ...
>
> Selle veidra näite mõte on alljärgnev.
> Tee parim, mida saad.
> Ole enda üle uhke, kuid pea meeles,
> asendamatuid inimesi pole olemas![88]

ÕPETAJAD

1922. aastal saadeti Eisenhower Panamasse, kus ta ühines 20. jalaväebrigaadiga. Panamas veedetud kaks aastat andsid Ike'ile kaks asja. Esiteks pakkus see keskkonnamuudatuse pärast tema esikpoja Icky surma. Teiseks tutvus ta kindral Fox Connoriga. Ajaloolane Jean Edward kirjutab: „Fox Connor oli tagasihoidlikkuse kehastus: rahulik, mahehäälne, väga ametlik ja viisakas – kindral, kellele meeldis lugeda, kes oli suur ajaloohuviline ja hea sõjaväelise talendi tundja."[89] Connori juures polnud grammigi teesklust. Connorilt õppis Ike mõttetera: „Võta tõsiselt oma tööd, mitte iseennast."

Fox Connor oli tagasihoidliku juhi musternäide. „Alandlikku-setunne on omadus, mida olen täheldanud iga juhi juures, kellest olen sügavalt lugu pidanud," kirjutas Eisenhower hiljem. „Minu arust peaks iga juht olema piisavalt alandlik, et avalikult võtta enda peale vastutus oma käega välja valitud alluvate vigade eest, ning samas neid ka avalikult hea töö eest kiita." Ike jätkab: „Connor oli praktilise ellusuhtumisega ohvitser, kes oli kahe jalaga maa peal ja tundis end vabalt nii piirkonna tähtsaimate isikute kui ka kõigi sõjaväelaste seltskonnas. Ta ei ajanud kunagi nina püsti ning oli sama avatud ja aus kui iga teine inimene, kellega olen elu jooksul kokku puutunud ... Ta on olnud mulle sümpaatsem kui keegi teine juba aastaid, isegi sugulased ei saa tema vastu."[90]

Connor taaselustas ka Ike'i huvi klassika, sõjastrateegia ja maailma asjade vastu. Eisenhower nimetas Connori juures töötamist „sõjanduse ja humanitaarteaduste magistriõppeks, mille aluseks olid kommentaarid ja arutlused mehelt, kes tundis inimesi ja nende käitumist". Ta on öelnud: „See oli mu elu kõige huvitavam ja konstruktiivsem aeg." Panamas Ike'i külastanud lapsepõlvesõber Edward „Swede" Hazlett märkis, et Eisenhower oli „peatuspaiga teise korruse varjestatud verandale sisustanud midagi kabinetilaadset, kus ta vabal ajal joonestuslaua ja tekstide seltsis kunagiste meistrite sõjakäike kordas."[91]

Samal ajal mõjutas Ike'i hobuse Blackie treenimine. Ta kirjutab oma mälestustes:

> Minu kogemus Blackiega ja varasemad Camp Coltis väidetavalt asjatundmatute ajateenijatega saadud kogemused on mind veennud, et liialt sageli peame mahajäänud last lootusetuks, kohmakat looma väärtusetuks,

ärakurnatud põldu taastumatuks. Teeme seda sageli soovimatusest võtta aega ja pingutada selleks, et end ümber veenda: tõestada, et keerulisest poisist võib kasvada suurepärane mees, et looma on võimalik treenida, et põld võib taas viljakaks muutuda.[92]

Kindral Connor saatis Eisenhoweri Kansase Fort Leavenworthi juhtimis- ja staabikolledžisse. Ta lõpetas 245 ohvitserist parimana. Nagu Blackie, oli ka Eisenhower saanud hakkama.

1933. aastal, pärast seda, kui ta oli kõigi aegade ühe noorima ohvitserina lõpetanud sõjakolledži, määrati Eisenhower kindral Douglas MacArthuri isiklikuks assistendiks. Järgmistel aastatel töötas Eisenhower MacArthuri juures, peamiselt Filipiinidel, kus aidati kohalikel iseseisvuseks valmistuda. Douglas MacArthur oli teatraalne tüüp. Ike austas MacArthurit, kuid teda häiris kindrali suurejoonelisus. Ta kirjeldas MacArthurit kui „aristokraati", nimetades ennast „üheks rahva seast".[93]

Töö MacArthuri assistendina kujunes Eisenhowerile ülimaks iseloomuprooviks. Ülemuse ja alluva väikeseid kabinette eraldas üksteisest vaid kerge vaheuks. „Kui ta mind enda kabinetti tahtis kutsuda, tõstis ta häält,"[94] meenutas Eisenhower. „Ta oli otsusekindel, meeldiva välimusega ning tal oli omadus, millega ma kunagi ei harjunud. Midagi meenutades või mõnda lugu jutustades rääkis ta endast kolmandas isikus."[95]

Ike avaldas korduvalt soovi staabitöölt lahkuda. MacArthur lükkas palved tagasi, öeldes, et Eisenhoweri töö Filipiinidel on palju olulisem kõigest, mida ta Ühendriikide armee kolonelleitnandina teha saaks.

Ike oli pettunud, kuid jäi MacArthuri juurde veel kuueks aastaks, töötades tagaplaanil ning vastutades aina suuremal määral planeerimisprotsesside eest.[96] Ike suhtus oma ülemusse tolle juuresolekul lugupidavalt, kuid hakkas pikapeale MacArthurit põlgama, kuna too pidas ennast asutusest tähtsamaks. Pärast ühte MacArthuri meeldejäävamat egoismipuhangut elas Eisenhower oma tunded välja isiklikus päevikus:

> Ma ei mõista, kuidas pärast kaheksat aastat tema juures töötamist, olles kirjutanud iga sõna, mille ta on avaldanud, hoides ta saladusi, takistades tal end ülearu naeruvääristamast, püüdes tegutseda tema huvides ja hoides end tagaplaanil, võib ta äkki minu vastu pöörata. Talle meeldib troonida tähelepanu keskpunktis ja võtta vastu kiiduavaldusi, samal ajal kui maa-aluses koopas, millest keegi ei tea, istuvad orjad ja teevad tema tööd, luues kõike seda, mida avalikkus peab tema särava mõistuse saavutuseks. Ta on narr, ja mis veel hullem, täielik titt.[97]

Eisenhower teenis MacArthurit ustavalt ja alandlikult, lähtudes oma töös ülemuse mõtteviisist, võttes omaks kindrali vaatenurga, lahendades ülesandeid tõhusalt ja õigeks ajaks. Lõpuks otsustasid ohvitserid, teiste hulgas ka MacArthur, teda edutada. Kui Teise maailmasõja ajal saabus Eisenhoweri eluülesanne, tuli ta võime isiklikke seisukohti alla suruda talle kasuks. Ta ei suhtunud sõtta kunagi romantilise põnevusega nagu ta eluaegne kolleeg George S. Patton. Sõda oli Eisenhowerile järjekordne raske kohustus, mis tuli välja kannatada. Ta oli õppinud keskenduma vähem glamuurile ja sõjaaegse kangelaslikkusega kaasnevale põnevusele ning rohkem nürile igapäevatööle, mis osutus sageli võidu võtmeks. Liitlassuhete hoidmisele inimestega, kes olid sinu arvates väljakannatamatud. Piisava hulga dessantaluste ehitamisele, mis võimaldaksid sissetungi merelt. Logistikale.

Eisenhower oli meisterlik sõjaaja komandör. Ta surus alla isiklikud pettumused, et hoida koos riikidevahelist allianssi. Ta ohjeldas raevukalt rahvuslikke eelarvamusi, mida ta tunnetas sama teravalt kui teised, et hoida kardinaalselt erinevaid vägesid ühtsena. Ta tunnustas alluvaid võitude eest ning oli valmis ühes maailma ajaloo kuulsaimas saatmata kirjas võtma läbikukkumistega kaasneva vastutuse enda peale. See oli teade, mille ta plaanis avaldada Normandia dessandi ebaõnnestumise korral. „Meie dessant ... ebaõnnestus ... ja ma olen väed tagasi tõmmanud," kirjutas ta. „Minu otsus rünnata just sellel ajal ja selles kohas sündis parima teabe põhjal. Julged ja pühendunud maa-, õhu- ja mereväed tegid kõik, mis oli nende võimuses. Dessandikatsest tingitud süü või vigade eest olen vastutav mina ainuisikuliselt."

Eisenhoweri distsiplineeritud ja kontrollitud elul oli ka miinuseid. Ta ei olnud visionäär. Ta ei osanud mõelda loominguliselt. Sõjas ei olnud ta väga hea strateeg. Presidendina jäid tal sageli kahe silma vahele liikumised, mis avaldasid hiljem suurt mõju, alates kodanikuõiguste liikumisest ja lõpetades makartismi ohuga. Ta ei olnud kunagi edukas abstraktsete ideedega tegelemisel. Ta käitus häbiväärselt, loobudes kaitsmast kindral George C. Marshalli, kui tolle ustavus riigile kahtluse alla seati. See põhjustas Eisenhowerile hiljem sügavat kahetsust ja häbi. Lisaks muutis kunstlik enesekontroll ta külmaks olukordades, milles oleks tulnud olla soe; halastamatult praktiliseks, kui oleks tulnud olla rüütellik ja romantiline. See, kuidas ta sõja lõpul käitus armastatu Kay Summersbyga, on eemaletõukav. Summersby oli Eisenhowerit teeninud ja ilmselt ka armastanud tolle raskeimail aastail. Eisenhower ei jätnud Kayga isegi nelja silma all hüvasti. Ühel päeval sai Kay teada, et ta nimi on Eisenhoweri reisinimekirjast eemaldatud. Ta sai Ike'ilt ametlikule armeeblanketile trükitud jäise teate: „Usun, et mõistad, milliseid kannatusi mulle valmistab selle hindamatu sideme sellisel moel katkestamine minust olenematutel põhjustel ... Loodan, et hoiad minuga ühendust – tahan edaspidigi teada, kuidas sul läheb."[98] Isiklike tundmuste allasurumine oli muutunud nii harjumuspäraseks, et ka sel hetkel suutis ta maha suruda igasuguse kaastunde ja tänulikkuse naise ees, kellega ta oli olnud nii kaua lähedane.

Eisenhower oli aeg-ajalt oma puudustest teadlik. Mõeldes eeskuju George Washingtoni peale, ütles ta: „Olen sageli soovinud, et hea Jumal oleks mind õnnistanud tema selge pilguga suurtes asjades, tema eesmärgikindlusega ning tema siira vaimu- ja hingesuurusega."[99]

Mõnele on elu parim õpetaja, pakkudes õppetunde, mida hiljem vaja läheb. Eisenhower ei olnud kunagi toretsev mees, kuid täiskasvanud Eisenhowerile olid omased kaks silmapaistvat loomuomadust, mis olid saanud alguse lapsepõlvest ning mida ta aja jooksul lihvis. Esiteks lõi ta teise mina. Tänapäeval on autentsus väga oluline. Usume, et „tõeline mina" on kõige loomulikum ja algupärasem. Usume, et meil kõigil on oma nägu ning et peaksime elama selle seesmise minaga kooskõlas, mitte alistuma välistele mõjutustele. Kunstlik elu, mil sisemine loomus ja väline käitumine erinevad üksteisest, tähendab pettust, kavaldamist ja valskust.

Eisenhower järgis teistsugust filosoofiat. Selle järgi on inimene riuklik. Meile on kaasa antud toormaterjal, millest osa on hea, osa halb, ning seda algset loomust tuleb kärpida, ohjeldada, vormida, alla suruda, kujundada ja sageli vaos hoida, mitte sellega avalikkuses paradeerida. Isiksus on kultuuristamise tulemus. Sellest vaatevinklist on tõeline mina midagi, mille oled vorminud oma loomusest, mitte vaid see, milline su loomus esialgu oli.

Eisenhower ei olnud siiras inimene. Ta varjas oma mõtteid. Küll aga talletas ta mõtteid päevikusse ja need võisid olla salvavad. Senaator William Knowlandi kohta kirjutas ta: „Siinsel juhul tundub, et küsimusele „Kui rumal on võimalik olla?" polegi lõplikku vastust."[100] Avalikkuses kandis ta aga semulikkuse, optimismi ja maapoisiliku sarmi maski. Presidendina oli ta valmis välja paistma rumalamana, kui ta tegelikult oli, kui see aitas saavutada soovitud eesmärki. Ta oli valmis jätma kidakeelse mulje, kui see aitas varjata tõelisi kavatsusi. Nagu ta poisikesena õppis alla suruma viha, õppis ta täiskasvanuna suruma alla ambitsioone ja võimeid. Tal olid üsna laialdased teadmised antiikajaloost, eriti imetles ta meisterlikku Ateena riigitegelast Themistoklest, kuid ta ei näidanud seda kunagi välja. Ta ei tahtnud näida teistest targemana või muul moel keskmisest ameeriklasest paremana. Selle asemel kujundas ta lihtsa ja loomuliku sarmikuse kuvandi. Presidendina mõnel spetsiifilisel teemal koosolekut juhatades võis ta jagada selgeid ja konkreetseid käsklusi. Järgnenud pressikonverentsil aga keeras ja väänas ta keelt, püüdes varjata oma teadmisi ja kavatsusi. Või teeskles, et teema käib tal üle mõistuse: „Minusuguse puupea jaoks on see kõik liiga keeruline."[101]

Ike'i lihtsameelsus oli strateegiline. Pärast ta surma meenutas asepresident Richard Nixon: „Ike oli palju keerukam ja salakavalam mees, kui enamik arvas, ja seda sõna parimas tähenduses. Ta ei olnud ühekülgne, vaid alati lähenes probleemidele mitmest kandist ... Ta mõistus oli vahe."[102] Teda teati hea pokkerimängijana. Evan Thomas kirjutab: „Ike'i lai naeratus, avar nagu Kansase taevas, varjas salatsevat hinge. Ta oli ausate kavatsustega, kuid vahel läbipaistmatu; väliselt meeldiv, kuid seesmiselt pulbitsev."[103]

Ükskord enne pressikonverentsi informeeris Eisenhoweri pressisekretär Jim Hagerty presidenti Formosa väina järjest delikaatsemaks muutuvast olukorrast. Ike naeratas ja ütles: „Ära muretse, Jim, kui see küsimus tõuseb, ajan nad lihtsalt segadusse." Ajakirjanik Joseph Harsch võttiski teema üles. Eisenhower vastas lahkelt:

> Tean sõja kohta vaid kahte asja: inimloomus oma igapäevastes avaldumisvormides on sõja kõige muudetavam tegur; aga sõja ainus muutumatu tegur on inimloomus. Peale selle pakub iga sõja puhul üllatust nii see, kuidas see puhkeb, kui ka see, kuidas see kulgeb ... Seega tundub mulle, et tuleb lihtsalt oodata, ning sedasorti palvega segatud otsus võib ühel päeval presidendi ees seista.[104]

Thomas kirjutab, et pärast konverentsi „ütles Eisenhower naljaga pooleks, et vene ja hiina tõlkidel oli tõenäoliselt paras peavalu püüda ülemustele tema mõtet selgitada".[105]

Ike'i topeltloomuse tõttu ei olnud inimestel lihtne teda tõeliselt tunda. „Ma ei kadesta Teid Teie püüdlustes isa tundma õppida," ütles John Eisenhower biograaf Evan Thomasele. „Mina pole seda suutnud." Pärast Eisenhoweri surma küsiti ta leselt Mamielt, kas ta tundis oma abikaasat tõeliselt. „Ma ei usu, et keegi teda tundis," vastas ta.[106] Oma isiku allasurumine aitas Eisenhoweril siiski kontrollida sisimaid soove ja täita kohustusi, mis ta oli sõjaväes ülemustelt ja ajaloolt saanud. Ta tundus lihtsa ja sirgjoonelisena, kuid ta lihtsus oli kunstitöö.

MÕÕDUKUS

Teine Eisenhoweri omadus, mis aja jooksul täiuseni küpses, oli mõõdukus.

Mõõdukus on sageli vääritimõistetud voorus. Kõigepealt on oluline teada, mis mõõdukus ei ole. Mõõdukus ei tähenda vaid kahe pooluse vahelise keskpunkti leidmist ja soodsaid olusid kasutades enda sinna paigutamist. Mõõdukus ei tähenda ka pelka tasakaalukust. See ei tähenda vaid mõõdukat meelelaadi, millele on võõrad vastandlikud soovid või ideed.

Otse vastupidi – mõõdukus põhineb teadmisel, et konflikt on vältimatu. Kui arvad, et maailmas sobib kõik kenasti üksteisega kokku, pole mõõdukus vajalik. Kui arvad, et kõik su isikuomadused sobituvad omavahel harmooniliselt, ei ole vaja end tagasi hoida, vaid võid rahulikult tegelda eneseteostuse ja kasvamisega. Kui arvad, et kõigil moraalsetel väärtustel on üks eesmärk või kõiki poliitilisi eesmärke on võimalik teostada korraga, pole mõõdukus samuti vajalik. Sel juhul saad kiiresti tõeni viivale teele asuda.

Mõõdukus põhineb arusaamal, et asjad ei sobitu omavahel. Poliitika on pigem erinevate õigustatud huvide vaheline võitlus. Filosoofia on pigem pooltõdedevaheline pinge. Isiksus on pigem väärtuslike, kuid vastuoluliste omaduste võitlustanner. Harry Clor kirjutas oma suurepärases raamatus „Mõõdukusest" („On Moderation") järgmisel moel: „Meie vajadus mõõdukuse järele põhineb hinge või psüühe põhimõttelisel lõhestatusel." Eisenhowerit näiteks tiivustas tema kirg ja kutsus korrale enesekontrollimehhanism. Kumbki impulss polnud täiesti kasutu ega ka täiesti kasulik. Eisenhoweri õiglane raev võis teda aeg-ajalt õigluse poole viia, kuid vahel ka pimestada. Enesekontroll võimaldas tal teenida ja kohust täita, kuid samas võis see teda ka kalestada.

Mõõdukas inimene mahutab endasse lõputul hulgal vastandlikke võimalusi. Mõõdukas inimene võib alustada kirglikult mõlemast otsast – olla võimeline nii raevuks kui ka soovida korda, apollolikult töötada ja dionüüsoslikult mängida, olla otsusekindel ja samas sügavalt kahtlev, olla Aadam I ja Aadam II.

Mõõdukas inimene võib alustada lahknevuste ja vastuoluliste kalduvustega, kuid ladusa elu huvides tuleb tal leida tasakaal ja proportsioonid. Mõõdukas inimene otsib pidevalt ajutisi, olukorrast ja hetkest lähtuvaid lahendusi, mis võimaldavad tasakaalustada turvalisusvajadust riskivajadusega, vabaduskutset vaoshoitusega. Mõõdukas inimene teab, et lõplikku lahendust neile pingetele pole olemas. Suuri asju pole võimalik lahendada ühe põhimõtte või vaatenurga baasilt. Valitsemine meenutab tormisel merel purjetamist: kui paat kaldub parempoordi, kalluta end ühtepidi; kui vasakpoordi, siis teistpidi – kohanda ja kohanda ja kohanda olude järgi, et püsida tasakaalus.

Eisenhower tunnetas seda vaistlikult. Teisel presidendiajal lapsepõlvesõber Swede'ile kirjutatud kirjas mõtiskles ta: „Ehk olen ma kui tuulte ja lainete räsitud ja tambitud laev, mis on ikka pinnal ja mil õnnestub sagedastest suunamuutustest hoolimata üldiselt kursil püsida ning, küll aeglaselt ja piinarikkalt, siiski edeneda."[107]

Nagu Clor märgib, teab mõõdukas inimene, et kõike saavutada pole võimalik. Ka heade asjade vahel on pinged ning sul ei jää üle muud, kui leppida, et puhas ja ideaalne, ühte tõde või väärtust teeniv elu on võimatu. Mõõdukas inimene teab, et avalikus elus pole võimalik kõike saavutada. Mistahes olukorda sisse kirjutatud vastuolud ei võimalda selget ja lõplikku lahendust. Vabadus laieneb, kui lubatud on rohkem. Võimalusi piirates väheneb ka vabadus. Sellistest kompromissidest pole pääsu.

Mõõdukas inimene saab vaid soovida korrastatud iseloomu, astudes kõrvale, et mõista vastandlikke väljavaateid ning hinnata mõlema häid omadusi. Mõõdukas inimene mõistab, et poliitkultuuris on vastuolud traditsioon. Lõppematul pingeväljal vastanduvad võrdsus saavutusega, tsentraliseeritus detsentraliseeritusega, kord ja kogukond vabaduse ja individualismiga. Mõõdukas inimene ei ürita neid vastuolusid olematuks muuta. Lõplikke lahendusi pole olemas. Mõõdukas inimene saab vaid loota, et saavutab tasakaalu, mis vastab konkreetse hetke vajadustele. Mõõdukas inimene ei usu, et on olemas poliitilised lahendused, mis sobiksid igasse ajahetke (see tundub enesestmõistetav, kuid ometi eiratakse seda reeglit eri rahvaste ideoloogiates ikka ja jälle). Mõõdukas inimene ei imetle abstraktseid plaane, vaid mõistab, et seadused peavad järgima inimloomust ja keskkonda, milles inimene viibib.

Mõõdukas inimene saab vaid loota, et on piisavalt distsiplineeritud, et ühte hinge mahuks ära, nagu Max Weber ütles, nii soe kirg kui ka karge proportsioonitunnetus. Ta suhtub eesmärkidesse kirglikult, kuid kaalub hoolega, kuidas neid oleks kõige õigem saavutada. Parimal juhul on mõõdukal inimesel elav hing, kuid ka sobilik iseloom selle ohjeldamiseks. Parimal juhul suhtub mõõdukas inimene innukusse kahtlevalt, sest ta kahtleb iseendas. Ta umbusaldab kirglikke pingeid ja julget lihtsameelsust, sest ta teab, et poliitikas ületab madalseisuaegne ebaedu kõrgseisuaegse edu – kahju, mida poliitikud teevad, kui asjad lähevad viltu, on suurem kui kasu, mis nende tegevusega kaasneb, kui asjad lähevad hästi. Seega on ettevaatlikkus sobiv lähenemisviis ning piiride tundmine tarkuse alustala.

Paljudele Eisenhoweri kaasaegsetele ja veel palju aastaid hiljemgi tundus Eisenhower emotsioonitu ullikesena, kelle kireks olid kauboiromaanid. Tema täht on ajaloolaste hulgas tõusnud, kui on hakatud paremini mõistma tema sisemisi vastuolusid. Presidendiaja lõpul pidas ta kõne, mis on tänaseni mõõduka poliitika hea näide.

Ike'i kõne toimus avaliku retoorika ja moraalsuse pöördepunktis. 20. jaanuaril 1961. aastal pidas John F. Kennedy ametisse astumise kõne, mis tõotas kultuurimuutust. Kennedy kõne pidi osutama ajaloo kulgemise uuele sihile. Üks põlvkond, üks ajastu oli lõppemas ning uus põlvkond, nagu ta ütles, „alustab puhtalt lehelt". Ees on ootamas „uued pürgimused" ja „uued seadused". „Võimalused," ütles Kennedy, „on lõputud. Surelik inimene suudab teha lõpu igasugusele inimlikule vaesusele," kuulutas ta. Kennedy kutsus kõiki üles julgelt tegutsema. „Oleme valmis maksma mis tahes hinda, kandma mis tahes koormat, taluma mis tahes raskusi ..." Ta kutsus kuulajaid üles probleemidega mitte leppima, vaid neile lõppu tegema: „Uurime üheskoos tähti, vallutame kõrbed, juurime välja haigused." See oli ülimalt enesekindla inimese kõne. See inspireeris miljoneid inimesi kõikjal maailmas ning määratles tulevase poliitilise retoorika tonaalsuse ja standardi.

Kolm päeva varem oli Eisenhower pidanud kõne, mis kehastas hääbuvat ilmavaadet. Kui Kennedy rõhutas piiramatuid võimalusi, hoiatas Eisenhower liigse enesekindluse eest. Kui Kennedy pidas oluliseks julgust, tõstis Eisenhower esile taktitunde. Kui Kennedy õhutas rahvast julgelt edasi astuma, kutsus Eisenhower üles tasakaalukusele.

Sõna „tasakaal" kordub ta kõnes pidevalt – vajadus leida tasakaal prioriteetide vahel, „tasakaal era- ja rahvamajanduse vahel, tasakaal kulukuse ja loodetud kasu vahel, tasakaal hädavajaliku ja mugavuste vahel, tasakaal rahva põhivajaduste ja riigi poolt üksikisikule seatud kohustuste vahel, tasakaal hetke tegude ja rahvusliku heaolu tuleviku vahel. Head otsused on tasakaalukad ja tulevikku vaatavad; vastasel korral on tulemuseks tasakaalutus ja pettumus."

Eisenhower hoiatas riiki uskumast kiiretesse lahendustesse. Ta ütles, et ameeriklased ei tohiks kunagi arvata, et „mõni suurejooneline ja kulukas tegu suudaks imekombel lahendada kõik raskused." Ta hoiatas inimliku nõrkuse eest, eriti selles osas, mis puudutab ahvatlust mitte näha suurt pilti ning kalduvust olla isekas. Ta palus kaasmaalastel „vältida soovi elada vaid tänasele päevale, raisates lihtsa ja mugava elu nimel homseid ressursse." Säästlikkust väärtustavast lapsepõlvest kostva kajana tuletas ta rahvale meelde, et me ei saa „pantida lastelaste materiaalset vara, ilma et me ei riskiks kaotada ka nende poliitilist ja hingelist pärandit".

Eelkõige hoiatas ta võimu lubamatu koondumise eest ning selle eest, et kontrollimatu võim võib hukutada riigi. Esmalt hoiatas ta nn sõjatööstuskompleksi – „püsiva laiaulatusliku sõjatööstuse" eest. Samuti hoiatas ta „teaduslik-tehnoloogilise eliidi" – võimuka valitsuse rahastatud ekspertide võrgustiku eest, kuna neil võib tekkida kiusatus rahvalt võim üle võtta. Nagu riigi asutajate poliitikat, nii iseloomustas ka Eisenhoweri poliitikat usaldamatus kontrollimatu võimu saavutanud inimeste vastu. Tema sõnum oli, et enamjaolt saavutavad juhid rohkem siis, kui nad valitsevad hästi seda, mida nad on pärandiks saanud, mitte ei püüa olemasolevat hävitades midagi uut luua.

See oli kõne mehelt, kellele oli lapsena õpetatud oma impulsse kontrolli all hoidma ning keda elu oli taltsutanud. See oli kõne mehelt, kes oli näinud, milleks inimesed võimelised on; kes oli tundnud oma nahal, et inimene on iseenda vaenlane; ning kes mõistis, et võitluses elu parandamise nimel tuleb kõigepealt alistada iseenda loomuse pimedad küljed. See oli kõne mehelt, kes tavatses öelda oma nõunikele, et „vigade tegemisega on aega", sest parem oli jõuda otsuseni järk-järgult, kui enneaegu kiirustada. See oli õppetund, mida ta ema ja kasvatus olid talle aastakümnete eest vahendanud. See oli elu, mis ei keerelnud ümber eneseväljenduse, vaid vaoshoituse.

4. PEATÜKK

VÕITLUS

18. aprilli ööl 1906. aastal, elas kaheksa-aastane Dorothy Day Oaklandis Californias. Nagu alati, oli ta enne magamaminekut palvetanud. Ta oli ainus, kes nende majapidamises usule tähelepanu pööras, olles, nagu ta hiljem kirjutas, muutunud „tülgastavalt ja iseteadlikult vagaks".[108] Aastakümneid hiljem kirjutas ta päevikus, et oli olnud alati teadlik sisemisest vaimsest maailmast.

Maapind hakkas rappuma. Kui kõmin algas, tormas isa laste tuppa, haaras Dorothy kaks venda ja kiirustas välisukse poole. Ema haaras Dorothy sülest väikese õe. Ta vanemad näisid arvavat, et Dorothy saab endaga ise hakkama. Ta jäi üksi oma messingvoodisse, mis sõitis mööda lakitud põrandat edasi tagasi. Ööl, mil San Franciscos toimus maavärin, tundis Dorothy, et Jumal on tema juurde tulnud. „Maapind muutus mäslevaks mereks, mis raputas meie maja," meenutas ta.[109] Ta kuulis, kuidas vesi ta pea kohal katusel asuvas veepaagis loksus. „Need aistingud seostusid minu ettekujutusega Jumalast kui tohutust jõust, hirmuäratavast osavõtmatust Jumalast, käest, mis on välja sirutunud, et haarata mind, tema last – ja selles ei olnud armastust."[110]

Kui rappumine vaibus, valitses majas segadus. Põrandal vedelesid katkised nõud, raamatud, lühtrid ning lae- ja korstnatükid. Ka linn oli varemeis ning ajutiselt olid võimust võtnud vaesus ja häda. Järgnevatel päevadel hoidsid lahepiirkonna elanikud kokku. „Kriisi ajal hoolisid inimesed üksteisest," kirjutas Day aastakümneid hiljem oma mälestustes. „Seda võiks nimetada kristlikuks ühtehoidmiseks. Olukord näitas hästi, kuidas inimesed suudavad, kui nad tahavad, pingelises olukorras üksteisest hoolida ning hinnanguid andmata kaastunnet ja armastust jagada."

Kirjanik Paul Elie on öelnud: „Selles episoodis kajastub kogu elu – kriis, Jumala kohalolu tunnetamine, vaesuse teadvustamine, üksindus- ja hüljatustunne, kuid ka tunne, et üksindust saab peletada armastuse ja kogukonna abil, olles solidaarne suurimate hädalistega."[111]

Dayl oli sünnist saati kirglik ja täiuslik loomus. Nagu George Elioti romaani „Middlemarch" peategelase Dorothea puhul, nõudis selline omadus ka täiusliku elu elamist. Teda ei rahuldanud lihtsalt õnnelik olemine, hea tuju ega sõpruse ja saavutustega kaasnevad rõõmud. Eliot väljendas seda nii: „Tuli temas neelas kiiresti tolle kerge põletise, ning, saades toitu sisemusest, tõusis piiramatu rahulolu poole – millegi poole, mis kunagi ei tunnista väsimust, mis lepitab meeleheite õnnistava teadmisega eneseülesest elust." Day vajas vaimseid väljakutseid, mõnda üleloomulikku eesmärki, mille nimel ohvreid tuua.

LASTE RISTIRETK

Dorothy isa oli olnud ajakirjanik, kuid trükikoda põles maavärina ajal maha ning ta jäi töötuks. Pere vara oli hävinud. Day koges pere alandavat vaesusesse langemist. Isa viis perekonna Chicagosse, kus ta hakkas kirjutama romaani, mis ei ilmunud kunagi. Eemaloleva ja umbuskliku mehena keelas ta lastel majast loata lahkuda või sõpru külla kutsuda. Dayle jäid pühapäevased söömaajad meelde sünge vaikuse poolest, ainsad helid olid mälumishääled. Ta ema andis endast parima, kuid olles elanud üle neli raseduse katkemist, tabas teda ühel õhtul hüsteeriahoog ning ta lõhkus kõik nõud. Järgmisel päeval oli ta jälle endine. „Ma kaotasin närvi," selgitas ta lastele.

Chicagos märkas Day, et ta pere pole nii armastav kui teised ümbritsevad pered. „Me ei hoidnud kunagi käest kinni. Olime alati enesessetõmbunud ja omaette, vastupidi itaallastele, poolakatele, juutidele ja teistele mu sõpradele, kelle läbikäimine oli elav ja spontaanne." Day käis koos naaberperekondadega kirikus koraale laulmas. Õhtuti laskus ta põlvili ja sundis õde taluma oma vagatsemist: „Mul oli kombeks õde pikkade palvetega piinata. Põlvitasin, kuni põlved hakkasid valutama ja olin külmast kange. Ta anus, et tuleksin voodisse ja räägiksin talle juttu." Ühel päeval vestlesid Day ja ta parim sõbranna Mary Harrington ühest pühakust. Hiljem mälestusi kirja pannes, ei mäletanud Day, millisest pühakust räägiti, kuid ta mäletas „oma suurt entusiasmi" ja seda, kuidas ta „süda peaaegu lõhkes soovist püüelda sarnase elu poole". Ta kirjutas: „Mulle meenub sageli üks värss Psalmide raamatust: „Ma jooksen su käskude teed, sest sina teed mu südame avaraks." ... Olin täis kihku, tajudes põnevusega vaimse avantüüri võimalusi."[112]

Tollal ei pidanud lapsevanemad laste meele lahutamist oluliseks. Day mäletab sõpradega rannas veedetud õnnelikke tunde, ojadest angerjate püüdmist, sooserval asunud mahajäetud sarasse jooksmist, fantaasiamaailma loomist ja unistust sellest, kuidas nad sinna alatiseks elama jäävad. Day mäletas ka pikki talumatult igavaid päevi, mida oli kõige rohkem suvevaheajal. Ta püüdis igavust peletada kodutööde ja lugemisega. Muuhulgas luges ta Charles Dickensit, Edgar Allan Poed ja raamatut „Kristuse jälgedes", mille autor on Thomas Kempisest.

Teismeeaga kaasnes huvi seksi vastu. Ta sai kohe aru, et see erutab teda, kuid talle oli ka õpetatud, et see on ohtlik ja paheline. Ühel pärastlõunal oli 15aastane Day väikevennaga pargis. Oli suurepärane ilm. Maailm pulbitses elust ja küllap oli läheduses ka poisse. Oma tolle aja parimale sõbrannale saadetud kirjas räägib ta „pahelisest, kuid vapustavast tundest südames". Järgmises lõigus vaidleb ta endale moraalitsevalt vastu: „Ei ole õige nii palju inimlikule armastusele mõelda. Kõik meie tunded ja ihad on ihulist laadi. Ilmselt selles vanuses olemegi neile altid, aga minu arvates on need rüvedad. Need tunded on meelelised, aga Jumal on hingeline."

Suurepärases mälestusteraamatus „Pikk üksindus" („The Long Loneliness") tsiteerib ta sellest kirjast pikki lõike. 15aastane Day jätkas: „Ma olen nii nõrk. Uhkus ei luba mul seda kirjutada ja selle paberile kirja panemine paneb mind punastama, aga endised tunded on tagasi. See on lihalik iha ja ma tean, et kui ma ei hülga patte, ei saa ma taevasesse kuningriiki."

Kiri on täpselt nii enesekeskne ja iseteadev, nagu võiks oodata varaküpselt teismeliselt. Ta on saanud aru oma usu põhiideest, aga mitte inimsusest või armust. Samas on tunnetatav visa vaimne pürgimus. „Võib-olla see rahutus mööduks, kui ma nii palju raamatuid ei loeks. Loen praegu Dostojevskit." Ta otsustab ihadega võitlusse asuda: „Vaid pärast pattudega peetud rasket ja kibedat võitlust ja alles pärast neist jagu saamist on võimalik kogeda õnnistatud rõõmu ja rahu ... Mul on pattudest üle saamiseks teha veel palju tööd. Tegelen sellega pidevalt, olen alati valvel ja palvetan, lubamata endale kehalisi tundmusi, vaid ainult hingelisi."

50. eluaastais avaldatud mälestusteraamatus „Pikk üksindus" tollele kirjale mõeldes tunnistas Day, et see oli täis toretsemist, edevust ja vagadust: „Kirjutasin sellest, mis mind kõige enam huvitas – ihu ja hinge lahkhelist, kuid pidasin kirjutades iseennast silmas ja kujutasin ette, et olen kirjanik."[113] Kirjale on siiski omased teatud tunnusjooned, tänu millele sai Dayst hiljem üks 20. sajandi innustavaim usutegelane ja sotsiaaltöötaja: ta puhtusejanu, ta jõuline enesekriitikavõime, ta soov pühenduda millelegi ülevale, ta kalduvus keskenduda raskustele ning mitte täielikult anduda käepärastele lihtsatele naudingutele, ta uskumus, et hoolimata võimalikest läbikukkumistest ja eesseisvatest võitlustest lunastab Jumal lõpuks ikkagi ta vead.

BOHEEMLUS

Day oli oma koolis üks kolmest õpilasest, kes sai kolledžisse minemiseks stipendiumi, ning seda tänu silmapaistvatele ladina ja kreeka keele teadmistele. Illinoisi ülikoolis tuli tal eluasemekulude kandmiseks koristada ja triikida ning ta oli keskpärane üliõpilane.

Ta liitus sihitult mitmesuguste ettevõtmistega, millest lootis alga-
vat oma kangelaslikku elu. Ta astus kirjanike klubisse, mille vastu-
võtuessees kirjeldas, kuidas on olla kolm päeva söömata. Ta liitus
ka sotsialistliku parteiga, eemaldus religioonist ning tegi kõike,
et solvata kirikuskäijaid. Ta otsustas tüdrukuea helgusega hüvasti
jätta. Oli aeg asuda ühiskonnaga sõtta.

18aastaselt, pärast paari aastat Illinoisis, otsustas ta, et kolledži-
elu ei paku talle rahuldust. Ta kolis New Yorki, et hakata kirjani-
kuks. Day uitas kuude kaupa mööda linna ning tundis end kohu-
tavalt üksildaselt: „Ma ei leidnud sellest suurest, seitsme miljoni
elanikuga linnast ühtegi sõpra; mul ei olnud tööd, olin teistest
eraldatud. Vaikus keset linnakära mõjus masendavalt. Minu enda
vaikimine, tunne, et mul ei ole kellegagi rääkida, mattis mu enda
alla nii, et kurgus pitsitas; süda oli väljaütlemata mõtetest raske;
tahtsin üksinduse minema nutta."[114]

Üksilduse ajal tekitas Days nördimust New Yorgis nähtud vae-
sus, mis lõhnas teisiti kui see vaesus, mida ta oli näinud Chicagos.
„Igaüks peab kogema midagi pöördetaolist," kirjutas ta hiljem,
„pöördumist mõne idee, mõtte, kire, unistuse, nägemuse poole,
sest nägemuseta inimesed kustuvad. Teismeeas lugesin Upton
Sinclairi raamatut „Džungel" ja Jack Londoni teost „Teekond"
(„The Road") ning pöördusin vaeste usku, armastades ja soovides
olla alati vaeste ja kannatajatega – maailma töölistega. Pöördusin
töölisrahva lunastajamissiooni idee poole." Tollal olid paljud mõt-
tes Venemaaga. Vene kirjanikud määratlesid hingelise ettekujutuse.
Venemaa revolutsioon sütitas noorte radikaalide tulevikuvisioone.
Dorothy lähim kolledžiaegne sõbranna Rayna Simons kolis Mosk-
vasse, et olla osa tulevikust, ning suri seal mõni kuu hiljem haiguse

tagajärjel. 1917. aastal osales Day Venemaal toimunud revolutsiooni tähistamiseks korraldatud rahvakoosolekul. Ta tundis meelejoovastust – rahvahulkade võit oli käega katsuda.

Lõpuks sai Dorothy tööle radikaalse ajalehe The Call juurde, kus ta teenis viis dollarit nädalas. Ta tegi ajalehele lugusid töölisrahutustest ja tehasetööliste elust. Ühel päeval intervjueeris ta Lev Trotskit ja teisel päeval miljonäri ülemteenrit. Ajalehetöö oli pingeline. Sündmused kandsid ta endaga kaasa ning ta ei mõtisklenud nende üle, vaid lasi end voolul kanda.

Kuigi Day oli pigem aktivist kui esteet, tutvus ta boheemlaste seltskonnaga – kriitik Malcolm Cowley, luuletaja Allen Tate'i ja romaanikirjanik John Dos Passosega. Ta sai lähedasteks sõpradeks radikaalsete vaadetega kirjaniku Michael Goldiga. Nad jalutasid tundide kaupa East Riveri ääres ja vestlesid rõõmsalt loetud raamatutest ja unistustest. Aeg-ajalt võttis Gold üles mõne lõbusa heebrea- või jidišikeelse laulu. Dayl oli lähedane, kuid ilmselt platooniline suhe näitekirjanik Eugene O'Neilliga, kellega jagati painavaid mõtteid üksildusest, religioonist ja surmast. Day biograaf Jim Forest kirjutab, et vahel talutas Dorothy joobnud ja hirmust väriseva O'Neilli voodisse ja hoidis teda kuni uinumiseni. O'Neill soovis Dorothyga magada, aga naine keeldus.

Day võitles töölisklassi eest. Ta elu kõige olulisemad draamad toimusid aga ta sisemuses. Ta oli hakanud veel innukamalt raamatuid neelama, eriti Tolstoid ja Dostojevskit.

Tänapäeval on raske ette kujutada seda tõsidust, millega tollal suhtuti raamatute lugemisse, või vähemalt, millega Day ja tema lähedased sellesse suhtusid – vaadeldes olulisi teoseid kui tarkuseallikaid, uskudes, et suured kirjanikud tajuvad midagi, mida nad seejärel lugejatele ilmutavad, püüdes kujundada oma elu raamatutest leitud kangelaste ja sügavate hingede jälgedes. Day luges, nagu oleks sellest olenenud ta elu.

Tänapäeval on vähem neid, kes peavad kunstnikke ettekuulutajateks ja romaane ilmutusteks. Paljud pöörduvad oma mõttemaailmast aru saamiseks kirjanduse asemel tunnetusteaduste poole. Dayd aga „liigutas hinge põhjani" Dostojevski. „Stseen „Kuritööst ja karistusest", kus noor prostituut loeb Raskolnikovile Uut Testamenti, tunnetades, et tema patt polegi kõige suurem; novell „Aus varas"; lõigud raamatust „Vennad Karamazovid"; Mitja uskupöördumine vanglas, legend Suurest Inkvisiitorist – kõik see näitas mulle teed." Eriti mõjus talle stseen, milles Isa Zossima rääkis õhinal armastusest Jumala vastu, mis viis armastuseni venna vastu: „Lugu ta pöördumisest armastuse usku on liigutav, ja see raamat ning selles toodud usukirjeldus avaldas mu hilisemale elule suurt mõju."[115]

Ta mitte ainult ei lugenud vene romaane, vaid tundus nende järgi ka elavat. Ta jõi ohjeldamatult ning oli usin baariskäija. Malcolm Cowley kirjutas, et gangsterid armastasid teda, kuna ta suutis nad laua alla juua – asjaolu, mida on raske uskuda, sest Day oli üsna kõhetu. Korratu eluviisiga kaasnesid ka tragöödiad. Sõber Louis Holladay võttis heroiini üledoosi ja suri Dorothy käte vahel.[116] Mälestustes kirjeldab ta ühest haisvast ja täissuitsetatud korterist teise käimist, jättes siiski, enesekriitiline, nagu ta oli, osa pöörasusest kirjeldamata. Ta ei räägi oma valimatust suguelust, nimetades seda „otsimise ajaks" ja viidates ebamääraselt „patustamisega kaasnenud kurbusele, patu sõnulseletamatule rõõmutusele".[117]

1918. aasta kevadel, mil linnas ja kogu maailmas möllas surmav gripiepideemia, läks ta King's County haiglasse vabatahtlikuks meditsiiniõeks. (Ajavahemikus märts 1918 – juuni 1920 suri epideemia tagajärjel rohkem kui 50 miljonit inimest.)[118] Day tööpäev algas hommikul kell kuus ja kestis 12 tundi; ta vahetas voodipesu, tühjendas siibreid, tegi süsti ja klistiiri ning pesi patsiente. Haiglas kehtis lausa sõjaväeline kord. Kui ülemõde palatisse astus, seisid nooremõed valvel. „Mulle meeldis selline töökorraldus ja distsipliin. Minu enda varasem elu tundus selle kõrval lohakas ja kasutu," meenutas ta. „Haiglas töötatud aasta jooksul mõistsin muu hulgas, et üks raskemaid asju maailmas on iseendaga ümberkäimine ja enda distsiplineerimine."[119]

Haiglas kohtus Day ajakirjaniku Lionel Moise'iga. Neil oli tormakas sekssuhe. „Sa oled kõva," kirjutas Dorothy mehele himuralt. „Armusin sinusse, sest sa oled kõva." Dorothy jäi lapseootele. Moise ütles, et ta teeks abordi, mida Dorothy ka tegi (ja mida ta unustas oma mälestustes mainida). Ühel ööl pärast seda, kui mees oli Dorothy maha jätnud, ühendas Dorothy korteri küttekeha küljest gaasitoru lahti, et ennast ära tappa. Naaber leidis ta õigel ajal.

Mälestustes kirjutab Dorothy, et lahkus haiglatöölt, kuna aja jooksul muutis see ta kannatuste suhtes tundetuks ja talle ei jäänud aega kirjutamiseks. Ta jättis mainimata, et samuti oli ta nõustunud abielluma endast kaks korda vanema rikka loodeosariiklase Berkeley Tobeyga. Nad reisisid koos Euroopasse ja pärast reisi lõppu jättis Dorothy mehe maha. Mälestustes reisi kirjeldades jätab Day mulje, et ta reisis üksinda – ta tundis piinlikkust, et oli kasutanud Tobeyt Euroopasse saamiseks. „Ma ei tahtnud kirjutada millestki, mida häbenesin," ütles ta hiljem ajakirjanik

Dwight MacDonaldile. „Tundsin, et olin teda ära kasutanud, ja mul oli piinlik."[120]

Olulist rolli mängisid ka ta kaks arreteerimist, millest esimene toimus 1917. aastal, kui Day oli 20aastane, ja teine 25aastasena. Esimesel korral arreteeriti ta poliitilise tegevuse tõttu. Day oli hakanud aktiivselt kõnelema naiste õiguste eest; ta arreteeriti, kui ta osales naisõiguslaste väljaastumisel Valge Maja ees, ning mõisteti koos teistega 30 päevaks vangi. Vangid alustasid näljastreiki ja näljast vaevatud Day langes peagi raskesse depressiooni. Selle asemel et tunda näljastreikijatega solidaarsust, hakkas talle kõik kuidagi vale ja mõttetu paistma. „Ma ei näinud enam millelgi mõtet. Ma ei tajunud end radikaalina. Tundsin vaid pimedust ja kõledust ... Tajusin vastikusega inimpingutuse kasutust, inimese abitut kannatamist, võimu võidutsemist ... Kurjus võidutses. Mina olin tühine inimloom, täis enesepettust ja tähtsust, ebareaalsust ja valet, olles õigusega põlatud ja karistatud."[121]

Vanglas palus ta tuua endale piibli ning luges seda pingsalt. Teised vangid rääkisid talle lugusid üksikkongidest, kuhu vange pannakse kinni korraga kuni kuueks kuuks. „Ma ei uskunud, et ma kunagi sellest haavast üle saan – sellest jubedast teadmisest, mida inimene teise inimesega teha võib."[122]

Day võitles ebaõiglusega, kuid ta elust puudus korrastav üleloomulik raamistik. Ta paistis juba siis alateadlikult tundvat, et tema jaoks pole aktivism ilma usuta mõeldav.

Teine vangistus oli Dayle emotsionaalselt veelgi laastavam. Ta oli kolinud narkosõltlasest sõbra juurde tolle Skid Rowl asuvasse korterisse, mis asus majas, kus tegutsesid nii bordell kui ka radikaalse ametiühingu IWW peakorter. Politsei korraldas riigiõõnestajate otsimiseks majale haarangu. Dayd ja ta sõpra peeti prostituutideks. Enne vanglasse viimist sunniti neid poolpaljalt tänaval seisma.

Day oli tollase punase hirmuga seotud hüsteeria ohver. Ta pidas end aga ka oma enda ettevaatamatuse ja rikutuse ohvriks. Ta pidas vangistust karistuseks korratu elu pärast. „Ma ei usu, et kunagi enam, hoolimata sellest, milles mind süüdistatakse, tunneks ma rohkem häbi, kahetsust ja enesepõlgust kui tol korral. Mitte vaid seetõttu, et mind oli kinni püütud, tabatud, märgistatud, avalikult häbistatud, vaid mu enesetunde pärast, mis ütles, et olin selle ära teeninud." [123]

Need on erakordse enesessevaatamise ja enesekriitika hetked. Aastaid hiljem suhtus Day oma tollasesse laaberdamisse kriitiliselt. Ta nägi selles teatud uhkust, katset määratleda enda jaoks hea ja halb ilma mingit laiemat konteksti arvestamata. „Ihulised vajadused määratlesid minu jaoks hea ja täiusliku elu, milles ei olnud kohta ühiskonnas kehtivatele seadustele – need olid minu tollasest mässumeelsest vaatepunktist vaadatuna mõeldud teiste rõhumiseks. Kes olid tugevad, võisid kehtestada endale oma seadused, elada oma elu; hea ja halb ei puudutanud neid. Mis oli hea ja mis halb? Südametunnistust on piisavalt lihtne hetkeks vaigistada. Rahuldatud ihul on omad seadused."

Day ei olnud aga lihtsalt eksinud pinnapealsete armumiste, tormiliste armulugude, lihaliste naudingute ja enesekesksuse maailma. Tema äärmuslik enesekriitika tulenes sügavast hingelisest näljast. Selle nälja kirjeldamiseks kasutas ta sõna „üksildus". Paljudele meist tähendab see sõna üksindust. Day oli tõesti üksik ja kannatas selle tõttu. Ta kasutas sõna „üksildus" ka hingelise eraldatuse kirjeldamiseks. Ta tundis, et kusagil on mingi kõrgem põhjus, isik või tegevus ning ta ei suuda rahuneda enne, kui on selle leidnud. Ta ei suutnud elada vaid pinnapealset elu – naudingute, edu ja isegi teenistuse nimel –, ta vajas sügavat ja kõikehõlmavat pühendumist millelegi, mis on püha.

SÜNNITUS

Day veetis kahekümnendad eluaastad kõiksuguseid asju proovides ja kutsumust otsides. Ta proovis poliitikat. Ta osales protestidel ja rongkäikudel. Need ei rahuldanud teda. Erinevalt Frances Perkinsist oli Dayle poliitika oma kompromisside, olupoliitika, hallide varjundite ja räpaste kätega sobimatu. Ta vajas midagi, millega kaasneks seesmine alistumine, enesest lahti ütlemine, pühendumine millelegi rikkumatule. Oma varasemale aktiivsusele vaatas ta tagasi rahutuse ja enesekriitikaga. „Ma ei tea, kui siiras oli mu armastus vaeste vastu ja minu soov neid aidata ... Tahtsin osaleda pikettidel, minna vanglasse, kirjutada, mõjutada teisi ja jätta nii endast maailma jälg. Selles kõiges oli väga palju auahnust ja isekust."[124]

Seejärel katsetas Day kirjandusega. Ta kirjutas oma varasemast korrapäratust elust romaani „Üheteistkümnes neitsi" („The Eleventh Virgin"), mille oli nõus avaldama üks New Yorgi kirjastus ning mille õigused soetas 5000 dollari eest üks Hollywoodi stuudio.[125] Ka sedasorti kirjandus ei ravinud ta igatsust ning hiljem häbenes ta oma raamatut ja mõtles kogu tiraaži väljaostmisele.

Ta mõtles, et ehk rahuldab ta igatsust romantiline armastus. Ta armus Forster Batterhami, kellega elas vabaabielus oma romaani eest saadud rahaga ostetud majas Staten Islandil. Raamatus „Pikk üksindus" kirjeldab ta Forsterit romantiliselt kui anarhisti, päritolult inglast ja bioloogi. Tegelikkus on veidi proosalisem. Forster töötas tehases, kasvas North Carolinas ja õppis Georgia tehnoloogiainstituudis. Ta huvitus äärmuslikust poliitikast.[126] Day armastas teda siiski päriselt. Ta armastas mehe tõekspidamisi, neist jonnakalt kinni hoidmist ning ta loodusarmastust. Ka pärast põhimõtteliste eriarvamuste ilmnemist palus Day Forsteril endaga ikkagi abielluda. Day oli ikka veel kirglik ja seksuaalne naine, kes tundis mehe vastu tõelist iha. „Minu iha sinu vastu tekitab pigem valu kui mõnu," kirjutas ta kirjas, mis avaldati pärast ta surma. „See on kõikehaarav nälg, mis paneb mind sind tahtma rohkem kui midagi muud siin ilmas. Mul on tunne, et suudan vaevu elada, kuni sind jälle näen." 21. septembril 1925. aastal ühe järjekordse lahusoleku ajal kirjutas Day Forsterile: „Tegin endale ilusa uue öösärgi, põneva ja pitsidega, ning mitu paari aluspükse, millest sa oled kindlasti huvitatud. Mõtlen sulle tihti ja unistan sinust õhtuti ning olen kindel, et kui mu unistused saaksid sind kauge maa tagant mõjutada, ei saaks sa sõba silmale."

Lugedes Day ja Batterhami Staten Islandi tagasitõmbunud elust, mis oli täis lugemist, vestlemist ja armatsemist, jääb mulje, et nad püüdsid paljude teiste noorte vast armunute kombel ehitada „sädelevat barjääri", nagu Sheldon Vanauken seda kutsuks – maailmast müüriga eraldatud aeda, milles õilmitseks puhas armastus. Lõppkokkuvõttes ei õnnestunud Day igatsust „sädeleva barjääri" taga hoida. Batterhamiga koos elades, temaga rannal pikki jalutuskäike tehes tundis Day ikkagi vajadust millegi enama järele. Muu hulgas soovis ta last. Ilma lapseta tundus maja tühi. Day oli õnnelik, kui ta sai 1925. aastal 28aastasena teada, et on lapseootel. Batterham ei jaganud ta õnnetunnet. Isehakanud radikaali ja moodsa mehena ei pooldanud ta inimeste maailma juurde sünnitamist. Otse loomulikult ei uskunud ta ka väikekodanlikku abieluinstitutsiooni ega oleks kunagi nõustunud Dayga abielluma.

Rase Day märkas, et enamik sünnituse kirjeldusi pärinevad meeste sulest. Ta asus olukorda parandama. Peatselt pärast sünnitamist kirjutas ta oma kogemuse põhjal essee, mis ilmus lõpuks ajalehes The New Masses. Day kirjeldas elavalt sünnitamisega kaasnevat kehalist võitlust.

> Mu kehas möllasid maavärin ja tulekahju. Mu hing oli võitlustanner, kus tuhanded tapeti kõige kohutavamal moel. Läbi mind tabanud kataklüsmitulva ja möllu kuulsin arsti pominat ning vastasin õe pominale oma peas. Helges tänulõõmas teadsin, et eeter on tulemas.

Pärast tütar Tamari sündi valdas Dayd tänulikkus: „Kui ma oleksin kirjutanud parima raamatu, komponeerinud parima sümfoonia, maalinud kauneima pildi või tahunud peeneima kuju, ei oleks ma tundnud suuremat loomisvaimustust kui siis, kui mu kätele asetati mu laps." Day tundis vajadust kedagi tänada. „Ükski inimolend ei suuda vastu võtta ega endasse mahutada nii tohutut armastuse ja rõõmu tulva, nagu mina pärast lapse sündi sageli tundsin. See tekitas vajaduse millegi kummardamise ja jumaldamise järele."[127]

Aga keda tänada? Keda kummardada? Day tajus Jumala olemasolu ja immanentsust, seda eriti pikkadel jalutuskäikudel, mil ta leidis end palvetamast. Ta ei saanud palvetamiseks põlvitada, kuid jalutades paiskusid tema sisemusest tänusõnad, kiitus ja kuulekus. Kurvas meeleolus alanud jalutuskäik võis lõppeda juubeldades. Day ei tegelenud Jumala olemasolu tõestamisega. Ta lihtsalt tundis, et kusagil on midagi veel. Ta uskus järjest enam, et peale inimese tahte osaleb elu kujundamisel veel mingi oluline tegur. Elu radikaalina oli tähendanud enese maksmapanekut ja tegutsemist, nüüd pöördus Day kuulekuse poole. Jumal juhatas. Nagu ta hiljem ütles, veendus ta viimaks, et „kummardamine, jumaldamine, tänulikkus ja palved on üllaimad teod, milleks inimene selles elus võimeline on".[128] Lapse sünniga algas Day muutumine hajameelsest inimesest keskendunud inimeseks, õnnetust boheemlasest naiseks, kes oli leidnud kutsumuse.

Dayl ei olnud oma usu väljendamiseks palju võimalusi. Ta ei kuulunud ühtegi kirikusse. Ta ei tundnud end mugavalt teoloogia või traditsiooniliste religioossete doktriinide vallas. Jumal oli tal aga kannul. „Kuidas saavad olemas olla kõik need ilusad asjad, kui pole Jumalat?" küsis ta Forsterilt.

Ta tähelepanu pöördus katoliku kirikule. Teda ei tõmmanud kiriku ajalugu või paavsti autoriteet ega isegi kiriku poliitiline ja ühiskondlik positsioon. Ta ei teadnud midagi katoliku teoloogiast ja tundis kirikut vaid tagurliku ja poliitiliselt reaktiivse jõuna. Tema huvi põhjustasid inimesed, mitte dogmad. Teda tõmbasid katoliiklastest sisserännanud, keda ta oli katnud ja teeninud – nende vaesus, nende väärikus, nende kogukonnatunne ja nende suuremeelsus kokkupuutel inimestega, kes olid kõik kaotanud. Day sõbrad ütlesid talle, et Jumala kummardamiseks pole vaja usulist institutsiooni, veel vähem midagi nii tagurlikku kui katoliku kirik, kuid Day kogemus radikaalina oli talle õpetanud end lähedalt siduma nendega, kes kannatasid, ja nendega liituma, mis tähendas nende kirikuga ühinemist.

Ta märkas, et katoliiklus juba juhtis paljude vaeste linnaperede elu. See oli võitnud nende usalduse. Nad valgusid kirikutesse pühapäeval ja pühade ajal, rõõmu- ja murehetkedel. Samamoodi pidi katoliku usk korrastama tema enda, ja Day lootis, et ka tema tütre elu. „Me kõik ihkame korda ja Iiobi raamatus kirjeldatakse põrgut kui paika, kus kord puudub. Tundsin, et kirikusse „kuulumine" tooks [Tamari] ellu korra, mis minu elus tundus puuduvat."[129]

Täiskasvanud Day usk oli soojem ja rõõmsameelsem kui see, mida ta oli kogenud teismelisena. Erilist poolehoidu tundis Day Avila Püha Teresa, 16. sajandi Hispaania müstiku ja nunna suhtes, kelle kogemused sarnanesid Day enda eluga: sügavalt vaimne lapsepõlv, isikliku elu pattudest tingitud õud, hetked, mida võiks kirjeldada kui Jumala lähedalolust tulenevat ihulist joovastust, suur soov muuta ühiskonnakorraldust ning teenida vaeseid.

Teresa oli loobunud maistest mugavustest. Teda kattis üksainus villane tekk. Tema kloostrit ei köetud, ahi oli vaid ühes toas. Teresa päevi täitsid palved ja patukahetsus. Ta hing oli siiski helge. Day sõnul meeldis talle asjaolu, et Püha Teresa kandis kloostrisse saabudes erepunast kleiti. Talle meeldis see, et ühel päeval võttis Teresa teiste nunnade kohkumuseks välja kastanjetid ja tantsis. Kui nunnad ta abtissiks olemise ajal kurvameelseks muutusid, lasi ta neile serveerida liha. Teresa ütles, et elu on nagu „öö kehvas

võõrastemajas", seega miks mitte püüda olemist veidi meeldi-
vamaks muuta.

Dayst oli saamas katoliiklane, kuid ta ei tundnud ühtegi pühen-
dunud katoliiklast. Kord kohtas ta tänaval jalutavat nunna ja palus
talt juhatust. Nunn oli rabatud, kui ükskõikselt suhtus Day kato-
liiklikku õpetusse ja ta pragas naisega, kuid kutsus ta kirikusse. Day
osales jumalateenistustel igal nädalal isegi siis, kui ta parema mee-
lega poleks läinud. Ta küsis endalt: „Kumba ma eelistan – kirikut
või enda tahet?" Ta otsustas, et kuigi talle oleks rohkem meeldi-
nud pühapäevahommikuti ajalehte lugeda, pidas ta kirikut enda
tahtmisest olulisemaks.

Jumala poole pöördumine viis Forsterist lahku minemiseni.
Forsteri ellusuhtumine oli teaduslik, skeptiline ja kogemuslik.
Temale oli universum materiaalne ning ta hoidis oma veendumu-
sest kinni sama ägedalt, kui Day hiljem uskus maailma jumalikku
algupärasse.

Nende lahkuminek võttis aega ja oli pisaraterohke. Ühel päe-
val küsis Forster söögilauas küsimusi, mida küsisid Daylt ka pal-
jud ta radikaalsete vaadetega sõbrad. Kas ta on aru kaotanud? Kes
sundis teda liituma sellise vananenud ja tagurliku institutsiooniga
nagu kirik? Kes on see salajane isik ta elus, kes talle nii halba mõju
avaldab?

Dayd üllatas küsimuste ägedus ja jõulisus. Lõpuks ütles ta vaik-
selt: „See on Jeesus. Mulle tundub, et Jeesus on see, kes mind kato-
liiklastega ühinema tõukab."[130]

Forster tõmbus näost kaameks ja jäi vait. Ta ei liigutanud.
Ta vaid istus ja jõllitas Dayd. Day küsis, kas nad võiksid veel veidi
religioonist rääkida. Forster ei vastanud ega noogutanud ega

raputanud pead. Seejärel põimis ta laual käed sõrmseongusse nagu koolipoiss, kes tahab õpetajale paipoisi muljet jätta. Ta istus nii mõne sekundi, tõstis seejärel kokkupõimitud käed ja lajatas need lauale, nii et nõud klirisesid. Day kartis, et Forster kaotab enesekontrolli ja tuleb talle kallale. Ometi ei teinud ta seda. Forster tõusis ja ütles Dayle, et too on aru kaotanud. Ta tegi ringi ümber laua ja lahkus majast.[131]

Sellised sündmused ei teinud lõppu nende armastusele ega ihale üksteise vastu. Day anus Forsterit endiselt endale abikaasaks ja lapsele seaduslikuks isaks. Veel pärast seda, kui ta oli mehest lõplikult kiriku kasuks loobunud, kirjutas ta talle: „Unistan sinust igal õhtul – et laman su käte vahel ja tunnen endal su suudlusi, mis on piinav, kuid samas nii hea. Armastan sind tõepoolest rohkem kui midagi muud siin ilmas, aga ma ei saa oma religioosse tunnetuse vastu, mis hakkab mind vaevama niipea, kui ma ei talita oma äranägemise järgi."[132]

Paradoksaalsel kombel avas Dorothy armastus Forsteri vastu ta usule. Armastus Forsteri vastu murdis läbi Dorothy kestast, paljastades ta südame tundlikumad osad teistelegi armastustele. Armastus Forsteri vastu oli eeskuju. Day selgitas seda nii: „Jõudsin Jumalani täiusliku, nii ihulise kui ka hingelise armastuse kaudu."[133] Võrreldes teismeea kalduvusega jagada maailm ihuliseks ja hingeliseks, on see lähenemine palju täiskasvanulikum.

USKU PÖÖRDUMINE

Usku pöördumine oli sünge ja rõõmutu protsess. Nagu tavaliselt, muutis Day olukorra endale keeruliseks. Ta arvustas end pidevalt, kaheldes oma motiivides ja tegudes. Ta oli teelahkmel – ühel pool endise elu radikalism, teisel uuele elule vajalik kirikule pühendumine. Ühel päeval, kui ta oli teel postkontorisse, haaras teda põlgus oma usuelu vastu. „Siin sa nüüd oled, täis apaatset rahulolu. Sa oled bioloogiline olend. Nagu lehm. Palve on sulle sama, mis oopium teistele inimestele." Ta kordas endamisi ikka ja jälle: „Oopium teistele inimestele." Jalutuskäiku jätkates arutles ta endamisi, et ta siiski ei palveta selleks, et põgeneda valu eest. Ta palvetas, sest oli õnnelik, sest soovis Jumalat selle õnne eest tänada.[134]

Tamar ristiti 1927. aasta juulikuus. Ristimisele järgnes pidu, kuhu Forster tõi enda püütud homaare. Seejärel läks ta Dayga tülli, nimetades taas kõike suureks jamaks, ja lahkus.

Ametlikult liitus Day kirikuga 28. detsembril 1927. aastal. Sündmus ei toonud talle lohutust. „Ma ei leidnud rahu, ei tundnud rõõmu ega olnud veendunud sammu õigsuses. See oli lihtsalt midagi, mida pidin tegema, ülesanne, mille pidin täitma."[135] Sakramente – ristimist, meeleparandust ja armulauda – vastu võttes tundis ta end silmakirjalikuna. Ta oli kogu protsessi kestel ja põlvedele laskumise ajal eemalolev. Ta kartis, et keegi võib teda näha. Ta kartis, et veab vaeseid alt ja astub ühte leeri ajaloo kaotajatega, institutsiooniga, mis seisab omandi, võimu ja eliidi kõrval. „Oled sa endas kindel?" küsis ta endalt. „Mis edvistamine see selline on? Millega sa tegeled?"

Alati enesekriitiline Day kahtles järgnevate kuude ja aastate jooksul, kas ta usk on piisavalt sügav ja praktiline: „Mõtlesin, kui väheldane ja vilets oli mu töö olnud pärast katoliiklaseks saamist. Kui enesekeskne, kui piiratud, kui kaugel kogukonnavaimust! Minu lugedes ja palvetades veedetud suvi ja enesessesüüvimine tundusid patused, kui vaatasin, millist heitlust pidasid mu vennad, mitte enda, vaid teiste inimeste pärast."[136]

Valides usu, valis Day vaevarikka tee. Sageli öeldakse, et religioon muudab inimeste elu lihtsamaks, pakkudes neile armastava ja kõiketeadva isa lohutavat lähedust. Day kogemus oli sellest kaugel. Dayle tähendas religioon keerukat sisekonflikti, midagi sellist, nagu Joseph Soloveitšik kirjeldas kuulsas joonealuses märkuses raamatus „Halakha inimene" („Halakhic Man"). Siin on tolle märkuse lühendatud versioon.

See populaarne ideoloogia väljendab seisukohta, et usukogemus on rahulik ja kenasti korrastatud, õrn ja hell; see on kibestunud hingede võluallikas ja rahutute hingede vaikuse läte. Inimene, „kes tuli väljalt ning oli väsinud" (1Ms 25:29), kes tuleb elu lahinguväljadelt ja võitlustandrilt, kõhkluste ja hirmude, vastuolude ja vastuväidetega palistatud ilmalikest valdustest, klammerdub usu külge nagu beebi emasse ja leiab tema sülest „varjupaiga endale ja pesapaiga hüljatud palvetele", tröösti pettumuste ja katsumuste eest. See rousseaulik ideoloogia jättis jälje kogu romantilisele liikumisele alates selle sünnist kuni lõpliku (traagilise!) avaldumiseni kaasaegse inimese teadvuses. Seetõttu kipuvad religioossete kogukondade esindajad kujutama usku rikkalikes silmipimestavates toonides, poeetilise Arkaadiana, kus valitsevad lihtsus, täius ja rahu. See ideoloogia on loomult võlts ja petlik. Inimese kogetuna ei ole see religioosne teadvus, mis on kõige sügavam ja kõige ülevam, mis tungib kõige sügavamale ja tõuseb kõige kõrgemale, sugugi nii lihtne ja mugav.

Otse vastupidi – see on ülimalt keerukas, karm ja käänuline. Kuid seal, kus on keerukus, on ka suurus. *Homo religiosus*'e teadvus paiskab enda pihta kibedaid süüdistusi ning kohe tabab teda kahetsus; ta hindab oma soove ja igatsusi liiga karmilt, samal ajal neist küllastudes; ta pillub enda omaduste pihta solvanguid, nüpeldab neid, kuid samas heidab end nende orjaks. See on hingeline kriisiseisund, psüühiline tõus ja langus, vastuolu, mille tingivad jaatus ja eitus, oma soovide mahasurumine ja enesest lugupidamine. Religioon ei paku kohe alguses rusututele ja lootusetutele armu ja halastuse pelgupaika, muserdatud hingedele võluallikat, vaid see on inimteadvuse mäslev ja mühisev voog koos kõigi kriiside, pistete ja piinadega.

Oma religioosse teekonna algul kohtas Day kolme naist, kes olid armunud, kuid ei maganud meestega, kellega plaanisid abielluda, kuigi oli selge, kui väga nad seda soovivad. Day vaatas nende enesesalgamist ja tundis, et „katoliiklus on rikas, tõeline ja põnev ... Nägin kuidas nad maadlesid moraalsete probleemidega, põhimõtetega, mille järgi nad elasid, ja see muutis nad minu silmis imetlusväärseks."[137]

Day osales missal iga päev, mis tähendas, et tuli ärgata koidikul. Ta palvetas iga päev kloostrielu rütmide järgi. Ta pühendas iga päev aega usulistele kombetalitustele, lugedes pühakirja ja rosaariumi. Ta paastus ja käis pihil.

Need rituaalid võisid kujuneda rutiiniks, nagu muusikule heliredeli mängimine, aga hoolimata sellest, et see oli vahel igav, pidas Day seda vajalikuks: „Ilma kiriklike sakramentide, eriti armulaua või püha õhtusöömaajata, nagu seda kutsutakse, ei suudaks ma jätkata ... Pärast 38 aastat pea igapäevast armulauda võib öelda, et tegemist on tõesti rutiiniga, kuid see on samasugune rutiin nagu igapäevane söömine."[138]

Need olid harjumused, mis andsid Day elule vaimse keskme. Ta oli liikumas varasema elu killustatuselt terviklikkuse poole.

EVANGEELIUMI ELUSTAMINE

Day oli nüüd 30. eluaastais. Suur majanduslangus võimutses. 1933. aastal lõi ta ajalehe Katoliiklik Tööline, koondamaks töölisklassi ja rakendamaks katoliiklikku ühiskonnaõpetust eesmärgiga luua ühiskond, milles inimestel oleks lihtsam hea olla. Tegemist ei olnud siiski vaid ajalehega; see oli liikumine, mille peakorter asus All-Manhattanil logus kontorihoones ning kus kõik töötasid vabatahtlikult. Kolme aastaga oli ajalehe tiraaž kasvanud 150 000 eksemplarini ja seda jaotati 500 koguduses üle kogu riigi.[139]

Ajalehel oli oma supiköök, mis toitlustas igal hommikul kuni 1500 inimest. Samuti toetati mitme puudusekannatajatele mõeldud külalismaja tööd, kus 1935.–1938. aastail ööbiti ligi 50 000 korral. Day ja ta kolleegid lõid ja innustasid looma veel enam kui 30 külalismaja nii Ameerika Ühendriikides kui ka Inglismaal. Lõpuks asutasid nad ja innustasid asutama põllumajanduskommuune Californiast Michigani ja New Jerseyni. Nad korraldasid rongkäike ja mitmesuguseid sündmusi. Osalt olid need katsed luua kogukonda, et ravida inimeksistentsile iseloomulikku üksildust.

Dayle oli eraldatus – eraldatus Jumalast, eraldatus üksteisest – patt. Ühtsus – inimeste ja vaimolendite ühtesulamine – oli püha. Katoliiklik Tööline ühendas need teemad omavahel. See oli ajaleht, kuid ka tegus abiorganisatsioon. See oli usuline väljaanne, kuid kõneles ka vajadusest muuta majanduselu. Selles käsitleti inimese siseelu, kuid kõneldi ka poliitilisest äärmuslusest. See ühendas omavahel rikkaid ja vaeseid. See ühendas teoloogia majandusega, materiaalsed mured vaimsetega, keha hingega.

Day pidas radikaalsust vajalikuks, sest oli vaja jõuda sotsiaalsete probleemide tuumani. Ajaleht oli katoliiklik, kuid Day pooldas personalismi filosoofiat, mille järgi on iga inimene väärtuslik, sest ta on loodud Jumala-sarnaseks. Personalistina suhtus Day kahtlustavalt kõikidesse suurtesse asjadesse, olgu siis suurde valitsusaparaati või suurde korporatsiooni. Day suhtus kahtlusega ka suurde ligimesearmastusse. Ta kehutas kaastöötajaid „olema väikesed": alusta tööd oma elukohas, väikestest konkreetsetest vajadustest oma vahetus ümbruses. Aita vähendada pingeid oma töökohas. Aita toita inimesi enda lähedal. Personalism tähendab seda, et meil kõigil on sügav sisemine kohustus elada lihtsat elu, hoolitseda oma vendade ja õdede vajaduste eest ning jagada nende kogetavaid õnnestumisi ja kannatusi. Personalist asub üleni teise inimese teenistusse. See on võimalik vaid väikestes ühtehoidvates kogukondades.

Kogu ülejäänud elu kuni surmani 29. novembril 1980. aastal oli Day katoliiklik tööline, töötades ajalehe juures ning jagades vaestele ja vaimsete probleemidega inimestele leiba ja suppi. Ta kirjutas 11 raamatut ja üle 1000 artikli. Vaeste abistamine oli iga-päevane töö. Sel ajal polnud veel arvuteid ega koopiamasinaid. Iga kuu pidid töötajad trükkima kümneid tuhandeid aadressilipikuid, et toimetada ajaleht tellijateni. Ajalehereporterid käisid ise täna-vail ajalehte müümas. Day tundis, et ainult vaeste eest hoolitsemi-sest ei piisa: „Tuleb nende seltsis elada, jagada nendega ka nende kannatusi. Loobuda privaatsusest ning vaimsetest, hingelistest ja kehalistest mugavustest."[140] Ta ei käinud varjupaikades ja külalis-majades oma mugavast kodust. Ta elas ka ise külalismajades, koos nendega, keda ta abistas.

Töö ei saanud kunagi otsa – lõputult tuli jagada kohvi ja suppi, koguda raha, kirjutada artikleid ajalehele. Ühel päeval kirjutas Day päevikusse: „Hommikusöögiks paks kuiva leiva viil ja veidi väga kehva kohvi. Dikteerin 12 kirja. Mõte ei tööta. Ma ei jaksa trepist üles minna. Olen endal käskinud selle päeva voodis veeta, aga mõtlen pidevalt, et viga on minu hinges. Mind ümbritsevad eemaletõukav kaos, müra, inimesed, ja ma ei tunneta sisimas üksil-dust ega vaesust."[141]

Vahel mõtleme pühakute kombel elavatest pühakutest või inimestest kui ebamaistest olenditest, kelle päralt on kõrgemad vaimsed valdused. Ometigi on küllalt sageli nende elu isegi vähem ebamaine kui ülejäänud inimeste oma. Nad on maisemad, neid

ümbritsevate inimeste räpaste igapäevaprobleemidega enam seo-
tud. Day ja ta kolleegid magasid kütmata tubades. Nad kandsid
annetatud riideid. Nad ei saanud palka. Enamjaolt ei murdnud
Day pead teoloogiliste küsimuste üle, vaid püüdis välja mõelda,
kuidas vältida ühte või teist rahalist kriisi või korraldada inimes-
tele vajalikku ravi. Ühes 1934. aasta päevikusissekandes kirjeldas
Day ühe päeva tegemisi ning see oli segu pühast ja igapäevasest:
ta tõusis, käis missal, valmistas töötajatele hommikusööki, vastas
kirjadele, tegi raamatupidamist, luges veidi kirjandust, kirjutas
paljundamiseks ja väljajagamiseks mõeldud innustava sõnumi.
Siis tuli abitöötaja 12aastasele tüdrukule leerikleiti otsima, siis tuli
usku pöördunu oma religioosseid kirjutisi jagama, siis tuli fašist
majaasukatesse viha süstima, siis tuli kunstitudeng joonistustega
püha Siena Katariinast, ja nii aina edasi.

Õhustik sarnanes sellega, mis oli saksa arstist misjonäri Albert
Schweitzeri kirjelduste järgi valitsenud Aafrika džunglis asunud
haiglas. Ta ei palganud haiglasse aateinimesi ega neid, kes pöörasid
tähelepanu sellele, kui palju nad endast maailmale annavad. Kind-
lasti ei palganud ta kedagi, kes plaanis „teha midagi erilist". Ta tah-
tis kõigest inimesi, kes suudavad järjekindlalt tegutseda ning kelle
konkreetne ellusuhtumine tagab selle, et tehtud saab see, mida on
vaja teha. „Vaid see, kes tunneb, et tegeleb millegagi loomulikust
soovist, mitte ei soorita mingit erakordset tegu, ning kes ei mõtle
endast kui kangelasest, vaid suhtub töösse kaine entusiasmiga,
võib olla teerajaja, keda maailm vajab."[142]

Day ei olnud suhtleja loomusega. Tal oli loomult kirjanik, olles
veidi hajevil ja vajades sagedast omaette olemist. Siiski sundis ta end
iga päev pea terve päeva inimeste seltsis viibima. Paljudel, keda ta

abistas, oli probleeme vaimse tervise või alkoholismiga. Nääklusi tuli ette alailma. Abistatavad võisid olla ebaviisakad, pahurad ja ropud. Ometi sundis ta end laua taha istuma ja keskenduma enda vastas istuvale inimesele. Too inimene võis olla joobes ja ajada seosetut juttu, kuid Day näitas üles austust ning istus ja kuulas.

Dayl oli alati kaasas märkmik, kuhu ta tegi vabadel hetkedel sissekandeid enda tarbeks ning kirjutas kolumne, esseesid ja raporteid teistele. Teiste inimeste patud andsid võimaluse mõtiskleda oma elu suuremate pattude üle. Ühel päeval kirjutas ta päevikusse: „Purjutamine ning sellega kaasnevad patud on nii inetud ja koletislikud ning toovad vaesele patustajale seesugust ebaõnne, mistõttu on veel palju olulisem, et me ei jagaks hinnanguid ega hukkamõistu. Jumala silmis on varjatud ja vaevuhoomatavad patud ilmselt palju hullemad. Peame sundima end järjest rohkem armastama – peame üksteisest armastusega kinni hoidma. Nii näeme endi pattude võikust, mis annab meile võimaluse neid tõeliselt kahetseda ja jälestada."[143]

Day võitles oma hinges peituva uhkusega, upsakusega, mis võis heategevuse tõttu ta üle võimust võtta. Ta kirjutas: „Pean end vahepeal peatama. Olen avastanud end jooksmas ühe inimese juurest teise juurde – supikausid ja veel supikausse, leivataldrikud ja veel leivataldrikuid –, näljaste sööjate tänu valjult kõrvus kõmisemas. Minu kõrvade nälg, rõõm tänuavalduste kuulmisest, võib olla sama suur kui kellegi teise sööginälg."[144] Day uskus, et uhkuse patt hiilib iga nurga taga ning et ka nende majas on nurki piisavalt. Teiste abistamine toob abistaja teele palju ahvatlusi.

KANNATUSED

Noorena järgis Day Dostojevskit – hoolimata sellest, et Jumal jälgis teda kõikjal, täitsid ta elu joomine ja kaos. Nagu Paul Elie aga märgib, ei olnud Day olemuselt dostojevskilik; ta oli pigem tolstoilik. Ta ei olnud puuriloom, kes on sunnitud asjaolude sunnil kannatusi taluma; ta otsis kannatusi. Igal sammul, mil enamik inimesi oleks valinud mugavuse ja muretuse – selle, mida majandusteadlased kutsuvad omakasuks või psühholoogid õnneks –, valis Day teise tee, otsides ebamugavusi ja raskusi, rahuldamaks vajadust pühaduse järele. Ta ei valinud tööd mittetulundusorganisatsioonis vaid seetõttu, et midagi suurt korda saata; ta soovis elada evangeelset elu, hoolimata sellest, et see tähendas ohverdusi ja kannatusi.

Enamik inimesi mõtleb tulevikust unistades sellest, kuidas elada järjest õnnelikumalt. Nüüd aga üks huvitav tähelepanek. Kui inimesed meenutavad hetki, mis neid kujundanud on, ei meenuta nad tavaliselt õnnelikke hetki. Tihti on kõige olulisemad just katsumused. Enamik inimesi taotleb õnne, kuid peab kujundavaks jõuks kannatusi.

Day oli selles mõttes tavatu ja ehk isegi perversne, sest mõnikord tundus, et ta lausa otsib kannatusi, et need võimaldaksid talle sügavust. Küllap nägi ta, nagu me kõik, et inimesed, keda peame sügavaks, on läbi elanud mõne raske eluetapi või isegi mitu. Day tundus neid aegu ise otsivat ning vältivat mõningaid tavalisi elurõõme, mis pakkunuksid lihtsat maapealset õnne. Sageli otsis ta võimalusi teha moraalseid kangelastegusid, võimalusi raskusi taludes teisi abistada.

Enamiku jaoks pole kannatustes midagi olemuslikult üllast. Nii nagu vahel on läbikukkumine lihtsalt läbikukkumine (mitte uueks Steve Jobsiks saamise teekond), mõjuvad kannatused vahel lihtsalt laastavalt, mistõttu tuleb neist võimalikult kiiresti vabaneda või end terveks ravida. Kui kannatusel puudub mõni suurem eesmärk, mõjub see inimesele kurnavalt või hävitab ta. Kui see ei ole osa pikemast protsessist, põhjustavad kannatused kõhklusi, nihilismi ja meeleheidet.

Mõni inimene suudab isiklikud kannatused siduda suurema plaaniga. Nad ühinevad oma kannatuste kaudu teistega, kes on kannatanud. Sellistele inimestele mõjuvad kannatused õilistavalt. Oluline pole seejuures mitte kannatamine, vaid see, kuidas seda kogetakse. Meenutage, milline oli Franklin Roosevelti sügavus ja kaastundlikkus pärast lastehalvatuse põdemist. Sageli võimaldavad füüsilised või sotsiaalsed kannatused astuda tavapärasest keskkonnast väljapoole ja tajuda, mida kogevad paljud teised inimesed.

Esmalt panevad kannatused su pingsamalt endasse vaatama. Teoloog Paul Tillich kirjutas, et kannatusi kogevad inimesed satuvad elu igapäevasest saginast väljapoole ning nad mõistavad seal, et nad ei ole need, keda arvasid end olevat. Valu, mis seostub näiteks suurepärase muusikateose loomise või armastatu kaotusega, purustab jalgealuse, mida pidasid oma hingesopi põhjaks, ja toob nähtavale selle all peitunud ruumi; seejärel purustab see ka järgmise jalgealuse, tuues nähtavale uue ruumi, ja nii edasi. Sel kombel jõuab valu kogev inimene tundmatule territooriumile.

Kannatused toovad esile kunagised valupunktid, mis on aja jooksul varju jäänud. Taaselustuvad hirmutavad kogemused, mis on kunagi alla surutud, ja häbistav ülekohus, mille sihtmärk oled

olnud. See ajendab mõnd inimest teostama piinarikast ja tähele-
panelikku hingerevisjoni. Samas kaasneb sellega ka meeldiv tunne,
mis ütleb, et oled jõudmas tõe jälile. Kannatustega kaasnev nau-
ding tuleneb tundest, et oled pealispinna alla jõudnud ja lähened
vundamendile. Kaasaja psühholoogid nimetavad seda „depres-
siivseks realismiks" – see võimaldab meil näha asju täpselt selli-
sena, nagu need on. See purustab muretut äraelamist võimaldavad
mõistuspärased põhjendused ja jutud, mida maailmaga sobitu-
miseks enda kohta räägime.

Samuti annavad kannatused inimestele parema pildi nende
endi piiratuse kohta, selle kohta, mida nad suudavad ja mida ei
suuda kontrollida. Kui inimene tõugatakse neisse sügavamatesse
piirkondadesse, üksildasse eneseuurimisse, peab ta tõdema, et ta
ei mõista, mis seal toimub, kuid kui kannatusi õigesti kasutada,
tunneb inimene end endisest targema ja rikkamana.

Kannatused, nagu ka armastus, purustavad ettekujutuse ise-
enda peremeheks olemisest. Need, kes kannatavad, ei saa käskida
endal lakata valu tundmast või igatsemast inimest, kes on surnud
või ära läinud. Ka siis, kui rahu ja vaikus hakkavad naasma või kui
lein leevendub, pole selge, kust kergendus pä2rineb. Ka tervene-
mine tundub olevat osa mõnest looduslikust või jumalikust prot-
sessist, mis jääb inimese mõjupiirist väljapoole. Ühtäkki tunduvad
elu sügavaimad kihid olevat seotud nähtamatute hoovuste ja lõp-
matute ahelatega. Meie võitlevas kultuuris, Aadam I maailmas,
kus läbilöömiseks on vaja pingutada ja omada kontrolli, õpeta-
vad kannatused teistest sõltumist. Kannatused näitavad, et elu on
ennustamatu ja meritokraatide täieliku kontrolli saavutamise
püüdlused on illusioon.

Kummalisel kombel õpetavad kannatused ka tänulikkust. Tavaliselt peame meile suunatud armastust põhjuseks endaga rahul olla (ma väärin armastust); kannatustega silmitsi seistes tajume, kui teenimatu see armastus on, ning mõistame, et peame olema selle eest tänulikud. Kui oleme enda üle uhked, ei pea me end tänuvõlglaseks, kuid alandlikel hetkedel teame, et meie pole meile osaks saava kiindumuse ja hoole põhjuseks.

Sellises olukorras tekib inimesel tunne, et ta saab osa mingist suuremast Jumala hoolest. Abraham Lincoln kannatas depressiooni all kogu elu; sellele lisandus kodusõja paine, millest ta väljus tundega, et jumalik ettehooldus oli ta elu oma kontrolli alla võtnud ja et tema oli vaid tagasihoidlik vahend üleloomuliku ülesande täitmisel.

Sellisel hetkel hakkavad keerulises olukorras olevad inimesed tunnetama kutset. Nad ei ole küll olukorra peremehed, kuid nad ei ole ka abitud. Nad ei suuda küll määrata, mis nende valust saab, kuid nad saavad osaleda sellele vastamises. Tihti tunnevad nad kõikehõlmavat moraalset vastutust vastata valule hästi. Kannatuste alguses võivad nad küsida: „Miks mina?" või „Miks kurjus?" Peagi mõistavad nad, et kohasem on küsida: „Mida peaksin tegema, kui mind on tabanud kannatused või kui olen sattunud kurjuse ohvriks?"

Need, kes otsivad katsumustele vastust ülaltoodud küsimuste abil tunnevad, et tegutsevad isiklikust õnnest sügavamal tasandil. Nad ei ütle: „Võitlen pärast lapse kaotust suure valuga. Peaksin enda tasakaalustamiseks pidudel käima ja lõbutsema."

Sellise valu puhul ei peitu vastus naudingutes. Vastuseks on pühadus. Ma ei pea silmas vaid pühaduse usulist tähendust. Pean silmas valu nägemist osana moraalsest narratiivist, püüdu lunastada halba, muutes selle millekski pühaks, tehes mõne ohvriteo, mis ühendab sind laiema kogukonna ja igaveste moraalsete ülesannetega. Lapse kaotanud vanemad loovad sihtasutusi; nende surnud laps puudutab ka nende inimeste elu, keda nad ise ei tunne. Koos kannatamine meenutab meile meie piiratust ja paneb nägema elu laiemaid seoseid, milles seisnebki elu pühadus.

Kannatustest ülesaamine ei sarnane haigusest taastumisega. Paljud inimesed ei parane; nad muutuvad. Nad hindavad ümber oma suhtumise üksikisiku kasulikkusse ning käituvad paradoksaalselt. Selmet kohkuda tagasi armastavatest suhetest, millega sageli kaasnevad kannatused, seovad nad end nendega järjest enam. Hoolimata halvimatest ja kõige tugevamini haavavatest tagajärgedest, muudab osa inimesi end veel rohkem haavatavaks, avanedes sel moel tervendavale armastusele. Nad seovad end järjest sügavamalt ja tänulikumalt oma kunsti, armastatute ja kohustustega.

Sel moel saab kannatustest hirmuäratav kingitus, mis erineb tublisti tavamõtlemises kingituseks peetud õnnelikkusest. Õnnelikkusega kaasnevad naudingud, kannatused aga loovad iseloomu.

TEENISTUS

Aastakümnete möödudes levisid Dorothy Day tegemisi puudutavad uudised aina enam. Ta on mõjutanud mitut noorte katoliiklaste põlvkonda mitte ainult seetõttu, et ta oli katoliikliku ühiskonnaõpetuse eestvõitleja, vaid ka seetõttu, et ta oli elav näide. Osalt tugineb katoliiklik ühiskonnaõpetus tõekspidamisel, et kõik elud on võrdselt väärtuslikud – et deliiriumis kodutu hing on sama väärtuslik kui eduka ja paljukiidetud inimese hing. See põhineb veendumusel, et Jumal tunneb vaeste vastu erilist sümpaatiat. Nagu öeldakse Jesaja raamatus, tähendab tõeline Jumala teenimine vaeva nägemist õigluse nimel ning vaeste ja rõhutute eest hoolitsemist. See õpetus toonitab, et me oleme üks inimeste perekond. Jumala teenijad kutsutakse üles elama üksmeelselt kogukonnas. Need tõekspidamised olid ka Day organisatsiooni aluseks.

„Pikk üksindus" avaldati 1952. aastal. Raamatut osteti hästi ning seda trükitakse siiani. Kui Day töö kuulsust kogus, tungles ta majades palju austajaid, mis pakkus järjekordseid vaimseid väljakutseid. „Väsin kuulmast, kuidas meie tööd kiidetakse. Sageli ei ole me töö sugugi nii suurepärane, nagu arvatakse. Oleme üle töötanud, väsinud või ärritunud; mõni järjekorras seisja on meid solvanud, meie kannatus on katkemas me oleme valmis plahvatama."[145] Ometi kartis ta, et imetlus võib teda ja ta töötajaid moraalselt laostada. Samuti pani see teda end üksildasena tundma.

Kuigi inimesed ümbritsesid teda pea kogu aeg, oli Day sageli eraldatud neist, keda ta armastas. Day pere, kellele jäi ta katoliiklus arusaamatuks, oli temast võõrdunud. Ta ei armastanud pärast Forsterit enam ühtki meest ning elas elu lõpuni tsölibaadis. „Läks aastaid, enne kui ma ärgates ei tundnud enam puudust näost oma rinnal ja käest õlal. See tundus kaotusena. See oli hind, mida olin maksnud."[146] Pole selge, miks Day tundis, et peab sellist hinda maksma, taluma üksindust ja vooruslikkust, kuid nii oli ta otsustanud.

Külalismajades elamine ja pikad ringreisid loenguid pidades tähendasid eemal viibimist ka tütar Tamarist. „Magama jäämine võttis tunde," kirjutas ta 1940. aastal päevikusse. „Tunnen Tamarist tohutult puudust; öösiti olen seetõttu kurb, päeval on igatsus teistsugune. Minu ööd on täis kurbust ja kõledust – tundub, et niipea kui ma pikali heidan, olen kibedal ja valusal piinapingil. Päeval olen jälle piisavalt tugev, et tegutseda heas usus ja armastuses, elada rahus ja rõõmus."[147]

Day oli üksikema, kes juhtis mitmekesist ja nõudlikku ühiskondlikku liikumist. Tal tuli sageli reisida ja Tamaril hoidsid sel ajal silma peal teised. Sageli valdas teda tunne, et ta on emana läbi kukkunud. Tamar kasvas suureks Katoliikliku Töölise juures töötavate inimeste seltsis ning vanemaks saades läks internaatkooli. 16aastasena armus Tamar ajalehe juures töötavasse vabatahtlikku David Hennessysse. Dorothy ütles Tamarile, et too on abiellumiseks liialt noor. Ta keelas tütrel Davidile aasta aega kirjutamast ning käskis noormehe saadetud kirjad avamata tagasi saata. Ta kirjutas Davidile, et too jätaks ta tütre rahule, aga David ei lugenud ta kirju, vaid saatis talle tagasi.

Paar jäi püsima ning abiellus lõpuks 19. aprillil 1944. aastal, mil Tamar oli saanud 18aastaseks ja Dorothy andnud oma õnnistuse. Nad kolisid Pennsylvanias Eastonis asuvasse farmi, kus sündis esimene Day üheksast lapselapsest. Tamari ja Davidi abielu kestis 1961. aastani, mil nad lahutasid. David oli pikalt töötu ja võitles vaimse tervise häiretega. Tamar kolis lõpuks tagasi katoliikliku töölisliikumise farmi lähedale Staten Islandil. Inimesed kirjeldasid teda leebe ja külalislahke inimesena, kellele polnud omane selline taganttõukav hingeline igatsus, millega oli maadelnud tema

ema. Ta võttis inimesi sellisena, nagu nad olid, ning armastas neid tingimusteta. Ta suri 2008. aastal 82 aastasena New Hampshire'is. Tamar jäi seotuks töölisliikumisega, kuid emaga õnnestus tal koos veeta väga vähe aega.

MÕJU

Suutmata valida mitmesuguste nõudmiste ja kutsumuste vahel, oli Day enamiku täiskasvanueast rahutu. Vahel kaalus ta ajalehest lahkumist. „Mu maailm piirdub liialt Katoliikliku Töölisega. Maailm kannatab ja sureb. Mina ajalehe juures ei kannata ega sure. Ma kirjutan ja räägin sellest."[148] Ta mõtles ka avalikust elust tagasitõmbumisest, haiglas hooldajana töötamisest, elamiseks toa otsimisest, soovitavalt mõne kiriku läheduses: „Linna üksildases õhustikus, elades ja töötades vaestega, õppides palvetama, töötama, kannatama ja vaikima."

Viimaks otsustas ta jääda. Ta rajas ajalehe juurde mitu kogukonda, külalismaja ja maakommuuni. Kogukonnad olid tema perekond ja rõõmu allikas.

1950. aastal kirjutab ta ühes kolumnis: „Kirjutamine on kogukondlik akt. See on kiri, see pakub lohutust ja abi, pakub ja palub nõu. See on osa inimestevahelisest ühendusest. See on meie armastuse ja üksteisest hoolimise väljendus."[149]

Ta pöördus ikka ja jälle sama teema juurde tagasi, võideldes oma kahestunud isiksusega: ta oli loomult üksildust armastav, kuid vajas ka teisi. „Ainus vastus üksindusele, mida selles elus sageli tunneme, on kogukond," kirjutas ta. „Koos elamine, töötamine, jagamine, Jumala ja ligimese armastamine, ligimesega koos ühes kogukonnas elamine näitamaks armastust Jumala vastu."[150] „Pika üksinduse" lõpuosas hüüatab ta tänutundest haaratuna:

Leidsin enda, viljatu naise, rõõmsameelse laste emana. Alati ei ole lihtne rõõmus olla, pidada meeles kohustust leida rõõmu. Mõni ütleb, et katoliikliku töölisliikumise puhul on kõige olulisem vaesus. Teised peavad selleks jällegi kogukonda. Me ei ole enam üksi. Kõige olulisem on aga armastus. Isa Zossima sõnul on armastus vahel karm ja kohutav ning meie usk armastusse pannakse tuleproovile.

Me ei saa armastada Jumalat, kui me ei armasta üksteist, ja üksteise armastamiseks peame üksteist tundma. Tunneme Teda leiva murdmise kaudu ja tunneme üksteist leiva murdmise kaudu, ja me ei ole enam üksi. Taevas on pidusöök ja ka elu, isegi kui see pakub meile vaid leivakoorukesi, on kaaslaste olemasolul pidusöök.[151]

Pealtnäha võib tunduda, nagu oleks Day kogukondlik töö sarnanenud tööga, mida teevad tänapäeva noored – pakkuda suppi ja peavarju. Tegelikult rajanes ta elu teistsugustel põhimõtetel ning ta eesmärk erines tublisti paljude tänapäeva heategijate eesmärkidest.

Katoliikliku töölisliikumise eesmärk oli vaeste inimeste kannatuste vähendamine, kuid see polnud peamine eesmärk ega põhjus, miks asutus loodi. Põhiidee oli näidata, milline võiks maailm olla, kui kristlased tõepoolest järgiksid seda, mida evangeeliumid ette kirjutavad ja tähtsaks peavad. Eesmärk polnud aidata üksnes vaeseid, vaid tegeleda ka iseenda puudustega. „Pesemata kehade lehk õhtul magama minnes. Ei mingit privaatsust," kirjutas Day päevikusse. „Jeesus sündis aga [sõimes] ja tall on teadagi määrdunud ja lehkav. Kui Õnnistatud Ema selle välja kannatas, kannatan ka mina."[152]

Nagu ajakirjanik Yishai Schwartz kirjutas, saavutas Day jaoks „iga oluline tegu oma tähtsuse vaid seeläbi, et oli seotud Jumalaga". Iga kord, mil tal õnnestus kellelegi riided leida, oli tegemist palvega. Dayle oli eemaletõukav „heategevus annetuste abil", sest see oli vaeste suhtes ülekohtune ja üleolev. Dayle tähendas igasugune abistamine vaeste ja Jumala teenimist ning sisemise vajaduse rahuldamist. Day arvates oli vajalik, nagu Schwartz kirjutas, „suhtuda vaesusesse kui voorusesse", võtta vaesust võimalusena saavutada ühendus teistega ja jõuda lähemale Jumalale. Kogukonnatöö eraldamine palvetamisest oleks tähendanud selle eraldamist elu muutvast eesmärgist. See oleks tähendanud Jumala näo nägemisest ja materiaalsetest kiindumustest vabanemisest tingitud naudingute keelamist. See oleks William Jamesi terminites tähendanud „äraostmatuks hingeks" olemisest tingitud rõõmu keelamist.

Üksildus, kannatused ja valu, mida Dorothy Day talus, mõjuvad kainestavalt igaühele, kes ta päevikuid loeb. Kas Jumal nõuab tõesti nii rasket elu? Kas ta ei loobunud ehk liiga paljudest lihtsatest maistest rõõmudest? Mõnes mõttes ta tegi seda. Teisalt jätab vaid ta päevikutele ja kirjutistele tuginemine temast vale mulje. Nagu paljudel inimestel, oli ka Dayl meeleolu päeviku sissekannete tegemise ajal süngem kui igapäevaelus. Ta ei kirjutanud, kui ta oli õnnelik – sellal oli ta hõivatud tegevustega, mis ta õnnelikuks tegid. Ta kirjutas siis, kui ta millegi üle juurdles, kasutades päevikuid valuallikate üle mõtisklemiseks.

Päevikud jätavad mulje piinlevast inimesest, suulised mälestused omakorda kellestki, keda pidevalt ümbritsesid lapsed, armsad sõbrad, imetlus ja lähedane kogukond. Üks Day austaja, Mary Lathrop väljendas seda nii: „Tal oli hämmastav võime luua lähedasi sõprussuhteid. See oli erakordne. Iga sõprus oli omanäoline ja tal oli väga palju sõpru – inimesi, kes teda armastasid ja keda tema armastas."[153]

Teised mäletasid ta armastust muusika ja meelelise maailma vastu. Kathleen Jordan kirjutab: „Dorothyl oli suurepärane ilumeel ... Kord segasin teda ooperi ajal [mil ta kuulas raadiost Metropolitan Operat]. Kui ma sisse astusin, oli ta peaaegu joovastunud. Sain aimu, mida tähendas talle tõeline palvetamine ... Ta ütles tihti: „Tuleta meelde, mida Dostojevski ütles: „Ilu päästab maailma"." Seda oli temas näha. Ta ei eristanud loomulikku üleloomulikust."[154]

NANETTE

1960. aastal möödus Day ja Forster Batterhami lahkuminekust 30 aastat. Forster oli pea kõik need aastad elanud koos vagura ja võluva Nanette'i-nimelise naisega. Kui Nanette vähki haigestus, otsis Forster Dorothy üles ja palus tal tulla surevale naisele lohutust pakkuma. Dorothy tuli otsekohe. Ta oli Nanette'ile Staten Islandil seltsiks mitu kuud ja suure osa igast päevast. „Nanette'il on olnud väga raske," kirjutas Day päevikusse, „mitte üksnes pingest, vaid tal on kõikjal valud. Täna ta lamas ja nuttis haledalt kogu päeva. Teha pole palju, saab vaid kohal olla ja vaikida. Ütlesin talle, kui raske on teda trööstida ja et kannatuste ees saab vaid vaikida; ta vastas kibedalt: „Jah, see on surma vaikus." Lubasin talle, et loen rosaariumi."[155]

Day tegi, mida teevad tundeõrnad inimesed teiste kannatuste korral. Meil kõigil tuleb vahel lohutada inimesi, keda on tabanud kaotus. Paljud meist ei tea, kuidas sellistes olukordades käituda; teised teavad. Esiteks tulevad nad kohale. Nad pakuvad lohutust kohaloluga. Teiseks, nad ei võrdle. Tundeõrn inimene mõistab, et inimeste katsumused erinevad ning neid ei tohiks omavahel võrrelda. Järgmiseks teevad nad vajalikke toiminguid: valmistavad lõunat, pühivad tolmu, pesevad rätikuid. Ja lõpuks ei püüa nad toimuvat pisendada. Nad ei kasuta rahustamiseks võltse ja läägeid mõtteavaldusi. Nad ei ütle, et valu on vajalik. Nad ei otsi halva juures head. Nad teevad seda, mida teevad targad hinged, kohtudes tragöödia ja traumaga. Nad on passiivselt aktiivsed. Nad ei sagi ringi, püüdes parandada midagi, mida pole võimalik parandada. Tundeõrn inimene jätab olukorraga tegelemisel kannatajale tema väärikuse. Ta jätab kannatajale võimaluse toimuvat määratleda. Ta lihtsalt istub valu ja pimedust täis öödel ja on asjalik, inimlik, lihtne ja otsekohene.

Forster, seevastu, käitus kogu katsumuse vältel kohutavalt. Ta jooksis alailma minema, jättes Nanette'i Dorothy ja teiste hooldajate valvata. „Forsteri olukord on kurb," kirjutas Day päevikus, „ta keeldub otsustavalt Nanette'iga aega veetmast. Nanette'i olukord on täna samuti kurb, jalad ja kõht on väga paistes.

Õhtul kaebas ta, et hakkab mõistust kaotama ning karjus vahet-pidamata."[156]

Day leidis end Nanette'iga koos kannatamas ning Forsteri vastu kerkivat viha eemale peletamas. „Minu kannatus tema, ta põgene-miste, ta enesehaletsuse ja nutmise suhtes on pandud nii tõsiselt proovile, et tunnen viha, millest pean üle saama. Milline hirm hai-guse ja surma ees."

7. jaanuaril 1960. aastal palus Nanette end ristida. Järgmisel päeval ta suri. Day meenutas ta viimaseid tunde: „Täna hommi-kul kell 8.45 suri Nanette pärast kaks päeva kestnud surmaheitlust. „Ka rist ei saanud nii piinav olla," ütles ta. „Nii kannatasid inime-sed koonduslaagrites," sõnas ta, näidates oma käsi. Ta suri rahuli-kult pärast kerget verejooksu. Ta näol oli kerge naeratus, millest hoovas rahu."

APOTEOOS

Kui saabus 1960. aastate lõpu radikalismiajastu, võttis Day aktiiv-selt osa rahuliikumisest ja paljudest teistest tolle aja poliitilistest liikumistest, hoolimata sellest, et sisimas erines ta tolle aja radi-kaalidest ellusuhtumise poolest täielikult. Nemad jutlustasid vabanemisest, vabadusest ja autonoomiast. Tema kuulekusest, teenimisest ja allaheitlikkusest. Day taunis seksuaalsete vabaduste pühitsemist ja moraalilõtvust. Talle oli eemaletõukav, et mõni noor soovis sakramendiveini serveerida pabertopsist. Ta ei jaganud vastukultuuri vaimu ning kaebas allumatute noorte üle: „Kogu see mässamine paneb mind igatsema kuulekuse järele – vajan seda nagu õhku."

1969. aastal kirjutas ta artikli, milles väljendas vastumeelsust nende suhtes, kes soovisid kogukonda kirikust eraldada. Day teadis katoliku kiriku puudusi, kuid ta oli teadlik ka kiriku pakutava raamistiku vajalikkusest. Radikaalid ta ümber nägid ainult puudusi ja tahtsid kirikust vabaneda. „See on sama, nagu oleksid noorukid avastanud, et nende vanemad on ekslikud, ning on sellest nii šokeeritud, et soovivad loobuda kodudest ning luua asemele „kommuuni" ... Nad kutsuvad endid „noorteks täiskasvanuteks", kuid mulle tundub, et nad on hilised noorukid, kellele on selline romantism paslik."

Aastate jooksul varjupaikades nähtud äärmiselt keerulised inimsaatused olid Dayle mõjunud kainestavalt. „Ma ei talu romantikat," ütles ta ühele intervjueerijale. „Vaja on religioosset realismi." Suur osa tollal tegutsenud liikumistest olid liiga lihtsad ja vähenõudlikud. Ta ise oli maksnud kogukonna teenimise ja usu praktiseerimise eest kohutavat hinda, minnes lahku Forsterist ja võõrandudes perest. „Mina ei maksnud Kristuse eest 30 tüki hõbeda, vaid oma südameverega. Sel turul allahindlusi ei tehta."

Kõikjal Day ümber pühitseti loodust ja loomulikkust, kuid Day hinnangul oli loomulik inimene korrumpeerunud ning võis pääseda vaid loomulike tungide allasurumise läbi. Ta kirjutas: „Inimest on vaja kärpida, et ta saaks kasvada, ning lõikamine teeb loomulikule inimesele haiget. Kui aga soovitakse pääseda korruptsioonist ja jõuda Kristuseni, uue inimeseni, on teatud valu vältimatu. Kui rõõmustav on mõte, et hoolimata tuimusest ja letargiast toimub vaimse elu areng."

Sõna „vastukultuur" kasutati 1960. aastate teisel poolel palju, kuid Day elas tõelise „vastukultuuri" vaimus, mis oli risti vastupidine mitte vaid tolle aja peavoolu kultuuriväärtustele – ärivaimule ja maailmamenu kummardamisele –, vaid ka meedias sageli pühitsetavate Woodstocki vastukultuuri väärtustele – antinomismile, hedonismile, pingsalt inimese vabanemisele keskendumisele ja „oma asja ajamisele". Pealiskaudsel vaatlusel tundus, et Woodstocki „vastukultuur" mässab peavoolu väärtuste vastu, kuid nagu järgnenud kümnendid on näidanud, oli tegemist vaid Suure Mina kultuuri tähistava mündi tagaküljega. Nii kapitalism kui ka Woodstock kuulutasid vabanemist ja eneseväljendust. Kaubandusühiskonna eneseväljendus seisnes poodlemises ja „elustiili" rajamises. Woodstocki kultuuris seisnes eneseväljendus piirangute kõrvaleheitmises ja enesepühitsemises. Kaubanduslik väikekodanluse kultuur sulandus 1960. aastate boheemlasliku kultuuriga just seetõttu, et mõlemad soosisid üksikisiku vabanemist, mõlemad julgustasid inimesi mõõtma oma elu enesega rahulolemise skaalal.

Day elu seevastu seisnes isetuses ja viimaks ka eneseületuses. Elu lõpul osales ta mõnel korral televisiooni jutusaadetes. Neil ülesastumistel mõjus ta lihtsa ja otsekohese, hea enesevalitsusega naisena. Raamat „Pikk üksindus" ja teised kirjutised on mõnes mõttes teatud laadi avalikud pihtimused, mis on inimesi ikka ja jälle paelunud. Vastupidi Frances Perkinsile ja Dwight Eisenhowerile kajastas Day oma siseelu avalikult. Ta oli kõike muud kui vaoshoitud. Ta ülestunnistused ei olnud tingitud ainuüksi soovist ennast avada. Kõige aluseks oli mõte, et tegelikult maadlevad kõik inimesed ühtede ja samade probleemidega. Nagu kirjutab Yishai Schwartz: „Pihtimuste eesmärk on väljendada universaalseid tõdesid konkreetsete näidete kaudu. Preestri abil tehtud vaatluse tulemusel saab pihtija isikliku elu näidete varal väljuda oma elu piiridest. Seega on pihtimine isiklik moraalne toiming, millel on avalik moraalne eesmärk. Isikliku elu otsuste üle mõtisklemine aitab meil mõista probleeme ja katsumusi, millega seisab silmitsi inimkond, mis koosneb omakorda miljarditest oma otsustega maadlevatest inimestest." Day pihtimused olid ka teoloogilised. Ta püüd mõista ennast ja inimkonda oli tegelikult püüd mõista Jumalat.

Day ei saavutanud kunagi täielikku hingerahu. Päeval, mil ta suri, oli ta päeviku viimase lehekülje vahele pandud kaart, millele oli kirjutatud Süüria Püha Efraimi patulunastuspalve, mis algab järgmiselt: „Mu elu Issand ja Valitseja! Ära anna mulle laiskuse, meeleheite, auahnuse ega tühja lobisemise vaimu. Vaid anna mulle, Su sulasele, meelepuhtuse, alandlikkuse, kannatlikkuse ja armastuse vaimu."

Elu jooksul oli Day siiski üles ehitanud kindla sisemise raamistiku. Teiste heaks tehtud töö oli talle andnud teatud stabiilsuse, mis oli nooruses puudunud. Ja kõige lõpus saabus tänutunne. Hauaplaadile valis Day vaid sõnad *„Deo gratias"* („Jumalale tänu"). Elu lõpul kohtas Day Harvardi lastepsühhiaatrit Robert Colesi, kellest oli saanud ta sõber ja usaldusalune. „Peagi on kõik läbi," ütles ta Colesile. Seejärel kirjeldas Day, kuidas ta oli oma elust kirjalikku kokkuvõtet teha püüdnud. Ta oli kirjutamisega tegelnud aastaid ning mälestuste kirjutamine olnuks asjade loomulik käik. Ühel päeval otsustas ta seda teha. Ta rääkis Colesile, mis oli juhtunud.

Püüan toimunut meenutada; püüan meenutada elu, mille Jumal mulle andis; eelmisel päeval olin kirjutanud paberile sõnad „elu mälestused" ning püüdsin nüüd teha kokkuvõtet, panna paberile kõige olulisema – aga ma ei suutnud seda. Ma lihtsalt istusin ja mõtlesin Jumalale ja ta sajanditetagusele külaskäigule ning ütlesin endale, et minu suur õnn seisnes selles, et Jumal oli olnud nii pikka aega minu mõtetes!

Coles kirjutas: „Kuulsin, kuidas ta hääl murdus, ja peagi olid ta silmad veidi niisked, kuid ta hakkas kiiresti rääkima oma suurest armastusest Tolstoi vastu ning teema oli sellega lõpetatud."[157] See hetk tähistab rahulikku apoteoosi – hetke, mil pärast pikka tööd ja ohverdusi, püüdu kirjutada ja maailma muuta torm lõpuks vaibub ja saabub rahu. Aadam I langetab pea Aadam II ees. Üksildust pole enam. Kogu elu täitnud enesekriitika ja võitluste lõpus oli tänulikkus.

5. PEATÜKK

ENESE VALDAMINE

George Catlett Marshall sündis 1880. aastal, tema lapsepõlv möödus Uniontownis Pennsylvanias. Uniontown oli väike, umbes 3500 elanikuga söelinn, kus olid just puhuma hakanud tööstusrevolutsiooni tuuled. Ta isa, kes oli George'i sündides 35aastane, oli edukas ärimees, kel oli linnas teatud mõjuvõim. Ta oli uhke oma ammuste lõunaosariikide juurte üle. Ülemkohtu kohtunik John Marshall oli nende kauge sugulane. George'i isa oli mõnevõrra jäiga ja kinnise loomuga, seda eriti kodus, kus ta mängis mõisnikku.

Keskealisena müüs Marshalli isa söeäri maha ja investeeris Virginia Luray Cavernsi ümbruse kinnisvaraarendusse, mis läks peagi pankrotti. Ta jäi ilma kogu 20 aasta jooksul kogutud varandusest. Ta tõmbus ilmaelust tagasi, veetes aega pere sugupuu uurimisega. Pere hakkas alla käima. Hiljem on George Marshall meenutanud käike hotellikööki, kust paluti koertele toidujäänuseid ja vahel ka hautist. See oli „valus ja alandav, poisipõlve must plekk"[158], nagu ta hiljem meenutas.

Marshall ei olnud terane ega särav poiss. Kui ta oli üheksaaastane, pani isa ta kohalikku riigikooli. Koolisaamise otsustas vestlus kooli inspektori professor Lee Smithiga. Professor Smith küsis George'ilt taibukuse ja ettevalmistuse hindamiseks rea lihtsaid küsimusi, millele George ei osanud vastata. Isa vaatas, kuidas poeg kõhkles, kokutas ja vingerdas. Hiljem, kui Marshall oli juhtinud Ühendriikide vägesid Teises maailmasõjas, teeninud riigisekretärina ja võitnud Nobeli rahuauhinna, mäletas ta ikka seda piinavat episoodi, mil ta oli avalikult isa häbistanud. Marshall meenutas, et ta isa oli tolle vahejuhtumi tõttu „rängalt kannatanud".[159]

Marshallil oli õpingutes edasijõudmisega tegemist. Ta tundis kabuhirmu igasuguse avaliku esinemise ees, kartis hirmsasti sattuda teiste õpilaste naerualuseks ning oli äärmiselt kohmetu, millega vältimatult kaasnes veel rohkem läbikukkumisi ja alandust. „Mulle ei meeldinud koolis," on Marshall hiljem meenutanud. „Tõele au andes polnud ma isegi mitte halb õpilane. Ma ei olnud üldse õpilane ning mu akadeemilised saavutused olid olematud."[160] Ta muutus üleannetuks ja tülikaks. Pärast seda, kui George'i õde Marie oli venda „klassi puupeaks" kutsunud, leidis ta õhtul voodist konna. Kui neid külastas keegi, kes George'ile ei meeldinud, viskas ta katuselt pahaaimamatute külaliste pihta veepomme. Ta oli ka leidlik. Ta tegi äri, viies tüdrukutekampasid isetehtud parvel üle jõe.[161]

Pärast põhikooli lõpetamist tahtis ta vanema ja eelistatud venna Stuarti eeskujul astuda Virgina sõjandusinstituuti. Hiljem meenutas ta oma silmapaistvale biograafile Forrest Pogue'ile antud intervjuus venna karmi vastust:

> Kui anusin vanematelt luba, et saaksin sõjandusinstituuti minna, kuulsin ükskord pealt, kuidas Stuart

emaga vestles; ta püüdis ema veenda, et too ei lubaks mul minna, sest arvas, et häbistan meie perekonda. See mõjutas mind rohkem kui kõik juhendajad, vanemate surve või midagi muud. Sel hetkel otsustasin, et näitan talle. Viimaks jõudsingi oma vennast kaugemale. See oli esimene kord, mil nii käitusin, ning samas ka parim õppetund. Stuarti ja ema jutuajamine sundis mind tegutsema; see jutuajamine mõjutas psühholoogiliselt mu teenistuskäiku.[162]

Selline omadus on uskumatut edu saavutanud tagasihoidlike inimeste puhul tavaline. Keegi neist ei ole iseäranis geniaalne või andekas. Ennast ise üles töötanud miljonäride kolledžiõpingute keskmine hinne on neli miinus. Nende elu mõnel otsustaval hetkel on aga neile keegi öelnud, et nad on millegi tegemiseks liiga rumalad, mistõttu nad asuvad kaabakatele vastupidist tõestama.

Marshall ei jäänud pere soojusest ja toest täielikult ilma. Kuigi ta isa oli pojas alaliselt pettunud, rõõmustas ema poja üle ning pakkus tingimusteta armastust ja tuge. Selleks, et George saaks kolledžisse minna, müüs ema ära oma pere viimase vara, sealhulgas ka krundi Uniontownis, kuhu ta oli lootnud oma maja ehitada.[163] Marshall oli koolis ja kodus kogetud alandustest õppinud ka seda, et elus edasi jõudmiseks ei saa ta jääda lootma loomupärasele andekusele. Edu teevad võimalikuks raske ja visa töö ning enesedistsipliin. Virginia sõjainstituudist (kuhu ta võeti ilmselt vastu ilma sisseastumiseksamita) leidis Marshall eest sobiliku eluviisi ja distsipliinireeglid.

Ta saabus sõjandusinstituuti 1897. aastal ning vaimustus kohe selle lõunaosariikidele omastest tavadest. Instituudi moraalses kultuuris olid esindatud mitu vana tava: rüütellik teenistusele pühendumine ja peenekombelisus, mehine emotsioonide kontrollimine ja klassikaline autunnetus. Kooli õhustiku lõid mälestused lõunaosariikide sõjakangelastest: kooli endisest professorist ja kodusõja kindralist Stonewell Jacksonist; 241 kadetist, kes, mõni neist noorem kui 15aastane, marssisid välja 15. mail 1864. aastal, et lüüa New Marketi lahingus tagasi Uniooni – põhjaosariikide – väed; ning Konföderatsiooni – lõunaosariikide – kangelase Robert E. Lee vaimust, kes kehastas tõelist mehelikkust.

Virginia sõjainstituut õpetas Marshallile austust, oskust hoida mõnd kangelast silma ees, võtta temalt kõikvõimalikku asjakohast eeskuju ning seada ta standardiks, millega ennast võrrelda. Mõni aeg tagasi toimus suur nihe kangelaste tähtsuse taandamise poole. Veel tänapäevalgi kasutatakse väljendit „ta ei tunne kellegi ees aukartust" tihti suure komplimendina. Marshalli nooruspõlves pöörati austuse kasvatamisele suuremat tähelepanu. Rooma biograafi Plutarchose tööd põhinesid eeldusel, et suurmeeste lood õhutavad elavate inimeste pürgimusi. Aquino Thomas väitis, et hea elu elamiseks ei tule keskenduda niivõrd iseendale kui eeskujudele ja matkida nende tegusid nii palju kui võimalik. Filosoof Alfred North Whitehead on öelnud: „Moraaliharidus ei ole võimalik, kui puudub loomuomane nägemus suurusest." 1943. aastal kirjutas Richard Winn Livingstone: „Sageli peetakse moraalse läbikukkumise põhjuseks iseloomunõrkust, kuigi pigem on tegemist ideaali puudulikkusega. Märkame teistes ja vahel ka iseendas julguse, töökuse ja püsivuse puudujääke, mis lõpevad lüüasaamisega. Samas jääb meil märkamata halvemini hoomatav ja hävituslikum puudus: valed standardid – see, et me ei tea, mis on hea."[164]

Kasvatades austust – muistsete kangelaste, eakate, isikliku elu eeskujude vastu –, ei rääkinud õpetajad õpilastele vaid seda, milline suurus välja näeb, vaid püüdsid tekitada imetlusvõimet. Kohane käitumine ei seisne ainult teadmises, mis on õige, vaid sisaldab ka soovi käituda õigesti, tundmust, mis paneb tegema häid asju.

Koolipäevi täitsid lood – vahel ka väljamõeldud või romantiseeritud jutustused – ajaloo silmapaistvatest musterkujudest Periklesest, Augustusest, Juudas Makkabeusest, George Washingtonist, Jeanne d'Arcist, Dolley Madisonist. James Davison Hunter on kirjutanud, et iseloom ei eelda religioosset usku. „Küll aga on vaja usku tõe pühadusse, mis valvab kogu teadvuse ja elu üle ning mida tugevdavad moraalse kogukonna seaduspärased harjumused. Seetõttu pole iseloom kiirelt omandatav. Kahtlemata on see põhjus, miks Søren Kierkegaard pidas iseloomu sisse juurdunuks, sügavalt sisse sööbinuks."[165]

Virginia sõjainstituut oli akadeemiliselt keskpärane õppeasutus ja Marshall ei olnud tollal hea õpilane. Instituudis hoiti aga au sees kangelasi, keda peeti pühaks. Kahtlemata õpetas kool ka organisatsioonisisest enesedistsipliini. Täiskasvanud Marshall soovis kogu hingest teha kõike võimalikult veatult. Vastupidi tänapäevasele suhtumisele nägi ta vaeva ka „väikeste asjade" nimel.

Instituut õpetas ka loobumist, oskust loobuda väikestest naudingutest suurte nimel. Virginia sõjainstituut oli paik, kuhu läksid peamiselt privilegeeritud taustaga noormehed, et karastuda, loobuda kodustest mugavustest ning omandada eluvõitluseks vajalik karmus. Marshall võttis askeetliku kultuuri omaks kogu selle ranguses. Esimese aasta õpilastel pidid suured ühiselamuaknad olema magamise ajal pärani valla, nii et talvel võidi ärgata lumekorra all.

Nädal enne õpingupaika minekut tabas Marshalli kõhutüüfus, mistõttu ta jõudis kohale teistest kadettidest nädala jagu hiljem. Esimese aasta õpilaste elu oli niigi raske ja Marshalli haigusest kaame nägu ning põhjaosariikide aktsent tõmbas vanemate õpilaste soovimatut tähelepanu. Tema nösunina pärast kutsuti teda Jänkist Rotiks ja Mopsiks. Rott Marshalli päevi täitsid soovimatud koristustööd ja eriti just tualettruumide koristamine. Õpinguaega meenutades ütles ta, et tal ei tulnud pähe vastu hakata või sellist kohtlemist pahaks panna. „Mulle tundub, et ma suhtusin sellistesse asjadesse filosoofilisemalt kui enamik teisi poisse. See käis asja juurde ja ainus, mida sai teha, oli sellega nii hästi kui võimalik leppida."[166]

Ühe rituaali käigus, mida korraldati esimese aasta õpilastele, sunniti Marshalli kükitama põrandaauku surutud täägi kohal. Sissepühitsemisriituseks olnud tuleproovi kutsuti „lõpmatuse kohal istumiseks". Ta pingutas vanemate õpilaste silme all, et mitte tera otsa kukkuda. Lõpuks ta enam ei jaksanud ja kukkus. Ta ei kukkunud otse alla, vaid küljele, mille tagajärjeks oli sügav, kuid ravitav haav paremas kannikas. Rebaste nii jõhker sissepühitsemine oli isegi tollaste normide järgi keelatud ning vanemad õpilased viisid Marshalli kiiresti arstile, kartes samas, et ta räägib nad sisse. Marshall ei andnud piinajaid välja ning võitis vankumatu vaikimise tõttu korpuse poolehoiu. Üks ta endine õpingukaaslane sõnas: „Pärast seda juhtumit ei hoolinud ta aktsendist keegi. Ta oleks võinud ajada ka täiesti seosetut juttu ja sellest poleks olnud midagi. Ta oli omaks võetud."[167]

Sellegipoolest ei olnud Marshall sõjainstituudis akadeemiliselt edukas. Küll aga paistis ta silma drilli, puhtuse, korra, täpsuse, enesekontrolli ja juhtimisoskuste poolest. Ta omandas ka distsipliini esteetika – ta rüht oli korrektne, hoiak sirge, tervitus karge, pilk selge, riided korralikult pressitud ja väline olek kui seesmise enesekontrolli avaldus. Esimesel või teisel õpinguaastal rebestas ta ühe jalgpallimängu ajal parema käe sidet, kuid keeldus vigastust arstile näitamast. See oli ise paranev vigastus (milleks kulus kaks aastat) ja seega ei hakanud ta tüli tegema.[168] Instituudis kuulus kadettide igapäevaelu juurde ka kõrgematele isikutele au andmine, ja kuna Marshallile tegi parema käe ülaltpoolt küünarnukki liigutamine suurt valu, olid need kaks aastat selgelt vaevarikkad.

Sellised ranged formaalsused ei ole tänapäeval enam moes. Meie käitumine on loomulikum ja vabam. Me muretseme, et mõjume kunstlikult. Marshalli sõjaväemaailmas usuti pigem, et suureks isiksuseks kujunetakse, mitte ei sünnita, ja et isiksus kujuneb õppimise käigus. Sellest küljest vaadatuna toimub muutus väljast sisse. Inimene õpib ennast valitsema harjutamise ja drilli varal. Inimene muutub viisakaks viisakas olemise varal. Inimene muutub julgeks hirmudele vastu seismise varal. Inimene muutub tasakaalukaks miimika kontrollimise varal. Enne on tegu ja siis nägu.

Kõige selle eesmärk oli eraldada emotsioon teost, vähendada ajutiste tundmuste võimu. Inimene võib tunda hirmu, kuid ta ei reageeri sellele. Inimene võib tahta magusat, kuid on võimeline selle soovi alla suruma. Stoitsistlik ideaal ütleb, et emotsiooni tuleb pigem umbusaldada kui usaldada. Emotsioon röövib teotahte, seega tuleb ihasid umbusaldada. Ära usalda viha ega isegi kurbust ja leina. Suhtu neisse nagu võiks suhtuda tulle: kontrollitult kasulik, kontrollimatult laastav.

Sellise ilmavaatega inimesed kasutavad emotsioonide kontrolli all hoidmiseks tuletõkkena väärikust. Siit ka ranged viktoriaanlikud kombed. Inimesed ohjeldasid emotsioone, et vähendada haavatavust. Sellest tulenes üksteise poole pöördumise üliametlikkus. Selliste tõekspidamistega inimesed – ja nii möödus ka kogu Marshalli elu – olid teadlikult ranged ja vältisid tundepuhanguid. Marshall põlgas Napoleonide ja Hitlerite teatraalsust ning isegi kahe kolleegist kindrali, Douglas MacArthuri ja George S. Pattoni näitemänge.

Üks Marshalli biograafidest kirjutas: „Mitte alati leebete meetodite abil kujundas mees, kelle loomus oli valmis karastuma, kontrollist enesekontrolli, kuni viimaks rakendas ta ise vabatahtlikult neid piiranguid, mida oli esimesel kokkupuutel vaevu välja kannatanud."[169]

Marshall ei olnud naljatleja, elavaloomuline ega tegelenud sisekaemusega. Ta ei pidanud päevikut, sest arvas, et nii pööraks ta ülearu tähelepanu endale ja oma mainele, või sellele, milline pilt jääb temast tulevikus. 1942. aastal rääkis ta Robert E. Lee elulookirjutajale Douglas Southall Freemanile, et päevikupidamine võib tahtmatult tekitada „enesepettust või kõhklusi otsuste langetamisel", samal ajal kui sõjas tuli keskenduda erapooletult „võidu kindlustamisele".[170] Marshall ei kirjutanud kunagi autobiograafiat. Kord pakkus The Saturday Evening Post talle eluloo jutustamise eest üle miljoni dollari, kuid Marshall lükkas pakkumise tagasi. Ta ei tahtnud häbistada ennast ega teisi kindraleid.[171]

Virginia sõjainstituut õpetas Marshallile võimu kontrollitud kasutamist. Õpetuse juhtmõte oli, et võim võimendab inimese kalduvusi, muutes tahumatud inimesed tahumatumaks ja võimutsevad inimesed veelgi rohkem võimutsevaks. Mida kõrgemale sa elus jõuad, seda vähem on inimesi, kes annavad ausat tagasisidet või piiravad su ebameeldivaid jooni. Seega on parim võimalikult vara õppida, kuidas ennast ja oma tundmusi vaos hoida. „Õppisin Virginias enesekontrolli ja distsipliini, kuni need olid täielikult juurdunud," meenutas Marshall hiljem.

Viimasel Virginia õpinguaastal nimetati Marshall kapteniks, mis oli instituudi kõrgeim auaste. Marshall lõpetas nelja-aastased õpingud ühegi noomituseta. Ta omandas karmi ja aukartustäratava oleku, mis jäi talle omaseks kogu eluks. Ta oli suurepärane kõiges sõjaväelase ellu puutuvas, olles oma kursuse vaieldamatu liider.

Virginia sõjainstituudi presidendi John Wise'i soovituskirjas kiidetakse Marshalli saavutusi koolile omases võtmes: „Marshall on üks parimaid kahuriliha tükke, mis sellest tehasest mitme aasta jooksul välja on lastud."172

Marshall oli üllatavalt varases nooruses loonud korrapärase meele, mida sõjaväelased on alati imetlenud. Cicero kirjutas „Tusculumi arutlustes": „Niisiis, see inimene, kes iganes ta ka poleks, kelle meel on tänu järjekindlusele ja enesevalitsusele tasane, kes leiab rahulolu iseeneses, kes ei murdu ebaõnne korral ega varise hirmust, kes ei põle janust millegi järele ega haju metsiku ja mõttetu elevuse tagajärjel – see on tark inimene, keda otsime, ja see inimene on õnnelik."

TEENISTUS

Edukate inimeste elus on alati huvitav see hetk, mil nad õpivad tegema tööd. Marshalli hetk saabus Virginia sõjainstituudis. Ühendriikide sõjaväkke saamiseks oli tal vaja poliitilist tuge. Ta läks Washingtoni ning siirdus kohtumist kokku leppimata Valgesse Majja. Ta jõudis teisele korrusele, kus üks uksehoidjatest ütles, et niimoodi sisse tormates presidendi jutule ei saa. Marshall hiilis siiski suurema seltskonna varjus Ovaalkabinetti ja rääkis pärast teiste lahkumist president McKinleyle oma olukorrast. Ei ole teada, kas president asjaajamisse sekkus, kuid 1901. aastal lubati Marshall armee sisseastumiseksamile ja 1902. aastal sai ta volitused.

Nagu Eisenhower, oli ka Marshall hiline õitseja. Ta tegi head tööd ja teenis teisi, kuid ta tõus ametiredelil ei olnud märkimisväärne. Ta oli nii väärtuslik abi, et vahel hoidsid ülemused teda juhikohale saamisel tagasi. „Kolonelleitnant Marshallile sobib eriti hästi staabitöö," kirjutas üks kindralitest. „Ma kahtlen, kas selles vallas, olgu selleks õpetamine või praktika, on talle praeguses armees võrdset."[173] Ta oli sõjaväe igavas taustatöös ja eriti logistikas nii andekas, et teda ei saadetud edasi võitluse poolele. Esimese maailmasõja teenistuse lõppedes, mil Marshall oli 39aastane, oli ta ikka vaid tähtajaline kolonelleitnant, kellest olid läinud mööda võitluses juhtpositsioonidel olnud nooremad mehed. Iga pettumus tekitas talle raskeid kannatusi.

Aegamisi aga kogus ta oskusi. Täiendusõppuste ajal Fort Leavenworthis sai Marshallist autodidakt, mis kompenseeris senist kahetsusväärset akadeemilist edasijõudmist. Ta saadeti

Filipiinidele ning kordamööda paljudesse Ameerika lõunaosa ja Kesk-Lääne baasidesse, kus ta teenis silmatorkamatutel staabi ametikohtadel. Päevad möödusid korduvate ülesannete ja vähetähtsate saavutuste rütmis. Detailitäpsus ja vastupidavus tulid talle siiski kasuks. Nagu ta hiljem märkis: „Tõeliselt suur juht saab jagu kõigist raskustest ja sõjakäigud ning lahingud on samuti vaid rida raskusi, mida ületada."[174]

Ta kohendas oma mina: „Mida vähem sa ülemuste otsustega nõustud, seda rohkem energiat pead suunama nende täidesaatmisse." Biograafid on Marshalli elu põhjalikult uurinud ja kõige rabavam on, mida nad sellest pole leidnud – tema elus pole ühtki selget moraalset eksimust. Ta tegi palju kehvi otsuseid, aga ei rikkunud abielu, ei petnud sõpru, ei rääkinud karjuvat valet ega vedanud ennast või teisi alt.

Kuigi edutamisi ei järgnenud, hakkas Marshallile tekkima enneolematult meisterliku organiseerija ja administreerija renomee. See polnud just sõjaväelase elu glamuurseim pool. 1912. aastal korraldas ta Ühendriikides manöövri, milles osales 17 000 ohvitseri ja sõdurit. 1914. aastal Filipiinidel toimunud õppuste ajal juhatas ta edukalt 4800mehelist sissetungijate väge, mis ületas kaitsvaid üksusi taktikaliste manööverdamisoskuste poolest ja võitis neid.

Esimeses maailmasõjas oli Marshall Prantsusmaa 1. divisjoni Ameerika ekspeditsioonivägede (AEF) staabiülema abi. See oli ajaloo esimene Ühendriikide armee divisjon Euroopas ja vastupidi tavapärasele arvamusele nägi Marshall rohkem sõjategevust ja põikas kõrvale enamate laskude, mürskude ja gaasirünnakute eest kui paljud teised sõjas osalenud ameeriklased. Tema ülesanne oli informeerida ekspeditsioonivägede peakorterit eesliini varudest, positsioonidest ja meeste võitlusvaimust. Prantsusmaal oldud ajast enamiku veetis ta rindel või selle lähedal, hüpates kaevikust kaevikusse, vesteldes sõduritega ja märkides üles, mida nad kõige rohkem vajavad.

Tagasi peakorterisse jõudes kandis ta ülemusele olukorrast ette ja hakkas kavandama järgmist ulatuslikku meeste eesliinile paigutamist või sealt ära toomist. Ühe tollase operatsiooni käigus liigutati tema kava järgi rinde ühest sektorist teise 600 000 meest ning 900 000 tonni varustust ja laskemoona. Tegemist oli sõja kõige keerukama logistilise ülesandega, mille lahendamine oli nii imetlusväärne, et Marshall teenis ajutise hüüdnime Võlur.

1917. aasta oktoobris käis Marshalli üksuses Ühendriikide ekspeditsioonivägede ülemjuhataja kindral John Blackjack Pershing. Pershing kritiseeris üksust teravalt kehva väljaõppe ja soorituse pärast, hurjutades väeüksuse ülemat kindral William Sibertit ja Siberti staabiülemat, kes oli saabunud vaid kaks päeva varem. Marshall, kes oli tollal kapten, otsustas, et on aeg „ohvri toomiseks", nagu ta seda ise nimetas. Ta astus ette ja püüdis kindralile olukorda selgitada. Juba niigi raevunud Pershing sundis Marshalli vaikima ja pöördus minekule. Seejärel tegi Marshall midagi, mis oleks võinud tähendada ta karjääri lõppu. Ta pani käe Pershingi õlale, et takistada ta lahkumist. Ta astus vanale mehele jõuliselt vastu, külvates ta üle hulga faktidega Pershingi enda peakorteri läbikukkumistest, alates kehvast varustamisest, vägede valest paigutamisest, mootorsõidukite vähesusest ja lõpetades paljude teiste takistustega, millele ei saanud läbi sõrmede vaadata.

Järgnes pikk vaikusehetk, mil kõik seisid, olles Marshalli jultumusest hämmeldunud. Pershing vaatas Marshalli poole ja vastas õigustavalt: „Teil tuleb me probleeme mõista."

Marshall vastas jõuliselt: „Jah, kindral, kuid meie seisame nendega silmitsi iga päev, mitu korda päevas, ja me peame need kõik öö hakuks ära lahendama."

Pershing ei vastanud midagi ja sammus vihaselt minema. Kolleegid tänasid Marshalli ja ütlesid, et ta karjäär on ilmselt lõppenud. Selle asemel jättis Pershing endast noorema mehe meelde, palkas ta enda juurde ning Marshall oli saanud endale kõige olulisema õpetaja.

Kiri, mis teatas, et ta on oodatud liituma Chaumonti peakorteris asuva peastaabiga, hämmastas Marshalli. Ta igatses ametikõrgendust, mis võimaldaks tal mehi lahingusse juhtida. Sellegipoolest pakkis ta kohe asjad ja jättis hüvasti meestega, keda ta oli tundnud juba üle aasta. Sõjaraportite vahel kirjutas Marshall ebaharilikult tundelise kirjelduse oma lahkumisest:

> Oli raske säilitada enesevalitsust meeste juures, kellega olin Prantsusmaal olnud nii lähedalt seotud juba üle aasta. Olime olnud vangid ja meie katsumused olid meid teineteisega liitnud. Näen neid praegugi vaimusilmas, kogunenuna lossi laia ukseavasse. Nende sõbralikud pilked ja südamlikud hüvastijätud, mis mind Cadillaci istudes saatsid, jätsid mulle kustumatu mulje, ja ma ei julgenud minema sõites mõeldagi, millal ja kus võiksime taas kohtuda.[175]

Kuue päeva pärast liitus 1. divisjon Saksa armee taganema pannud suure vasturünnakuga ning 72 tundi hiljem oli enamik ukseavas seisnud mehi ning kõik väliohvitserid, pataljonikomandörid ja neli divisjoni komandöri langenud või haavata saanud.

1918. aastal Prantsusmaal oli Marshall lähedal brigaadikindraliks saamisele. Sõda aga lõppes ja esimese tärni sai ta alles 18 pikka aastat hiljem. Ta läks tagasi Ühendriikidesse ja veetis viis aastat Washingtonis Pershingi alluvuses paberitööd tehes. Ta teenis kõrgemaid ohvitsere, kuid teda ennast edutati harva. Kogu selle aja töötas Marshall oma erialal ja teenis oma tööandjat, Ühendriikide armeed.

INSTITUTSIOONID

Tänapäeval õnnestub harva kohtuda inimesega, keda iseloomustaks organisatsioonimõtlemine. Elame ajastul, mil organisatsioonid tekitavad ärevust, mil suuri organisatsioone pigem umbusaldatakse. Osalt on selle põhjustanud selliste organisatsioonide põrumine, teisalt see, et Suure Mina ajastul asetatakse üksikisik kõige olulisemale kohale. Tänapäeval hinnatakse pigem tegutsemisvabadust, elamist enda reeglite järgi, mitte oma isiku allutamist bürokraatiale või organisatsioonile. Kipume arvama, et oluline on rikas ja täiuslik isiklik elu, ja vahetame töökohti, nagu meile sobib. Neis eneseloomise aktides, asjades, mida teeme ja toetame, lõputtes valikutes, leitakse elu mõte.

Keegi ei soovi olla Organisatsiooni Inimene. Meile meeldivad idufirmad, lõhestajad ja mässajad. Vähem lugupeetud on need, kes tegelevad institutsioonide igavese ümberkorraldamise ja parandamisega. Noortele õpetatakse, et suuri probleeme saab lahendada rea väikeste omavahel ühendatud valitsusväliste organisatsioonide ja sotsiaalsete ettevõtmistega. Suured hierarhilised organisatsioonid on dinosaurused.

Selline suhtumine on aidanud kaasa institutsioonide allakäigule. Toimetaja Tina Brown on selle kohta öelnud, et kui kõigile soovitatakse kastist väljas mõtlemist, siis on ootuspärane, et kastid kui sellised hakkavad manduma.

Institutsionaalse mõtlemisega inimestele, nagu Marshall seda oli, on omane sootuks teistsugune suhtumine, mille aluseks on teistsugune ajalooteadvus. Sellise maailmavaate puhul on kõige olulisem ühiskond, mis koosneb aegade algusest pärit põlvkondadeülestest institutsioonidest. Inimene ei sünni tühjale väljale ega sotsiaalsesse vaakumisse. Inimene sünnib alaliste institutsioonide kooslusse, mille hulka kuuluvad sõjavägi, preesterkond, teadusvaldkonnad, või mis tahes ametid, näiteks talunik, ehitaja, politseinik või professor.

Elu ei saa võrrelda tühjal väljal liikumisega. Elu tähendab enda sidumist mõne institutsiooniga, mis olid siin enne sinu sündi ja jäävad siia pärast su surma. See tähendab eelkäijate kingituste vastuvõtmist, vastutuse võtmist institutsioonide säilimise ja parendamise eest ja järeltulevale põlvkonnale paremas korras edasi andmist.

Igal institutsioonil on oma reeglid, kohustused ja kvaliteedistandardid. Ajakirjanduses kehtivad reeglid, mis aitavad reporte-

ritel hoida kajastatavaga mõttelist distantsi. Teadlastel on edasi-
liikumiseks ja teadmistele kinnituse leidmiseks omad meetodid.
Õpetajad suhtuvad kõigisse õpilastesse võrdselt ja kulutavad õpi-
laste arengule lisatunde. Allutades end institutsioonidele, mille
osa me oleme, saame selleks, kes oleme. Institutsionaalne kom-
bestik pakub meie hingele raamistikku, mistõttu on lihtsam olla
hea. Nii suunatakse käitumine ajaproovile vastu pidanud radadele.
Võttes omaks institutsionaalsed tavad, ei ole me üksi; meid on võe-
tud vastu ajatusse kogukonda.

Sellist vaadet omav institutsionalist austab sügavalt oma eel-
käijaid ja reegleid, mille valdaja ta ajutiselt on. Ameti või insti-
tutsiooniga kaasnevad reeglid ei ole praktilised nõuanded millegi
tegemiseks. Need on saanud osaks inimestest, kes neid rakenda-
vad. Õpetaja suhe õpetamiskunsti, sportlase suhe oma spordi-
alasse, arsti pühendumine meditsiinikunstile ei ole indiviidi enda
valikud, millest oleks lihtne loobuda, kui hingelised kaod ületavad
hingelist kasu. Need on elu kujundavad ja määravad pühendumi-
sed. Nagu kutsumuse puhul, nii pühendutakse ka neil puhkudel
millelegi, mis on ajatum kui inimese elu.

Inimese ühiskondlik funktsioon määrab ta olemuse. Inimese ja
institutsiooni vaheline pühendumine on pigem kui püha leping.
See on kui edasiantav pärandus ja võlg, mida tasuda.

Tehnilisel tööl, näiteks puusepa omal, on ka sügavam tähendus,
mis ulatub käsil olevast tegemisest palju kaugemale. Võib ette tulla
pikki ajavahemikke, mil annad institutsioonidele enam, kui vastu
saad, kuid su töö võimaldab sulle rahuldust pakkuvat pühendu-
mist ja kindlat paika maailmas. Sulle on antud võimalus ületada
isekus, vaigistada sellest tingitud ärevus ja pidevad nõudmised.

Marshall sobitas oma elu organisatsiooni vajadustega. Eelmisel sajandil leidus vähe inimesi, kes pälvisid nii palju austust, kui sai Marshallile osaks juba tema elueal ka teda hästi tundvate inimeste hulgas. Vaid mõni üksik – teiste hulgas ka Eisenhower – tundis end tema juuresolekul täiesti vabalt. Tema suurepärase ennast-salgavuse ja enesekontrolli hinnaks oli osavõtmatus. Vormi kandes ei lasknud ta end kunagi vabaks ega näidanud oma tõelist palet. Ta ei kaotanud üheski olukorras enesevalitsust.

ARMASTUS JA SURM

Marshallil oli eraelu täiesti olemas. See oli eraldatud tema avalikust rollist. Tänapäeval toome tööd koju ja vastame töömeilidele tele-fonitsi. Marshalli avalik ja eraelu olid kaks eri valdkonda mitme-suguste tundmuste ja käitumismustritega. Kodu oli pelgupaik selles südametus ilmas. Marshalli kodune elu keskendus abikaasa Lilyle.

George Marshall kurameeris oma viimasel Virginia sõja-instituudi aastal Elizabeth Carter Colesiga, keda sõprade seas kut-suti Lilyks. Nad võtsid ette pikki tõllaretki ja öösiti riskis Marshall instituudist väljaheitmisega, lahkudes kooli territooriumilt, et Lilyga koos olla. George oli Lilyst kuus aastat noorem ning juba mitu vanemat kursusekaaslast ja instituudi vilistlast, teiste hul-gas ka Georgi vanem vend Stuart, olid püüdnud tüdrukut igati endale saada. Ta oli tumedajuukseline ja rabavalt ilus, Lexingtoni kauneim neid. „Olin väga armunud," meenutas Marshall, ja tal oli edu.[176]

Nad abiellusid peagi pärast seda, kui Marshall 1902. aastal kooli lõpetas. Marshall oli väga õnnelik, et oli Lily endale võitnud ja see tänulikkus jäi temaga alatiseks. Ta suhtumine Lilysse jäi alatiseks samaks ja ülihoolitsevaks. Peagi pärast abiellumist sai Marshall teada, et Lilyl on probleeme kilpnäärmega, mille tõttu on ta süda väga nõrk. Ta ei saanud kunagi elada täisväärtuslikku elu. Ka ei saanud nad lubada endale lapsi. Ülepingutusele võis igal hetkel järgneda äkksurm. Marshalli andumus ja tänulikkus abikaasa vastu siiski vaid suurenes.

Marshall teenis oma naist meeleldi, pakkudes väikseid üllatusi, komplimente ja mugavusi, pöörates suurt tähelepanu pisiasjadelegi. Lilyl ei lubatud kunagi tõusta, et tuua ära tikkimistarvikuid, mille ta oli teisele korrusele unustanud. Marshall oli kui rüütel südamedaami teenistuses. Lily ei olnud sellisest käitumisest alati meelitatud. Ta suutis enamat, kui Marshall arvas, kuid mehele valmistas Lily eest hoolitsemine suurt heameelt.

1927. aastal, kui Lily oli 53aastane, halvenesid ta südamehäired. Ta viidi Walter Reedi haiglasse ja 22. augustil tehti operatsioon. Ta paranes aeglaselt, kuid kindlalt. Marshall oli omas elemendis, täites kõik Lily soovid, ja tundus, et Lily tervis paraneb. 15. septembril öeldi Lilyle, et ta võib järgmisel päeval koju minna. Ta istus emale teadet kirjutama. Kirjutanud sõna „George", vajus ta kokku ja suri. Arstide hinnangul oli kojuminekuga kaasnenud ärev ootus süvendanud südame rütmihäireid.

Marshall pidas parajasti Washingtoni sõjakolledžis loengut. Valvur katkestas ta loengu ja kutsus ta telefonile. Nad läksid väiksesse kontorisse, kus Marshall vastas kõnele, kuulas mõne hetke ja langetas pea kätele. Valvur küsis, kas ta saab kuidagi aidata. Marshall vastas viisakalt: „Ei, härra Throckmorton, ma sain just teada, et mu naine, kes pidi täna siia tulema, on surnud."

See ametlik sõnastus, paus valvuri nime meenutamiseks (Marshallile ei jäänud nimed lihtsalt meelde) näitavad ilmekalt emotsioonide kontrollimist, alatist enesedistsipliini.

Marshall oli naise surmast löödud. Ta täitis kodu piltidega Lilyst, nii et naise pilk saatis teda pea kõikjal. Lily polnud ainult ta armas naine, vaid ka usaldusalune, ning tundub, et ta oli ainus. Üksnes tema oli näinud koormat, mida Marshall kandis, aidates tal seda teha. Nii äkki ja karmil moel oli Marshall jäänud üksi ja toeta.

Kindral Pershing, kes oli kaotanud naise ja kolm tütart, kirjutas kaastundeavalduse. Marshall vastas, et tunneb Lilyst väga puudust: „Pärast 26 aastat kõige lähedasemat suhet, sellist, mida ma polnud tundnud pärast poisipõlve, ekslen, püüdes kujundada oma edasist elu. Usun, et saaksin paremini hakkama, kui peale sportimise tõmbaksid mind klubielu või muud kaaslaste seltsis ettevõetavad meelelahutused või kui tuleks ette sõjakäik või muu kiireloomuline asjatoimetus, mis vajaks kogu tähelepanu. Aga ma leian kindlasti oma tee."[177]

Lily surm muutis Marshalli. Napisõnaline mees muutus pehmemaks ja vestlusaltimaks, justkui soovides keelitada külalisi kauemaks jääma ja ta üksildasi tunde sisustama. Aastatega muutusid ta kirjad mõtlikumaks ja kaastundlikumaks. Hoolimata tööle pühendumisest ja mitmest ajavahemikust, mil töö ta endasse neelas, ei olnud Marshall töönarkomaan. Et mitte ka ise üle pingutada, tegi ta pärastlõunati töös pausi, et aias toimetada, ratsutada või jalutada. Võimaluse korral ta õhutas ja isegi sundis oma alluvaid sama tegema.

PRIVAATSUS

Marshall pidas lugu privaatsusest. See tähendab, et ta tegi märksa olulisemat vahet avalikul ja erasfääril, lähedastel ja ülejäänud inimestel kui tänapäeval kombeks. Ta võis olla vaimukas ja rääkida pikki naljalugusid siseringis, kuhu kuulunud inimesi ta usaldas ja kes olid võitnud ta poolehoiu, kuid laiemale publikule oli mõeldud õukondlik ja vaoshoitud sarm. Ta kõnetas inimesi harva eesnimega.

Selline privaatsuskoodeks, mis erineb tänapäevasest Facebooki ja Instagrami ajastul kehtivast, põhineb eeldusel, et teatud eraelulised tundmused on haprad ja avalikkuse karm pilk võib neile saatuslikuks saada. Selline privaatsuskoodeks, mis sarnanes Frances Perkinsi omaga, põhineb arvamusel, et intiimsesse tsooni on võimalik siseneda aeglaselt, pärast pikka vastastikust tutvust ja usaldust. Isikliku maailma sündmusi ei peaks kohe internetti riputama või vestluses avalikustama, neist ei peaks säutsuma.

Marshalli viisakas seltskondlik käitumisviis klappis ta viisaka seesmise olekuga. Prantsuse filosoof André Compte-Sponville on öelnud, et viisakus on kõigi suurte vooruste eeldus: „Moraalsus on hinge viisakus, siseelu etikett, kohustuste koodeks."[178] See on rida käitumisi, mis muudavad su taktitundeliseks.

Marshall arvestas teistega alati, aga ta ametlikkus tegi sõprade leidmise raskeks. Talle oli äärmiselt vastumeelne kuulujuttude levitamine, ta suhtus halvakspanuga labasustesse, ega nautinud – vastupidi Eisenhowerile – kunagi lobisemist. William Frye, üks Marshalli varasematest biograafidest, kirjutas:

> Marshall oli üks neist vaoshoitud ja distsiplineeritud inimestest, kes leidsid nii ajendi kui ka autasu enda sisemusest ega vajanud teiste kehutamist ega aplausi. Sellised inimesed on väga üksildased; nad on jäetud ilma väljundist, mille paljud leiavad teiste inimestega mõtete ja tunnete jagamises. Kogu oma iseseisvuse juures on nad poolikud; kui neil on õnne, leiavad nad puuduva osa ühe või kahe inimese näol. Tavaliselt ei ole neid inimesi rohkem kui kaks – süda avaneb armsamale ja mõistus sõbrale.[179]

REFORMIJA

Viimaks tõi Marshalli südamevalule ajutist kergendust ülesanne, millesse sai suunata oma energia. Sama aasta lõpul paluti tal Georgias Fort Benningis juhtida jalaväe väljaõppeprogrammi. Marshall oli kommetelt konservatiivne, aga sõjaväeoperatsioonide puhul uuendusmeelne. Armee lämmatava traditsionalismi vastu, nagu ta seda nimetas, võitles ta kogu elu. Nelja aasta jooksul muutis ta täie-

likult ohvitseriväljaõpet, ja kuna enamik Teise maailmasõja nime-
kaid ohvitsere olid Fort Benningis saanud väljaõppe just tema ajal,
ka Ühendriikide armeed.

Koolis päranduseks saadud väljaõppeplaanid olid rajatud nae-
ruväärsele eeldusele, et lahingus on ohvitseridel täielik pilt enda
ja vastase vägede paiknemisest. Marshall saatis mehed manööv-
ritele ilma kaartideta või vananenud kaartidega, öeldes, et päris
sõjas kaarte kas ei ole või on need täiesti kasutud. Ta ütles mees-
tele, et oluline on ka see, *millal* otsus tehakse, mitte vaid see, *mil-
line* otsus on. Ta ütles neile, et keskpärased lahendused, mis on
tehtud õigel ajal, on paremad kui ideaalsed lahendused, mis on
tehtud liiga hilja. Enne Marshalli kirjutasid õppejõud loengud
tavaliselt paberile ja lugesid need klassis lihtsalt ette. Marshall
keelas sellise tegevuse ära. Ta lühendas varustussüsteemide käsi-
raamatut 120 leheküljelt 12-le, et lihtsustada tsiviilkodanike välja-
õpet ja suurendada käsuliini madalamal astmetel olijate otsustus-
vabadust.

Siiski ei kiirendanud ta edu ega reformid ametiredelil edasi-
jõudmist. Armee arvestas ametiredeli positsioone teistel alustel.
1930. aastate käigus, mil fašismioht teravnes, hakkasid isiklikud
teened siiski olulisemaks muutuma. Lõpuks edutati Marshalli mit-
mel korral ning ta läks endast staažikamatest, kuid vähem austatud
meestest mööda ja jõudis välja Washingtoni võimukeskustesse.

KINDRAL

1938. aastal kutsus Roosevelt kokku kabinetikoosoleku, et arutada relvastumisstrateegiat. Ta oli seisukohal, et järgmises sõjas mängivad otsustavat rolli õhu- ja merevägi, mitte maaväed. Ta käis ruumis toetust otsides ringi ja pälviski üldise heakskiidu. Lõpuks pöördus ta Marshalli poole, kes oli uus armee staabiülema abi ja küsis: „Kas sina ei arva nii, George?"

„Mul on kahju, härra president, aga olen täiesti teist meelt." Marshall põhjendas, miks tuleks eelistada maavägesid. Roosevelt paistis ehmununa ja lõpetas koosoleku. See oli viimane kord, mil president võttis endale vabaduse kutsuda Marshalli eesnime pidi.

1939. aastal tuli Rooseveltil leida asendaja ametist lahkuvale armee staabiülemale, mis oli Ühendriikide armee kõrgeim ametipost. Marshall oli sel hetkel staaži poolest 34. positsioonil, kuid lõpuks jäid vastamisi tema ja Hugh Drum. Drum oli andekas, kuid veidi suurejooneline kindral, kes korraldas ülevoolava valimiskampaania, kogudes soovituskirju ja organiseerides meediaväljaannetesse rea kiitvaid artikleid. Marshall keeldus kampaaniast ja summutas kõik tema eest kampaania tegemise katsed. Küll aga oli tal Valges Majas võtmekohtadel sõpru, kellest mõjukaim oli Rooseveltiga lähedastes suhetes olev uue kursi reformikava autor Harry Hopkins. Roosevelt valis Marshalli, hoolimata sellest, et nende suhted ei olnud kõige soojemad.

Sõda on rida prohmakaid ja pettumusi. Teise maailmasõja puhkedes mõistis Marshall, et tal tuleb halastamatult kõrvaldada töölt inimesed, kes on ametis ebakompetentsed. Selleks hetkeks oli ta abiellunud oma teise naise – glamuurse, tugeva isiksuse ja peenekombelise endise näitlejanna Katherine Tupper Browniga, kellest sai Marshalli lahutamatu kaaslane. „Ma ei saa endale lubada tundeid,“ ütles ta naisele. „Minu rida on kaine loogika. Tunded jäägu teistele. Ma ei saa endale lubada viha, see on liialt koormav ja võiks saada saatuslikuks. Pean hoidma pea selge. Ma ei tohi näida väsinuna.“[180]

Inimeste väljapraakimine oli karm. Marshall lõpetas sadade kolleegide karjääri. „Kunagi oli ta meie hea sõber, aga ta hävitas mu abikaasa,“ tähendas ühe vanemohvitseri naine pärast abikaasa kõrvalelükkamist.[181] Ühel õhtul ütles Marshall naisele: „Inimestele ära ütlemine on mind ära kurnanud.“ Sõja eelõhtul valdkonna töid korraldades märkis Marshall: „Meestele ei ole lihtne öelda, milles nad on ebaõnnestunud ... Minu päevad näivad olevat täis olukordi ja probleeme, mille puhul pean tegema raske otsuse.“[182]

Marshallile iseloomulik etteaste toimus 1944. aastal pressikohtumisel Londonis. Ta tuli kohale ühegi paberita ning palus kõigil reporteril esitada küsimused korraga. Pärast rohkem kui kolmekümmet küsimust selgitas Marshall põhjalikult sõjaolukorda, pöörates tähelepanu suuremale plaanile, strateegilistele eesmärkidele ja tehnilistele detailidele, vaadates samal ajal teadlikult iga paari lause tagant otsa eri inimesele. 40 minutit hiljem ta lõpetas ja tänas reportereid nende aja eest.

Teises maailmasõjas olid oma teatraalsed kindralid, näiteks MacArthur ja Patton, kuid enamik, nagu Marshall ja Eisenhower, olid sootuks teistsugused. Nad olid täpsed korraldajad, mitte toretsevad sõumehed. Marshall jälestas karjuvaid ja rusikaga lauale lajatavaid kindraleid. Vastupidi tänapäevastele kindralitele eelistas ta lihtsaid ja tavalisi mundrikandjaid neile, kelle rinnaesised kubisesid autasudest.

Armee ülemjuhatajaks olemise ajal tekkis Marshallile hämmastav maine. Üldise suhtumise võttis kokku CBSi sõjakorrespondent Eric Sevareid: „Kohmakas, koduselt mõjuv, suurte intellektuaalsete võimetega, vapustava mälu ja kristliku pühaku aususega mees. Tema väljakiiratud kontrollitud võimutunnetus pani sind tundma nõrgukesena, ta isetu kohustustele pühendumine [oli] väljaspool avalikkuse surve·või isiklike tutvuste mõjusfääri."[183] Valge Maja spiikri Sam Rayburni sõnutsi polnud ühelgi teisel ameeriklasel kongressile samasugust mõju: „Tegemist on mehega, kes räägib seda, mida näeb." Trumani riigisekretär Dean Acheson väljendas seda nii: „Kõigi mälestustes kerkib esile kindral Marshalli äärmine ausus."

Marshall ei võitnud aususega kohe kõigi soosingut. Sõjamehena põlgas ta poliitikat ja mäletas erilist tülgastust tekitanud kohtumist president Rooseveltiga, mil ta teatas presidendile Põhja-Aafrika invasiooniplaanide valmimisest. President asetas käed palvet teeseldes rinnale ja ütles: „Ütle, et see toimub enne valimispäeva."[184] Marshalli abi Tom Handy selgitas hiljem intervjuus:

> Kindral Marshall ei olnud kõige lihtsam inimene. Ta võis olla väga range. Küll oli ta äärmiselt mõjuvõimas, eriti mis puudutas britte ja kongressi. Mulle tundub, et Roosevelt kadestas teda selle pärast. Selle põhjus oli minu arvates see, et nad teadsid, et Marshallil polnud salajasi ega isiklikke motiive. Britid teadsid, et Marshall

ei eelistanud ei ameeriklasi ega britte, vaid püüdis võita sõda. Kongress teadis, et ta oli nendega aus, mitte ei teinud poliitikat.[185]

Kõige ehedamalt tuli Marshalli olemus välja sõja keskel. Liitlased plaanisid operatsiooni Overlord, sissetungi Prantsusmaale, kuid veel ei olnud nimetatud peakomandöri. Marshalli salasoov oli saada valituks ja teda peeti üldiselt ka kõige sobivamaks kandidaadiks. Tegemist oli ajaloo ühe kõige ambitsioonikama operatsiooniga ning kes tahes operatsiooni eesotsas olnuks, teinuks suure teene ja läinuks sellega seoses ka ajalukku. Teised liitlaste juhid, Churchill ja Stalin, ütlesid Marshallile, et koht on tema. Eisenhower eeldas, et koha saab Marshall. Roosevelt teadis, et kui Marshall kohta endale küsiks, tuleks tal see Marshallile anda. Ta oli selle ära teeninud ja ta oli laialt tunnustatud.

Roosevelt soovis, et Marshall oleks tema lähedal Washingtonis, Overlordi komandör aga pidi minema Londonisse. Rooseveltil võis olla kahtlusi ka Marshalli range isiku suhtes. Operatsiooni juhtimine tähendas asjaajamist poliitiliste liitlastega ja sõbralik loomus võis tulla kasuks. Vaidlus lõi lõkkele. Mitu senaatorit avaldasid arvamust, et Marshalli on vaja Washingtonis ja teda ei peaks peakomandöriks nimetama.

Üldiselt arvati siiski, et valituks osutub Marshall. 1943. aasta novembris käis Roosevelt Eisenhoweri juures Põhja-Aafrikas ja ütles umbes nii: „Me mõlemad teame, kes oli staabiülem kodusõja lõpuaastail, kuid pea keegi teine seda ei tea ... Ma ei tahaks, et 50 aasta pärast ei teaks keegi, kes oli George Marshall. See on üks põhjustest, miks ma tahan, et George saaks komandörikoha endale – ta on väärt seda, et kindlustada koht ajaloo suurte kindralite seas."

Roosevelt siiski kahtles. „Võitjameeskonda ei maksa torkida,"[186] ütles ta. Ta saatis Harry Hopkinsi uurima, mida Marshall ametissenimetamisest ise arvab. Marshall ei lasknud end mängu sisse tõmmata. Ta ütles Hopkinsile, et on oma tööd teinud auga ega küsi midagi. Ta ütles, et talle „sobib presidendi mis tahes otsus".[187] Aastakümneid hiljem Forrest Pogue'ile antud intervjuus selgitas Marshall oma käitumist järgmiselt: „Olin otsustanud, et ma ei soovi presidenti ühel ega teisel moel piinlikku olukorda panna – et ta peab saama vabalt otsustada nii, nagu ta peab [riigile] parimaks ... Soovisin siiralt vältida seda, mis oli sageli juhtunud teiste sõdade puhul, mil selle asemel et mõelda, mis on parim riigile, eelistati inimeste tundeid."[188]

Roosevelt kutsus Marshalli enda kabinetti 6. detsembril 1943. aastal. Paar ebamugavat minutit rääkis ta tühjast-tähjast. Seejärel küsis ta Marshallilt, kas too soovib peakomandöriks hakata. Kui Marshall oleks kas või mokaotsast „jah" öelnud, oleks amet ilmselt tema olnud. Ometigi ei tahtnud Marshall nüüdki valikusse sekkuda. Ta soovitas Rooseveltil talitada parima äratundmise järgi. Marshall toonitas, et tema soovid ei peaks otsust mõjutama. Ikka ja jälle keeldus ta isiklikku arvamust avaldamast.

Roosevelt vaatas talle otsa. „Arvan, et ma ei saaks korralikult magada, kui sind Washingtonis poleks." Järgnes pikk vaikusehetk. Roosevelt jätkas: „Seega läheb Eisenhower."[189]

Sisimas oli Marshall kindlasti löödud. Veidi taktitundetult palus Roosevelt, et Marshall teataks otsusest liitlastele. Staabiülemana oli Marshall sunnitud isiklikult käsu vormistama: „Otsustati, et operatsiooni Overlord peakomandörina asub kohe tegutsema kindral Eisenhower." Suuremeelselt säilitas Marshall paberilehe ja saatis selle Eisenhowerile: „Hea Eisenhower. Arvasin, et ehk soovid seda mälestuseks. Kirjutasin selle kiiruga eilsel lõplikul koosolekul ja president pani otsusele kohe ka allkirja. G. C. M."[190]

Tegemist oli Marshalli elu suurima tööalase pettumusega ning selle põhjus oli isiklike soovide avaldamisest keeldumine. Sellised aga olid ta põhimõtted.

Kui sõda Euroopas läbi sai, oli Eisenhower, mitte Marshall see, kes võiduka vallutajana Washingtoni naasis. Marshall oli siiski väga uhke. John Eisenhower meenutas hetke, mil ta isa Washingtoni jõudis: „Sel päeval nägin kindral Marshalli esimest korda täielikult lõdvestununa. Ike'i selja taga seistes ja kaamerate eest hoidudes naeratas Marshall talle ja Mamiele kuidagi südamlikult ja isalikult. Tol päeval polnud George Marshalli olekus tavapärasest osavõtmatusest jälgegi. Seejärel hajus ta tagaplaanile ja Ike sai kogu ülejäänud päeva üksinda kuulsust nautida – sõita autokolonnis mööda Washingtoni tänavaid ja käia Pentagonis."[191]

Erakirjas kirjutas Churchill Marshallile: „Sinu saatus ei olnud juhtida meie armeesid. Sinu ülesanne on olnud nende loomine, organiseerimine ja inspireerimine."[192] Jäädes iseenda edutatud meeste varju, sai Marshall tuntuks vaid kui „võidu korraldaja".

VIIMASED ÜLESANDED

Sõjale järgnenud aastail püüdis Marshall pensionile jääda. 26. novembril 1945. aastal toimus Pentagonis tagasihoidlik tseremoonia ja Marshall vabastati armee staabiülema ametist. Ta sõitis Virginias Leesburgis asuvasse Dodona mõisa, mille nad olid Katherine'iga ostnud. Nad jalutasid päikesepaistelises hoovis ja ootasid kannatamatult vabaduse- ja pensionipõlveaastaid. Katherine läks enne õhtusööki teisele korrusele puhkama ja kuulis trepist üles minnes telefonihelinat. Tund aega hiljem alla tulles leidis ta kahvatu Marshalli sohval pikutamas ja raadiot kuulamas. Uudistediktor teatas, et Ühendriikide saadik Hiinas oli ametist tagasi astunud ja George Marshall oli võtnud vastu presidendi pakkumise asuda tema asemele. Too varasem helistaja oligi olnud president Truman, kes palus Marshallil kohe teele asuda. „Oh, George, kuidas sa *võisid*?"[193] oli Katherine'i kommentaar.

See töö oli tänamatu, kuid Marshall jäi koos naisega Hiina neljateistkümneks kuuks, püüdes ära hoida vältimatut kodusõda Hiina natsionalistide ja kommunistide vahel. Kui nad olid oma esimeselt läbikukkunud missioonilt tagasiteel, helistas president ja palus 67aastaselt Marshallilt järjekordset teenet – tulla riigisekretäriks. Marshall võttis pakkumise vastu ja katkestas kõne.[194] Uues ametis viis ta ellu Marshalli plaani – kuigi ta ise kutsus seda ametliku nime järgi Euroopa taastamise plaaniks – ning president Roosevelti soov, et Marshalli nimi saaks ajalukku kirjutatud, läkski täide.

Järgnes teisigi ülesandeid: ta oli Ameerika Punase Risti president, kaitseminister, Ühendriikide delegatsiooni juht Elisabeth II kroonimispidustustel. Oli ülevaid hetki – Nobeli autasu võitmine – ja madalseise – Joe McCarthy ja ta liitlaste vihkamiskampaania sihtmärgiks saamine. Marshalli sundis tööpakkumisi vastu võtma kohusetunne. Ta tegi nii häid kui ka halbu otsuseid – näiteks oli ta vastu Iisraeli riigi loomisele. Ta võttis ikka ja jälle vastu ülesandeid, mida ta ei soovinud.

Mõni inimene paistab olevat siia ilma sündinud tundega, et on elus olemise eest tänu võlgu. Nad tunnetavad põlvkondade pärandit, seda, mida nende eelkäijad on neile jätnud ja mida nad eelkäijatele võlgnevad, teatud ajatu moraalse vastutusega kaasnevaid kohustusi.

Üks sellise suhtumise parimaid väljendusi on kodusõjas osalenud sõjamehe Sullivan Ballou kiri oma naisele, mille ta kirjutas Bull Runi lahingu eelõhtul sõja algul. Ballou, kes oli orb, teadis, mida tähendab kasvada üles isata. Sellest hoolimata kirjutas ta oma naisele, et on valmis surema maksmaks eelkäijatele oma võlga.

Kui on vaja, et ma langen lahingus oma kodumaa eest, siis olen selleks valmis ... Tean, kui väga vajab Ameerika Ühendriikide tsivilisatsioon valitsuse võitu ja kui suur on meie võlg meie eelkäijate ees, kes pidasid vastu verise revolutsiooni kannatustele. Olen valmis – täiesti valmis – jätma elurõõmud, et toetada valitsust ja aidata maksta meie võlga.

Mu armas naine, ma tean, et koos mu enda rõõmudega kaovad ka pea kõik sinu rõõmud ning asemele tulevad mure ja hool. Olles ise maitsnud pikki aastaid orvu raske elu kibedaid vilju, pean seda siiski tegema oma kallite väiksekeste pärast. Kas see näitab nõrkust või autust, et samal ajal, kui meie võitluslipp lehvib tuules nii rahulikult ja uhkelt, peab minu piiritu armastus sinu, mu armas naine, ja laste vastu pidama raevukat, kuid kasutut võitlust minu kodumaa-armastusega? ...

Sarah, mu armastus sinu vastu on surematu; olen sinu külge otsekui aheldatud, seda ei saa väärata miski peale kõikvõimsuse; ometi tabab kodumaa-armastus mind kui tugev tuul ja kannab mind ahelatest hoolimata lahinguväljale ... Mu palved jumalikule ettehooldusele on lihtsad ja vähesed, aga üks sosin – ehk on see mu tillukese Edgari palve kaja – ütleb mulle, et ma tulen teie juurde viga saamata tagasi. Kui see ei saa tõeks, mu kallis Sarah, ära kunagi unusta mu armastust sinu vastu; kui peaksin lahingus tegema oma viimase hingetõmbe, sosistab see sinu nime.

Ballou osales järgmisel päeval toimunud Bull Runi lahingus ja sai surma. Nagu Marshall, tundis ka tema, et ta ei leia rahuldust milleski muus peale oma kohustuste täitmise kogukonna ja kodumaa ees.

Elame tänapäeval ühiskonnas, kus asetatakse suurt rõhku üksikisiku õnnetundele, mida defineeritakse kui rahuldustpakkuvat eneseteostust. Ammused moraalikombed aga ei sure. Need kanduvad läbi sajandite ja inspireerivad uusi inimesi uutes oludes. Marshall elas hävituslennukite ja tuumapommi ajastul, kuid mitmes mõttes oli ta saanud mõjutusi klassikalise Kreeka ja Rooma moraalikommetest. Ta moraalne pale pärines osalt Homeroselt, klassikalisest julguse ja au rõhutamisest. Osalt pärines see stoikutelt, kes rõhutasid moraalse distsipliini olulisust. Elu lõpu poole ilmnesid mõjutused ka Ateena Perikleselt, kes kehastas juhti, keda kutsume suuremeelseks, suureks hingeks.

Kreeka kuldajastu üllameelne juht hindas oma voorusi kõrgelt, kuid õiglaselt. Ta vaatles end enamikust teistest inimestest eraldi, mõistes, et talle oli osaks saanud erakordselt hea õnn. See arusaam tekitas ümbritsevate inimestega suhtlemisel pingeid. Kõigile peale mõne üksiku lähedase sõbra tundus ta üksildase ja eemaletõmbunu, kinnise ja väärikana. Ta suhtles maailmaga mõõduka sõbralikkusega ja oli inimestega südamlik, kuid ei näidanud kunagi välja oma tegelikke tundeid, mõtteid ega hirme.[195] Ta varjas oma nõrkusi ja jälestas mõtet, et võiks teistest sõltuda. Nagu Robert Faulkner kirjutab raamatus „Suurusest" („The Case For Greatness"), ei ole ta kaasalööja, meeskonnamängija ega reatööline: „Ta ei pinguta iga asja nimel, eriti kui peab mängima teist viiulit. Ka ei ole ta suur koostöö austaja."[196] Talle meeldib teha teeneid, kuid häbeneb neid vastu võtta. Ta oli, nagu Aristoteles seda väljendas, „võimetu elama oma elu teiste meele järele".[197]

Suurepärase juhi ühiskondlikud kontaktid pole tavapärased. Nii nagu paljudele teistele äärmiselt ambitsioonikatele inimestele, kes loobuvad lennukate eesmärkide nimel kaaslastest, on tallegi omane pidev kurbus. Ta ei saa endale kunagi lubada ulakusi, lihtsat õnne ega vabadust. Ta on kui marmorist.

Suuremeelne juht on juba loomu poolest mõeldud inimestele kasu tooma. Ta kehtestab endale kõrged standardid ja muutub avalikuks institutsiooniks. Suuremeelsust on õigupoolest võimalik väljendada vaid avalikus või poliitilises elus. Poliitika ja sõjad on ainsad mänguväljad, mis on piisavalt suured, milles on piisavalt võitlust ja millest oleneb piisavalt palju, et kutsuda esile suurimaid ohvreid ja tuua esile andekamaid isikuid. Inimene, kes piirdub vaid kaubanduse ja eraeluga, on selle definitsiooni järgi vähem mõjukas kui see, kes astub avalikule areenile.

Periklese ajal oodati suure hingega juhilt stabiilsust ja kainust. Ta pidi olema arukam ja omama suuremat enesedistsipliini kui Homerose ajastu keevalised kangelased. Ja mis kõige olulisem, ta pidi suutma pakkuda inimestele midagi ka laias plaanis. Temalt oodati, et ta kaitseks inimesi hädaohu korral või aitaks neil kohaneda uue ajastu vajadusega.

Suure hingega inimene ei pruugi olla hea inimene – ta ei pruugi alati olla südamlik, kaastundlik, taktitundeline ja meeldiv, kuid ta on suur inimene. Talle langeb osaks suur au, sest ta on seda väärt. Õnn, mille ta saavutab, on teistsugune – Kreeka filosoofia populariseerija Edith Hamilton on seda määratlenud kui „elujõu hiilgavat rakendamist elus, millel on haaret".

SURM

1958. aastal läks Marshall Walter Reedi haiglasse näolt tsüsti eemaldama. Teda külastas ta kasutütar Rose Wilson, keda vapustas, kui vana Marshall ühtäkki välja näeb.

„Mul on nüüd aega meenutada," ütles Marshall talle, rääkides, kuidas ta poisikesena isaga Uniontownis kelgutamas käis. „Kolonel Marshall," vastas kasutütar, „Mul on kahju, et te isa ei elanud piisavalt kaua, et näha, milline suurepärane poeg tal on. Ta olnuks teie üle väga uhke."

„Arvad sa?" küsis Marshall. „Ma loodan, et ta oleks minuga rahule jäänud."

Marshall jäi järjest nõrgemaks. Kindrali haigusele reageeriti kõikjal maailmas. Teateid saabus Winston Churchillilt ja kindral Charles de Gaulle'ilt, Mao Zedongilt ja Chiang Kai-shekilt, Jossif Stalinilt ja kindral Dwight Eisenhowerilt, marssal Titolt ja feldmarssal Bernard Montgomerylt.[198] Kirju saabus ka tuhandetelt tavakodanikelt. President Eisenhower külastas Marshalli kolmel korral. Käis ka Truman. Ja 84aastane Winston Churchill. Marshall oli selleks hetkeks juba koomasse langenud ja Churchill ei saanud teha muud, kui seista ukselävel ja nutta, nähes kunagise tuttava mehe kõhnukest keha.

Marshall suri 16. oktoobril 1959. aastal vaid veidi enne oma 80. sünnipäeva. Kindral Tom Handy, kes oli olnud Marshalli staabiülemaks olemise ajal ta abi, oli kord Marshallilt küsinud matuse kohta, aga Marshall oli ta jutu katkestanud. „Ära muretse. Ma olen jätnud täpsed juhtnöörid."[199] Pärast surma tehti kiri lahti. Juhtnöörid olid tähelepanuväärsed: „Matke mind nii nagu iga teist Ühendriikide armee ohvitseri, kes on ausalt oma maad teeninud. Ei mingit liialdamist. Ei mingit rikkalikku tseremooniat. Matuseteenistus olgu lühike, kutsuge vaid pereliikmed. Ja mis kõige olulisem, tehke seda vaikselt."[200]

Marshalli soovi kohaselt ei korraldatud riiklikku matust. Tema kirstu ei viidud Kapitooliumi hoone ümarsaali. Ta kirst lebas ühe ööpäeva Washingtoni katedraali Petlemma kabelis, kuhu sõbrad said tulla temaga hüvasti jätma. Matusel osalesid perekond, mõni kolleeg ja Marshalli vana sõjaaegne juuksur, Nicholas J. Totalo, kes oli lõiganud kindrali juukseid Kairos, Teheranis, Potsdamis ja hiljem Pentagonis.[201] Järgnes anglikaani kiriku kommete kohane lühike ja lihtne jumalateenistus Arlingtoni kalmistul Fort Myeris Virginias; ülistuskõned jäid ära.

6. PEATÜKK

VÄÄRIKUS

Sel ajal, kui Ühendriikides tehti meretagustele väeosadele raadiosaadet „Käsklus „Esineda!"", oli väljapaistvaim kodanikuõiguste eest seisja A. Philip Randolph. Ta oli üks afroameeriklastest juhte, kes korraldas ja kutsus üles korraldama marsse, kes kohtus presidendiga ning kelle kuulsus ja moraalne autoriteet aitasid kujundada kogu kodanikuõiguste liikumist.

Randolph sündis 1899. aastal Jacksonville'i lähedal Floridas. Ta isa oli Aafrika Metodisti Episkopaalkiriku vaimulik, kuid kirik maksis nii vähe, et enamiku sissetulekust teenis ta rätsepa ja lihunikuna, ning ema töötas õmblejana.

Randolph, kes ei olnud usklik inimene, meenutas: „Mu isa kuulutas rassilist religiooni. Ta kõneles koguduseliikmete ühiskondlikust olukorrast ja tuletas neile ühtelugu meelde, et nende kirik on Ameerika Ühendriikide esimene võitlev mustanahaliste asutus."[202] Randolphi isa võttis oma kaks poega kaasa ka mustanahaliste korraldatud poliitkoosolekutele ja tutvustas neid edukatele meestele. Ta jutustas ikka ja jälle lugusid ajaloolistest mustanahalistest eeskujudest: Crispus Attucksist, Nat Turnerist, Frederick Douglassist.

Randolphi pere elas väärikas vaesuses. Kodu oli alati laitmatult korras. Nad olid vanamoeliselt kombekad, järgisid distsipliini ja etiketti. Randolphi vanemad pöörasid tähelepanu kaunile kõnele ja õpetasid pojale, kuidas hääldada sõna iga silpi, nii et kogu elu kõlasid sellised sõnad nagu „*responsibility*" Randolphi suu kaudu pika ja suursuguse reana: „*re-spons-a-bil-i-tay*".

Alandava rassismi tingimustes leiti abi moraalsest tahutusest ja härrasmehelikust käitumisest, mis oli vastuolus nende materiaalsete oludega. Randolph vanem oli biograaf Jervis Andersoni sõnutsi „isetehtud härrasmees, kes väärtustas tsiviliseeritust, alandlikkust ja sündsustunnet, innustus usu- ja hoolekandeteenistusest ning oli täielikult pühendunud väärikuse ideele."[203]

Koolis olid Randolphi õpetajateks kaks valgenahalist Uus-Inglismaalt pärit kooliõpetajannat, kes olid tulnud lõunasse õpetama mustanahalisi kodanikuõigusteta lapsi ning keda Randolph nimetas hiljem „kaheks parimaks õpetajaks, kes kunagi on elanud". Preili Lillie Whitney õpetas Randolphile ladina keelt ja matemaatikat, preili Mary Neff kirjandust ja draamat. Randolph paistis silma korvpallis, kuid aja jooksul tekkis tal püsiv huvi Shakespeare'i ja draama vastu. Abikaasa elu viimastel aastakümnenditel, mil naine oli aheldatud ratastooli, luges Randolph talle iga päev Shakespeare'i.

Enamik inimesi kujuneb valitsevate olude järgi; Randolphi vanemad, õpetajad ja ta ise lõid aga moraalse ökoloogia, mis oli oludest üle ja mis pani aluse käitumisele, mis oli alati veidi üllam, veidi ametlikum ja palju väärikam kui ümbritsev maailm. Kogu elu oli Randolphi hoiak korrektne ja sirge. Kolleeg ja töölisjuht C. L. Dellums meenutas: „Randolph õppis sirgelt istuma ja kõndima. Teda ei näinud peaaegu mitte kunagi seljatoele naaldumas. Isegi kui olukord oli igati mõnus, nägid ringi vaadates, et Randolph on ikka samasuguse laudsirge seljaga."²⁰⁴

Ta hääl oli pehme, sügav ja pilvitu. Ta aktsenti kirjeldati kui Bostoni kõrgklassi ja Kariibi mere saarestiku dialekti segu. Ta kõneles piiblirütmis ja kasutas arhailisi sõnu, nagu *„verily"* ja *„vouchsafe"*.²⁰⁵

Ta võitles pidevalt lodevuse ja moraalse laiskuse vastu, suunates oma käitumist või loobudes millestki. Töökaaslased imestasid, kuidas naised talle reiside ajal külge lõid ja kuidas Randolph nad leebelt kõrvale lükkas. „Ma ei usu, et kunagi on olnud teist sellist meest, keda naised oleksid rohkem anunud ja taga ajanud kui teda," jutustas Dellums biograafile, „Nad proovisid kõike peale vägistamise. Tegime Websteriga omavahel nalja, et käime ülemusel järel ja tegeleme ülejäägiga. Need olid kõige kaunimad naised ... Sellistest olukordadest välja tulemine oli alati rusuv. Nägin, kuidas naised üritasid kõike, anusid, et ta ööseks nende hotellituppa läheks või midagi. Tema ütles vaid: „Vabandust, ma olen väsinud. Mul oli raske päev. Arvan, et on targem hüvasti jätta." Vahel küsisin talt, kas ta teeb nalja."²⁰⁶

Ta ei uskunud enese eksponeerimisse. Mujal kui kirjatöödes, milles ta võis olla karm ja vaidlushimuline, ei tavatsenud ta teisi kritiseerida. Ta ametlikkuse tõttu jäi paljudele tunne, et nad ei tunne teda piisavalt; isegi üks ta lähimaid kolleege, Bayard Rustin, kutsus teda alati „härra Randolphiks". Randolphi ei huvitanud raha ja ta uskus, et luksuslik elu on moraalselt korrumpeeriv.

Isegi vana mehena, kui ta oli juba maailmakuulus, sõitis ta töölt koju bussiga. Ühel päeval sattus ta oma maja trepikojas röövimise ohvriks. Röövlid leidsid talt 1,25 dollarit, aga ei kella ega ehteid. Kui mõni annetaja soovis talle raha koguda, et ta saaks oma elujärge parandada, palus ta neil lõpetada, öeldes: „Ma olen kindel, et te teate, et mul pole raha ja ma ei looda seda kusagilt ka saada. Samas ei ole mõeldav, et mulle ja mu perele mõne liikumise poolt raha kogutaks. Mõne inimese saatus on olla vaene ja see on minu saatus, mida ma kuidagi ei kahetse."[207]

Need omadused – äraostmatus, vaoshoitud ametlikkus ja eelkõige väärikus – tähendasid, et teda ei olnud võimalik alandada. Oma reaktsioonid ja sisemise oleku määras ta ise, mitte rassism või teda hiljem ümbritsenud ülistamine. Randolphist sai kodanikuõiguste juhi eeskuju. Temast kiirgas enesevalitsust, ja nagu George C. Marshallist, jäi ka temast maha rida andunud austajaid. „Inimestel, kes pole temaga kunagi kohtunud, võib olla raske mõista, miks ilmselt just A. Philip Randolph peaks olema Ühendriikide selle sajandi silmapaistvaim isik," kirjutas kolumnist Murray Kempton. „Veel raskem on aga veenda teda kunagi tundnud inimesi vastupidises."

ÜHISKONNAMEEL

Randolphi elu peamised väljakutsed olid järgmised. Kuidas võtta ebatäiuslikud inimesed ja korraldada nii, et neist saaks muutusi esiletoov jõud? Kuidas koguda võimu, ilma et võim sind korrumpeeriks? Ka sajandi ühe üllaima ettevõtmise, kodanikuõiguste liikumise käigus näris liikumise juhtide, teiste hulgas ka Randolphi hinge eneses kahtlemine, tunne, et nad peavad olema valvel iseenda lodeva ja patuse loomuse pärast ning et isegi võitluses ebaõigluse vastu on võimalik teha kohutavat ülekohut.

Kodanikuõiguste liikumise juhid polnud asjata Teisest Moosese raamatust lummatud. Selles raamatus olid israeliidid lõhestunud, lühinägelikud ja pirtsakad inimesed. Nende juht Mooses oli leebe, passiivne ja liialdustele kalduv inimene, kes tundis, et ei sobi täitma talle antud ülesannet. Kodanikuõiguste liikumise juhtidel tuli Moosese kombel tegeleda lahendamatute dilemmadega: kuidas sobitada kirge kannatlikkusega, võimukust võimu jagamisega, eesmärgiselgust eneses kahtlemisega.[208]

Lahenduseks oli teatud laadi ühiskonnameel. Tänapäeval peame ühiskonnameelsusest rääkides tavaliselt silmas inimest, kes korraldab petitsioone, marsse ja proteste ja võtab ühiskonna huvides sõna. Varematel aegadel oli ühiskonnameelne inimene see, kes taltsutas oma kirgi ja arvamusi, et saavutada suuremat konsensust ja tuua kokku mitmesuguseid inimesi. Tänapäeval peame ühiskonnameelsuse all silmas enese maksmapanekut, aga ajalooliselt on see tähendanud teatud laadi enesevalitsemist ja enesekontrolli. Sedalaadi ühiskonnameelsuse näiteks on vaoshoitud ja vahel ebasõbralikult mõjunud George Washington.[209] Samuti Randolph. Ta ühitas omavahel poliitilise radikalismi ja isikliku traditsionalismi.

Vahel sai ta nõuandjatel ta otsatust viisakusest kõrini. „Mulle tundub, et aeg-ajalt jäävad ta head kombed talle jalgu," ütles Bayard Rustin Murray Kemptonile, „kord kurtsin ma selle üle ja ta vastas:

„Bayard, me peame kombekalt leppima kõigiga. Praegu on paras aeg häid kombeid õppida. Meil on neid hiljem vaja, sest peame olema kombekad, kui oleme võitnud"."[210]

LEEBE RADIKAAL

Randolphi karjäär algas Floridast Harlemisse kolimisega 1911. aasta aprillis, üks kuu pärast Triangle'i vabriku tulekahju. Ta osales aktiivselt teatritruppide tegevuses ning kõnekunstioskuse ja üldise oleku poolest tundus, et temast saab Shakespeare'i näitleja, kuni ta vanemad idee maha laitsid. Ta käis mõnda aega City College'is ja luges ahnelt Karl Marxi. Ta oli mitme mustanahalistele mõeldud ajakirja loomise juures, tutvustades mustanahaliste kogukonnale Karl Marxi. Ühes juhtkirjas nimetab ta revolutsiooni Venemaal „20. sajandi suurimaks saavutuseks". Ta oli vastu Ühendriikide osalemisele esimeses maailmasõjas, uskudes, et sõda teenib vaid laskemoonavalmistajate ja teiste töösturite huve. Ta sõdis Marcus Garvey liikumise „Tagasi Aafrikasse" vastu. Tolle võitluse keskel saatis keegi tundmatu vaenlane Randolphile karbi, milles oli ähvarduskiri ja inimese käsi.

Ta arreteeriti mitmel korral süüdistatuna mässu õhutamises, kuid ta eraelu oli järjest väikekodanlikum ja austusväärsem. Randolph abiellus prominentsest Harlemi perekonnast pärit suursuguse naisega. Pühapäeva pärastlõunati osalesid nad iganädalastel jalutuskäikudel. Selleks puhuks pandi selga parimad rõivad – ei puudunud ka säärsaapad, jalutuskepid, nööpaugulilled, säärised ja uhked kübarad – ning jalutati piki Lenoxi avenüüd või 135. tänavat, vahetades teel kohatud naabritega tervitusi ja naljatlusi. 1920. aastate alguseks oli Randolph liitunud töölisliikumisega. Ta lõi kaasa poole tosina väikese ametiühingu loomises kelneritele, ettekandjatele ja teistele rahulolematutele töölisrühmadele. 1925. aasta juunis tulid Randolphi juurde Pullmanni vagunisaatjad. Nad otsisid karismaatilist ja haritud juhti, kes looks neile ametiühingu. Pullmann Company valmistas luksuslikke magamisvaguneid, mida renditi raudteeomanikele. Kliente teenindasid livreedes mustanahalised mehed, kes poleerisid kingi, vahetasid voodilinu ja serveerisid toitu. Firma asutaja George Pullmann oli pärast kodusõda palganud tööle endised orjad, uskudes, et nood on kuulekad töötajad. Vagunisaatjad olid püüdnud ametiühingu luua juba 1909. aastal, aga alati oli firma neid takistanud.

Randolph võttis pakkumise vastu ning püüdis järgmise 12 aasta jooksul luua ametiühingut ja saavutada firmalt mööndusi. Ta reisis mööda riiki ja kutsus vagunisaatjaid ühinguga liituma, kuigi väikseimgi märk ametiühingust võis töölistele maksta nende töökoha või tuua kaasa ihunuhtluse. Randolphi peamine töövahend oli tema hoiak. Üks ühingu liige meenutas: „Ta haaras su endaga kaasa. Pidid olema tundetu, et temast eemale hoida. Tema juures tundsid end nagu jünger Meistri juures. Kuigi sa ei pruukinud seda otsekohe teada, siis koju jõudes ja tema räägitule mõeldes mõistsid, et lihtsalt pead talle järgnema."[211]

Töö läks aeglaselt, aga järgmise nelja aasta jooksul kasvas ühing ligi 7000 liikmeni. Randolph sai teada, et liikmetele ei meeldi, kui ta firmat kritiseerib, sest nad tunnevad tööandja vastu endiselt lojaalsust. Nad ei jaganud ka ta kapitalismi pihta suunatud kriitikat, mistõttu Randolph muutis taktikat. Ta muutis liikumise võitluseks väärikuse eest. Ta otsustas ka, et keeldub kõigist kaastundlike valgenahaliste annetustest. Sellest pidi saama võit, mille mustanahalised on ise saavutanud.

Kui saabus suur depressioon, andis firma vastulöögi ja streiki pooldavad töötajad kas vallandati või neid ähvardati. 1932. aastaks oli ühingu liikmete arv kahanenud 771ni. Kontorid suleti üheksas linnas. Randolph ja peakorteri töötajad tõsteti maksmata üüri pärast tänavale. Randolphi palk, mis oli olnud 10 dollarit nädalas, kukkus nulli. Alati lihvitud ja hästiriietatud mees oli sunnitud kandma viledaks kulunud rõivaid. Ametiühinguaktiviste peksti kõikjal, Kansas Cityst Jacksonville'ini. 1930. aastal kirjutas Oaklandi lojalist Dad Moore kuu enne oma surma otsusekindla kirja.

Mu selg on vastu seina, aga enne ma suren, kui taganen sentimeetritki. Ma ei võitle enda, vaid 12 000 vagunisaatja ja teenija ja nende laste nimel ... Olen pidanud kannatama nälga, aga see pole mu meelt muutnud, sest nagu pärast päeva saabub öö, saabub ka meie võit. Ütle kõigile oma piirkonna meestele, et nad järgneksid härra Randolphile nagu nad järgnevad Jeesus Kristusele.[212]

VÄGIVALLATU VASTUPANU

Mustanahaliste ajakirjandus ja kirikud pöörasid ühingu vastu, süüdistades seda liigses agressiivsuses. New Yorgi linnapea Fiorello La Guardia pakkus Randolphile 7000dollarilise aastapalgaga linnaametniku kohta, kuid Randolph lükkas selle tagasi. Olukord muutus 1933. aastal, mil Franklin Roosevelt sai presidendiks ja muudeti tööseadusandlust. Sellest hoolimata oli firma juhatusel raske leppida teadmisega, et töövaidluse lõpetamiseks tuleb neil mustanahaliste vagunisaatjate ja nende esindajatega võrdväärsete partneritena ühe laua taha istuda. Firma ja ametiühingu juhatus kohtusid Chicagos läbirääkimisteks alles 1935. aasta juulis. Kokkuleppele jõuti kaks aastat hiljem. Firma lubas vähendada kuu töötundide arvu 400 tunnilt 240-le ja suurendada firma palgafondi 1 250 000 dollari võrra aastas. Nii lõppes üks 20. sajandi pikim ja ägedaim töövaidlus.

Selleks ajaks oli Randolphist saanud Ühendriikide kuulsaim afroameeriklasest organisaator. Olles teinud otsustavalt lõpparve noorusaja marksismivaimustusega, pidas ta järgnevail aastail mitu jõhkrat lahingut, et puhastada töölisliikumist sovetliku suunitlusega organisatsioonidest. Seejärel, 1940. aastate alguses, mil riik valmistus sõjaks ja mobiliseeris mehi, tabas mustanahalisi ameeriklasi uus ebaõiglus. Tehased palkasid suurel hulgal inimesi, et ehitada lennukeid, tanke ja laevu, ent ei võtnud tööle mustanahalisi.

15. jaanuaril 1941. aastal avaldas Randolph teadaande, milles kutsus üles diskrimineerimise jätkumisel korraldama Washingtonis suurt protestimarssi. „Meie, lojaalsed mustanahalised ameeriklased nõuame õigust töötada ja võidelda oma riigi eest,"

kuulutas ta. Ta moodustas Washingtoni marsi korraldamise komitee ja hindas realistlikult, et see suudab National Malli tuua protestimarsile 10 000 kuni 30 000 mustanahalist.

Tõenäoline protestirongkäik tekitas ärevust riigi juhtkonna seas. Roosevelt kutsus Randolphi Valgesse Majja kohtumisele.

„Tere, Phil," ütles president, kui nad olid kohtunud. „Mis aastal sa Harvardi lõpetasid?"

„Ma ei ole Harvardis õppinud, härra president," vastas Randolph.

„Olin kindel, et oled. Igatahes oleme me sinuga selles mõttes sarnased, et tunneme mõlemad suurt huvi inimeste ja sotsiaalse õigluse vastu."

„Nii on, härra president."

Roosevelt jätkas jutuajamist rea naljade ja poliitiliste anekdootidega, aga lõpuks Randolph katkestas teda.

„Härra president, meil ei ole palju aega. Tean, et teil on palju asjatoimetusi. Soovime teiega rääkida probleemist, mis on tekkinud seoses mustanahaliste töötamisega kaitsetööstuses."

Roosevelt pani ette, et ta helistab mõnele firmajuhile ja palub neil mustanahalisi palgata.

„Tahame, et teeksite enamat," vastas Randolph. „Tahame midagi konkreetset ... Tahame, et annaksite välja määruse, millega muudaksite mustanahaliste tehastesse tööle lubamise kohustuslikuks."

„Phil, te teate, et ma ei saa seda teha. Kui ma teie soovile vastu tulen, ei tule lõppu neist, kes hakkavad mult samuti määruseid soovima. Igal juhul ei saa ma teha midagi enne, kui te ei ole teatanud marsi ärajäämisest. Selliseid küsimusi ei saa lahendada kirvega vehkides."

„Ma palun vabandust, härra president, aga rongkäiku ei ole võimalik ära jätta." Randolph ütles, veidi bluffides, et ootab rongkäigust osa võtma 100 000 mustanahalist.

„Te ei saa tuua Washingtoni 100 000 neegrit," protesteeris Roosevelt, „keegi võib surma saada."

Randolph jäi endale kindlaks. Olukord oli väljapääsmatu, kuni sekkus koosolekul osalenud linnapea La Guardia. „On selge, et härra Randolph ei jäta marssi ära, seega panen ette, et hakkame otsima sobivat sõnastust."[213] Kuus päeva enne marsi toimumispäeva allkirjastas Roosevelt määruse nr 8802, millega keelustati diskrimineerimine kaitsetööstuses. Randolph jättis marsi ära, hoolimata kodanikuõiguste liikumise juhtide tugevast vastuseisust. Nad soovisid marsi kaudu juhtida tähelepanu teistele vajakajäämistele, näiteks diskrimineerimisele sõjaväes endas.

Pärast sõda töötas Randolph laiemalt rassilise diskrimineerimise lõpetamise ja töötajate õiguste nimel. Nagu alati, tulenes ta võimekus silmanähtavast moraalsest terviklikkusest, karismast ning eesmärgikindla ja äraostmatu mehe kuvandist. Hoolimata sellest ei olnud ta üksikasjalik administraator. Tal oli raske pühendada energiat vaid ühele ülesandele. Varjamatu imetlus, mida ta ümbritsevates inimestes tekitas, võis ohustada organisatsiooni tõhusust. Üks 1941. aasta protestimarsi välisanalüütik märkis Washingtoni organisatsiooni kohta: „Härra Randolphi kui juhi jumaldamine on iseäranis peakorteris võtnud ebaterved mõõtmed, mis halvab tegutsemise ja takistab arukat poliitika väljatöötamist."[214]

Randolphil oli kodanikuõiguste liikumisse anda siiski veel üks oluline panus. 1940. ja 1950. aastail oli ta üks neist, kes taktikalistel kaalutlustel pooldas kodanikuõiguste eest võitlemisel vägivallatut

vastupanu. Saades mõjutusi Mahatma Gandhilt ja mõnest töölis-
liikumise varasemast taktikast, aitas ta 1948. aastal luua Sõjaväelise
Segregatsiooni Vastase Vägivallatu Kodanikuallumatuse Liiga.[215]
Vastupidi enamikule teistele kodanikuõiguste liikumistele, mis
propageerisid pigem haridust ja lepitust kui vastasseisu ja vaid-
lusi, pooldas Randolph restoranide istumisstreike ja „palvetamis-
proteste". 1948. aastal ütles ta senati relvajõudude komiteele:
„Meie liikumine on vägivallatu ... Oleme valmis taluma vägivalda,
terrorismi, karistusi ja kõike muud, mis tuleb."

Vägivallatuse taktika põhines pingsal enesedistsipliinil ja loo-
bumisel, mida Randolph oli harjutanud terve elu. Üks Randolphi
abidest, kes teda mõjutas ja keda tema mõjutas, oli Bayard Rustin.
Paarkümmend aastat noorem Rustin sarnanes Randolphiga pal-
jude omaduste poolest.

RUSTIN

Bayard Rustini lapsepõlv möödus West Chesteris Pennsylvanias,
kus teda kasvatasid vanavanemad. Ta ei olnud enam laps, kui sai
teada, et see, keda ta pidas oma vanemaks õeks, oli tegelikult ta
ema. Ta isa, kes oli alkohoolik, elas samas linnas, kuid ei osalenud
Rustini kasvatamisel.

Rustin mäletas, et ta vanaisa oli „kõikidest kõige sirgema sel-
jaga". Ta meenutab: „Meist keegi ei mäleta, et ta oleks kunagi
olnud ebasõbralik." Rustini vanaema oli kasvanud kveekerite usu-
lahu kommete järgi ja oli üks Ühendriikide esimesi mustanahalisi

naisi, kes sai keskhariduse. Temalt õppis Rustin vajadust rahu, väärikuse ja pideva enesekontrolli järele. „Enesevalitsust lihtsalt ei tohi kaotada," oli üks ta lemmikmõtteteri. Vanaema korraldas ka suvist piiblilaagrit, mille keskseks kohal oli Teine Moosese raamat; Bayard oli laagris kaasas. Rustin on öelnud: „Minu vanaema oli täiesti veendunud, et mustanahaliste inimeste vabastamisel oli meil rohkem õppida juutide kogemusest, kui Matteuselt, Markuselt, Luukalt või Johanneselt."[216]

Keskkoolis oli Rustin hea sportlane ja kirjutas luuletusi. Nagu Randolph, rääkis ka tema keelt korrektselt, peaaegu britipärase aktsendiga, ning seetõttu võis ta esmakordsel kohtumisel tunduda kõrgina. Klassikaaslased kiusasid teda ta üliväärika käitumise pärast. Üks keskkooliaegsetest klassikaaslastest on meenutanud: „Ta tsiteeris piiblisalme. Ja Browningut. Ta võis sind jalgpallis maha tõmmata ning siis püsti tõustes luuletuse ette lugeda."[217] Esimesel keskkooliaastal sai temast esimene mustanahaline õpilane 40 aasta jooksul, kes võitis kooli kõnekunstipreemia. Keskkooli viimasel aastal sai ta maakonna jalgpallimeeskonda ja oli klassi parim lõpetaja. Ta huvitus ooperist, Mozartist, Bachist ja Palestrinast ning üks ta lemmikromaane oli George Santayana „Viimne puritaan" („The last puritan"). Ta luges ka Will ja Ariel Duranti „Tsivilisatsiooni ajalugu" („The Story of Civilization"), mis ta enda sõnul tekitas tunde, „ nagu nuusutaks midagi, mis paneb sõõrmeid puhevile ajama, kuigi kõik toimus vaid ajus".[218]

Rustin õppis Wilberforce'i ülikooli kolledžis Ohios ja hiljem Cheney riiklikus ülikoolis Pennsylvanias. Kolledžiõpingute ajal taipas ta, et on homoseksuaalne. See ei põhjustanud kuigi suurt tundetulva – ta oli kasvanud sallivas perekonnas ja elas edaspidi suuremal või vähemal määral avalikult homoseksuaalsena kogu oma elu –, küll aga kolis ta New Yorki, kus eksisteeris vähemalt põrandaalune geikultuur ja keskkond oli sallivam.

Harlemis tegutses ta korraga mitmel rindel, ta liitus vasak-poolsete organisatsioonidega ja aitas vabatahtlikuna organiseerida Randolphi Washingtoni marssi. Ta astus kristlikkusse-patsifist-likkusse Lepitusliitu (Fellowship of Reconciliation) ja temast sai kiiresti liikumise tõusev täht. Patsifism oli Rustini eluviis. See oli tema jaoks nii seesmiste väärtusteni viiv tee kui ka ühiskondlike muutuste esilekutsumise strateegia. Seesmiste väärtuste juurde jõudmine tähendas viha ja vägivaldsete kalduvuste allasurumist. „Maailma inetusi on võimalik vähendada vaid inetuste vähenda-mise kaudu iseendas," tavatses Rustin öelda.[219] Hiljem kirjutas ta Martin Luther Kingile: „Patsifism kui muutuste esilekutsumise strateegia põhineb kahel sambal. Üks neist on vastupanu, pidev sõjaline vastupanu. Pahategija allutatakse survele, mis ei lase tal puhata. Teiseks suunatakse pahatahtlikkuse vastu heatahtlikkus. Nõnda võitleme vägivallatu vastupanuga meie endi ridades leviva apaatia vastu."[220]

Kahekümnendate eluaastate teises pooles sõitis Rustin ringi Lepitusliidu esindajana, innustades kuulajaskonda üle kogu riigi. Ta korraldas tsiviilallumatuse demonstratsioone, mis said patsi-fistlikes ja kodanikuõiguste liikumiste ringkondades kiiresti legen-daarseks. 1942. aastal nõudis ta Nashville'is, et teda lubataks bus-sis valgete inimeste sektsiooni. Bussijuht kutsus politsei. Saabunud neli ohvitseri peksid Rustinit, kes jäi gandhilikult rahumeelseks. Lepitusliidu liige David McReynolds meenutas hiljem: „Ta ei olnud üksnes liidu populaarseim lektor, vaid geenius ka taktikalistes asjades. Lepitusliit plaanis Bayardist teha Ameerika Ühend-riikide Gandhi."[221]

1943. aasta novembris, kui Rustin sai sõjaväekutse, otsustas ta sõjaväekohustusest eemale hoida ja minna ennem vanglasse kui teenida põhimõttelise sõjavastasena kusagil maakohas paiknevas töölaagris. Sel ajal oli kuuendik föderaalvangla vangidest vangla-seinte vahel põhimõtete pärast. Sellised vangid pidasid ennast pat-sifismi ja kodanikuõiguste rünnakrühmaks. Vanglas trotsis Rustin agressiivselt vangla eraldamise poliitikat. Ta nõudis, et teda lubataks süüa sööklaosas, mis oli mõeldud valgenahalistele vangidele. Vabal ajal seadis ta end sisse valgenahalistele vangidele mõeldud plokis. Vahel sattus ta oma kihutustöö tõttu kaasvangidega vastuollu. Ühel korral tuli talle kallale valgenahaline kaasvang, kes peksis teda harjavarrega pähe ja kehasse. Taas loobus Rustin Gandhi kombel vastupanust. Selle asemel kordas ta ikka ja jälle: „Sa ei saa mulle haiget teha." Lõpuks andis harjavars järgi. Rustinil oli mur-dunud ranne ja ka pea oli kannatada saanud.

Rustini saavutused jõudsid peagi vanglamüüride vahelt välja laiema ajakirjanduse ja aktivistideni. Washingtonis asuva, James Bennetti juhitud Föderaalse Vanglabüroo ametnikud liigitasid Rustini „kurikuulsate seadusrikkujate" hulka – samasse kategoo-riasse, kus oli Al Capone. Rustini biograaf John D'Emilio kirju-tas: „Kogu Rustini 28kuulise vangistuse jooksul tulvasid Bennetti kabinetti nii kirjad alluvatelt, kes palusid anda nõu, mida Rusti-niga teha, kui ka Rustini kohtlemisel silma peal hoidvatelt vangla-välistelt toetajatelt."[222]

VALIMATU SUGUELU

Rustin tegutses kangelaslikult, aga tema käitumises oli ka ülbust, viha ja vahel ka hooletust, mis ei olnud vastavuses ta sõnastatud veendumustega. 24. oktoobril 1944. aastal tundis ta, et peab saatma vangivalvurile kirja ja paluma vabandust oma käitumise pärast distsiplinaarülekuulamisel. „Mul on häbi, et kaotasin enesevalitsuse ja käitusin ebaviisakalt," kirjutas ta.[223] Ka Rustini seksuaalelu oli ohjeldamatu. Rustin oli homoseksuaalne ajal, mil homoseksuaalide elu oli surutud põranda alla, kui geid ja lesbid ei leidnud avalikkuse silmis heakskiitu. Rustini pidevast partneriotsingust olid häiritud isegi ta voodikaaslased. Enne ja pärast vanglat tehtud ringreisid olid pikitud võrgutamisintsidentidega. Üks Rustini pikaajaline partner kaebas, et „koju tulla ja teda kellegi teisega voodist leida ei olnud just lõbus".[224] Vanglas oli Rustin oma seksuaalse sättumuse suhtes avameelne ja jäi mitmel korral kaasvangidele suuseksi tegemisega ka vahele.

Lõpuks korraldasid vanglaametnikud distsiplinaarülekuulamise. Vähemalt kolm kaasvangi tunnistasid, et nad olid näinud Rustinit suuseksi tegemas. Algul Rustin valetas ja lükkas kõik süüdistused jõuga tagasi. Kui talle anti teada, et ta pannakse karistuseks vangla eraldatud ossa, mässis ta end käte ja jalgadega ümber tooli ning puikles igati valvuritele vastu. Lõpuks paigutati ta isolaatorisse.

Uudised vahejuhtumist levisid aktivistide ringkondades üle kogu riigi. Nii mõnigi Rustini toetaja oli häiritud, kui sai teada, et ta on homoseksuaal, kuigi tegelikult ei olnud Rustin seda kunagi varjanud. Enamjaolt oldi häiritud sellest, et ta seksuaalsed toimin-

gud olid õõnestanud eeskuju, mis oli tekkinud temast kui distsip-
lineeritud ja kangelaslikust vastupanuvõitlejast. Rustin oli olnud
vihane, upsakas, lodev ja ennastõigustav; samas liikumine, mil-
les ta osales, eeldas, et selle juhid on rahumeelsed ning suudavad
end vaos hoida ja kasvatada. Lepitusliiga juht ja Rustini õpetaja
A. J. Muste kirjutas Rustinile karmi kirja.

> Sa oled käitunud äärmiselt ebasündsalt, mis on
> eriti laiduväärne inimese puhul, kes on soovinud olla
> juht ja teatud mõttes moraalselt ülimuslik. Veel enam,
> sa oled petnud kõiki, sealhulgas oma kaaslasi ja usta-
> vaimaid sõpru ... Sa oled enda tõelisest mõistmisest
> veel kaugel. Sinu senises ja praeguses olemuses pole
> midagi austusväärset ja sa pead halastamatult viskama
> endast välja kõik selle, mis ei luba sul seda näha. Vaid
> nii saab sündida su tõeline mina – läbi tule, täieliku
> meeleheite ja lapseliku alandlikkuse ... Tuleta meelde
> psalmi 51: „Jumal, ole mulle armuline oma heldust
> mööda ... Pese mind hästi mu süüteost ja puhasta mind
> mu patust! ... Üksnes sinu vastu olen ma pattu teinud,
> ja olen teinud seda, mis on paha sinu silmis ... Loo
> mulle, Jumal, puhas süda, ja uuenda mu sees kindel
> vaim!"[225]

Hilisemas kirjas täpsustas Muste, et ta ei pidanud silmas Rus-
tini homoseksuaalsust, vaid valimatut suguelu: „Suhted, mil-
lel ei ole õiget vormi ja mis ei tunnista distsipliini, on õudsed ja
odavad." Nagu vaba vaate ja tohutu loomingulise jõuga kunstnik

allutab end karmile enesevalitsusele, peab ka armastaja oma impulsse taltsutama, et jõuda „distsipliini, kontrolli ja teineteise-mõistmise soovini".

Muste jätkas, öeldes: „Valimatu suguelu viib meid armastuse pilamise ja eitamiseni, sest kui armastus tähendab sügavust, üksteise paremat mõistmist ... eluvere vahetamist, siis kuidas saab see toimuda loendamatu hulga inimeste vahel?"

Rustin ei olnud esialgu Muste karmi kriitikaga nõus, aga lõpuks, pärast isolaatoris veedetud nädalaid andis ta alla ning kirjutas vastuseks pika ja südamest tuleva kirja.

> Kui olime rassikampaaniaga peaaegu edu saavutanud, sain edasise arengu takistuseks mina ... Olen kuritarvitanud nende usaldust, kes uskusid minusse kui juhti; minu tõttu on hakatud kahtluse alla seadma vägivallatuse moraalset alust; olen teinud haiget sõpradele kogu riigis ja vedanud neid alt ... Olen samasugune äraandja (meie mõistes) nagu armeekapten, kes jätab lahingupositsioonid teadlikult kaitsetuks ... Olen tõesti olnud pühendunud oma „ego" teenimisele. Minu mõtlemine on lähtunud mu võimust, ajast, energiast ja nende kasutamisest meie tähtsas võitluses. Minu mõtlemine on lähtunud mu häälest, võimetest ja soovist olla vägivallatu võitluse eesliinil. Ma ei ole suhtunud Jumala kingitustesse alandlikult ... Nüüd näen, et see on algul põhjustanud ülbust ja uhkust ning seejärel nõrkust, ebasiirust ja läbikukkumist.[226]

Paar kuud hiljem lubati Rustinil sõita valvuri järelevalve all koju, et külastada surevat vanaisa. Koduteel kohtas Rustin kaas-aktivisti ja ammust sõpra Helen Winnemore'i. Winnemore ütles, et armastab Rustinit ja soovib hakata ta elukaaslaseks, et anda talle heteroseksuaalne suhe või vähemalt kattevari, et Rustin saaks jät-kata oma tööd. Rustin tegi pikaaegsele meessõbrale Davis Plattile kirjutatud kirjas Winnemore'i pakkumisest kokkuvõtte, parafra-seerides Heleni sõnu.

> „Kuna ma usun, et pärast lunastust on su võimed teisi teenida ja lunastada tohutud, ja kuna ma arvan, et praegu on sul kõige rohkem vaja tõelist armastust, mõistmist ja kindlustunnet, avaldan ma sulle häbene-mata oma armastust, oma kustumatut soovi olla sinuga valguses ja varjus, anda kõik, mis mul on, et headus su sees saaks elada ja õitseda. Inimesed peavad nägema headust, milleks sa oled võimeline, ja ülistama su loo-jat. Selline, Bayard, rõhutas ta, selline on mu armastus sinu vastu ja ma pakun sulle seda rõõmsal meelel mitte ainult enda või sinu pärast, vaid kogu inimkonna pärast, kel oleks sinu terviklikkusest kasu ..." Seejärel vaikisime pikalt.[227]

Rustin oli Winnemore'i pakkumisest liigutatud. „Ma ei olnud kunagi varem üheski naises kuulnud rääkimas nii isetut armas-tust. Ma ei olnud kunagi tunnetanud lihtsamat ja täiuslikumat ohverdust." Ta ei võtnud Winnemore'i pakkumist vastu, kuid pidas seda Jumala märguandeks. Ta ise on öelnud: „Mälestus sellest jutuajamisest sütitas „uskumatu rõõmu – õigele teele juhatava valguskiire – uue lootuse ... olukorra ootamatu ümberhindamise ... valguse teel, mida mööda tunnen, et pean rändama."[228]

Rustin vandus, et ohjeldab oma upsakust – vihameelsust, mis oli määrinud ta patsifistlikud ettevõtmised. Ta mõtles järele ka seksuaalelu üle. Ta võttis täielikult omaks Muste kriitika lodevuse pihta. Rustin püüdis parandada suhet pikaaegse armsama Davis Plattiga, kellega vahetati pikki kompavaid kirju, lootuses, et tõeliselt armastav suhe välistab lõbujanu ja lodevuse.

Rustin jäi vanglasse kuni 1946. aastani. Pärast vabanemist asus ta taas aktiivselt tegutsema kodanikuõiguste liikumises. Kord istus ta Põhja-Carolinas koos kaasaktivistidega liinibussi valgenahalistele reisijatele mõeldud eesosas ning sai rängalt peksa ja pääses napilt eluga. Readingis Pennsylvanias õnnestus tal panna hotelli juhataja vabandust paluma, kui administraator oli keeldunud talle tuba andmast. St. Paulis Minnesotas korraldas ta istumisstreigi, kuni talle anti soovitud tuba. Washingtonist Louisville'i teel olnud rongis istus ta alates hommikusöögiajast kuni pärastlõunani söögivaguni keskel, kuigi kelnerid keeldusid teda teenindamast.

Kui A. Philip Randolph jättis ära vastupanukampaania, kritiseeris Rustin oma õpetajat avaldatud teate eest, mis oli tema sõnul vaid „libe ja kõrvalepuiklev teesklus".[229] Otsekohe kahetses ta oma reaktsiooni ja vältis Randolphi järgmised kaks aastat. Kui nad viimaks uuesti kohtusid, „oli ta enda sõnul nii närvis, et värises üleni, oodates enda pihta suunatud raevuhoogu." Randolph pööras aga toimunu naljaks ja nende suhted olid taastatud.

Rustin käis kõnelemas kogu maailmas, olles taas staariks saanud. Ta jätkas ka peatuspaikades meeste võrgutamist. Lõpuks viskas Platt ta nende korterist välja. 1953. aastal viibis ta ettekande asjus Pasadenas, kui ta kella kolme paiku hommikul arreteeriti. Ta tegi parajasti kahele mehele autos suuseksi, kui kaks maakonna politseinikku auto juurde astusid ja ta liiderliku käitumise pärast vahistasid. Ta mõisteti 60 päevaks vangi ja ta maine ei taastunud täielikult enam kunagi. Ta pidi eemalduma organisatsioonidest, kus oli tegev. Ta püüdis kirjastusse publitsistiks saada, kuid edutult. Sotsiaaltöötaja soovitas tal hakata haiglates tualettruume ja koridore koristama.

TAGAPLAANIL

Mõni inimene püüab skandaalist toibumiseks alustada sealt, kus ta lõpetas, ja lihtsalt eluga edasi minna. Mõni alustab päris algusest. Rustin mõistis viimaks, et edaspidi tuleb tal seatud eesmärke teenida tagaplaanilt.

Rustin pühendus ajapikku taas kodanikuõiguste liikumisele. Tähtkõnelejaks, juhiks ja organisaatoriks olemise asemel tegutses ta hiljem peamiselt varjus, kulisside taga, jäädes ilma tunnustusest, jättes au ja kuulsuse teistele, näiteks sõbrale ja kaitsealusele Martin Luther King juuniorile. Rustin kirjutas Kingile tekste, levitas tema kaudu ideid, tutvustas teda töölisliikumise juhtidele, julgustas teda rääkima majanduse ja kodanikuõiguste teemadel, õpetas talle vägivallatut vastandumist ja Gandhi filosoofiat ning korraldas tema eest ühe tegevuse teise järel. Rustin oli oluline tegelane Montgomery bussiboikotis. King kirjutas boikotist raamatu, millest Rustin palus välja võtta kõik viited tema rollile. Kui Rustinil paluti alla kirjutada mõnele avalikule teatele ühes või teises küsimuses, ta üldiselt keeldus. Ebakindel oli ka ta kulissidetagune roll. 1960. aastal teatas pastor ja tolleaegne New Yorgi linna kongresmen Adam Clayton Powell, et kui King ja Rustin ühes teatud taktikalises asjas tema nõudmistele ei allu, süüdistab ta neid seksuaalsuhetes. Randolph palus Kingil Rustinit aidata, sest tegemist oli täiesti ilmse võltssüüdistusega. King kõhkles. Rustin tegi avalduse kodanikuõiguste organisatsioonist Southern Christian Leadership Conference välja astumiseks, lootes, et King lükkab selle tagasi. Rustini pettumuseks võttis King avalduse vastu. King lõpetas Rustiniga suhtlemise ka isiklikus plaanis ega helistanud talle enam nõu saamiseks. Kattevarjuks saatis ta Rustinile vaid aeg-ajalt mõne üksiku mittemidagiütleva teate, et tema väljalülitamine poleks nii ilmne.

1962. aastal, mil Rustin sai 50aastaseks, oli ta peaaegu täiesti tundmatu. Kõigist peamistest kodanikuõiguste liikumiste juhtidest oli Randolph ainsana jäänud talle järjekindlalt truuks. Ühel päeval, kui nad Harlemis koos istusid, hakkas Randolph meenutama Teise maailmasõja ajal ära jäänud Washingtoni protestimarssi. Rustin tundis sedamaid, et on aeg see unistus teoks teha ja korraldada riigi pealinnas „masside dessant". Rustini hinnangul olid lõunaosariikides toimunud marsid ja protestid hakanud kõigutama vana korra alustalasid. Seoses John F. Kennedy valimisega presidendiks oli Washington muutunud taas oluliseks. Oli aeg teha massimeeleavalduse abil föderaalseid tegusid.

Esialgu olid suuremad kodanikuõiguste organisatsioonid, nagu Rahvuslik Linnaliiga (Urban League) ja afroameeriklaste õiguste eest võitlev NAACP, skeptilised või meelestatud suisa vaenulikult. Nad ei tahtnud seadusandjaid ega administratsiooni solvata. Vastupanumarss võis kahandada võimulolijatele ligipääsu ja vähendada võimalust seesmiste protsesside kaudu mõju avaldada. Peale selle olid kodanikuõiguste liikumised olnud pikka aega põhimõtteliselt erineval arusaamal mitte ainult strateegiast, vaid ka moraalsusest ja inimloomusest.

Nagu väidab David L. Chappell oma raamatus „Lootuse sammas" („A Stone of Hope"), eksisteeris tegelikult kaks erinevat kodanikuõiguste liikumist. Esimene neist oli põhjapoolne ja kõrgelt haritud. Siia kuulunud inimesed vaatlesid ajalugu ja inimloomust pigem optimistlikult. Pikema aruteluta uskusid nad, et ajalugu läheb tõusvas joones, pideva teaduslike ja psühholoogiliste teadmiste kogunemise, suurema külluse saavutamise, edumeelse seadusandluse suurenemise ja barbaarsusest sündsuseni kulgemise tähe all.

Nad pidasid rassismi Ühendriikide alusdokumentide nii selgeks rikkumiseks, et kodanikuõiguste eest võitlejate peamine töö pidi seisnema mõistusele ja inimese headusele apelleerimises. Haridustaseme tõustes, teadlikkuse paranedes ja rikkuse ning majanduslike võimaluste suurenedes märkab järjest enam inimesi, et rassism on vale ja eraldatus ebaõiglane. Nad asuvad nende nähtuste vastu võitlema. Haridus, rikkus ja sotsiaalne õiglus edeneksid käsikäes. Kõik head asjad ühilduvad omavahel ja toetavad üksteist.

Nõnda mõtlevad inimesed eelistasid jutuajamisi vastuseisule, konsensust agressioonile ja viisakust poliitilisele survele.

Teine leer pärines Chappelli hinnangul piibli prohvetitraditsioonist. Selle juhid, kelle hulgas olid ka King ja Rustin, tsiteerisid Jeremijat ja Iiobit. Nad ütlesid, et selles maailmas õiglased kannatavad ja ebaõiglastel läheb hästi. Õiglus ei vii ilmtingimata võidule. Inimene on olemuselt patune. Ta leiab põhjenduse ebaõiglusele, mis talle kasu toob. Ta ei loobu oma eesõigustest isegi siis, kui teda õnnestub veenda nende ebaõigluses. Isegi õigluse poolel olevad inimesed võivad oma õigluse tõttu korrumpeeruda, muuta isetu liikumise isikliku edevuse teenimise vahendiks. Neid võib korrumpeerida mis tahes võim, mille nad saavutavad, või ka sellele eelnev võimetus.

Kurjus, ütles King, on ühiskonnas „pidurdamatu". „Vaid pinnapealsele optimistile, kes väldib elutõdedele otsa vaatamist, võib see ilmselge fakt kahe silma vahele jääda."[230] Selle leeri inimesed, kes olid peamiselt lõunaosariikidest ja usklikud, suhtusid põhjaosariikide järkjärgulise loomuliku edenemise usku põlgusega. „Sedalaadi optimismi seab kahtluse alla sündmuste jõhker loogika," jätkas King. „Tarkuse ja sündsuse kindla edenemise asemel on inimene silmitsi alalise võimalusega langeda kiiresti tagasi mitte vaid loomastumiseni, vaid selliste kaalutletud julmusteni, milleks ükski teine loomaliik pole võimeline."[231]

Tõdeti, et optimistid tegelevad ebajumalakummardamisega. Nad kummardavad inimest, mitte Jumalat, ja kui nad ka kummardavad Jumalat, on tegemist Jumalaga, kellel on vaid inimlikud omadused äärmuslikus vormis. Selle tulemusel ülehindavad nad inimeste heatahtlikkuse, idealismi ja kaastunde jõudu ning iseenda üllaid kavatsusi. Nad on enda suhtes liiga vähenõudlikud, liialt kindlad oma vooruslikkuses ja liiga naiivsed vastaste otsusekindluse suhtes.

Randolph, King ja Rustin suhtusid oma võitlusse range-malt. Segregatsiooni pooldajad ei loobu ja heatahtlikke inimesi ei õnnestu veenda tegutsema, kui see ohustab neid ennast. Ka kodanikuõiguste aktivistid ise ei saanud toetuda oma heale tah-tele või tahtejõule, sest lõppkokkuvõttes töötasid nad väga sageli iseendale vastu. Selleks, et saavutada edu, ei piisanud üksnes tegutsemisest, vaid liikumisele tuli alistuda täielikult – oma õnne, eneseteostuse ja võib-olla ka elu hinnaga. Selline suhtumine pani aluse kindlameelsusele, millele paljud optimistlikumad ilmali-kud kaasvõitlejad vastata ei suutnud. Chapell väljendas seda nii: „Kodanikuõiguste liikumise aktivistid kasutasid meelekindluse toitmiseks mitteliberaalseid allikaid, mis liberaalidel puudusid, kuid mida nad vajanuks."[232] Piiblist lähtumine ei kaitsnud realiste valu ja kannatuste eest, kuid selgitas, et valu ja kannatused on väl-timatud ja lunastatavad.

Sellest tulenevalt olid prohvetlikud realistid palju agressiivse-mad. Nad pidasid enesestmõistetavaks, et patuse loomuse tõttu ei piisa inimeste muutmiseks vaid haridusest, teadlikust kasvatusest ja laiematest võimalustest. Vale oli uskuda ajalooprotsessidesse, inimese loodud institutsioonidesse või inimlikku headusse. Rus-tini sõnul suhtuvad Ühendriikide mustanahalised „hirmu ja usal-damatusega keskklassi ettekujutusse, et hariduslikud ja kultuurili-sed muutused leiavad aset aja jooksul".[233]

Muutused toimuvad vaid tänu pidevale survele ja sunnile. See tähendab, et piiblist lähtuvad realistid ei olnud tolstoilikud, vaid gandhilikud. Nad ei uskunud vaid teise põse ettekeeramisse või püüdesse võita inimesi enda poole ainult sõpruse ja armastusega. Vägivallatus varustas neid rea taktikatega, mis võimaldas neil olla pidevalt ründepositsioonil. See võimaldas neil korraldada proteste, marsse, istumisstreike ja teisi tegevusi, mis sundisid vastaseid käituma vastu nende endi tahtmist. Vägivallatus võimaldas piiblile tuginevatel realistidel paljastada vaenlaste nurjatusi ja pöörata nende järjest brutaalsemalt avalduvad patud nende endi vastu. Nad sundisid vaenlasi sooritama kurje tegusid, sest nad ise olid valmis kurjust taluma. Rustin toetas ideed, et *status quo* kokkuvarisemiseks oli vaja äärmuslikku käitumist. Ta pidas Jeesust „fanaatikuks, kelle armastusepüüdlused kõigutasid stabiilse ühiskonna alustalasid".[234] Või nagu ütles Randolph: „Ma tunnen moraalset kohustust Jim Crow' Ameerikat häirida ja hoida häirituna."[235]

Isegi vastasseisu parimatel hetkedel teadsid Randolph, Rustin ja teised kodanikuõiguste aktivistid, et nende agressiivne tegevus võib neid endid korrumpeerida. Oma parimatel hetkedel mõistsid nad, et ühel hetkel saab neile süüks upsakus, sest nende eesmärk on õiglane; et nad lähevad ennast täis, sest nende tegevus on edukas; et nad muutuvad rühmavastasseisude tõttu õelaks ja kildkondlikuks; et nad muutuvad järgijate kaasamiseks tehtud propaganda tõttu üha enam dogmaatiliseks ja lihtsakoeliseks; et nad muutuvad kuulajaskonna suurenemise tõttu edevamaks; et vastasseisu ja vastaste vastu tuntud viha süvenedes nende südamed kõvenevad; et mida lähemale nad võimule jõuavad, seda rohkem on nad sunnitud tegema ebamoraalseid valikuid; et mida enam nad ajalugu muudavad, seda uhkemaks muutuvad nad ise.

Rustin, kes oli oma seksuaalelus olnud nii distsiplineerimatu, nägi vägivallatuses võimalust meeleavaldajatel end sellise korrumpeerumise vastu distsiplineerida. Selles mõttes erineb vägivallatu protest tavapärasest protestist. Vägivallatuks protestiks on vaja pidevalt ennast kontrollida. Gandhilik meeleavaldaja peab rassilistes mässudes osalema ründamata, jääma ohuga silmitsi seistes rahulikuks ja suhtlusaltiks, astuma armastusega vastu neile, kes väärivad vihkamist. Selleks on vaja füüsilist enesedistsipliini, aeglaselt ja kindlalt ohtlikku olukorda sisenemist, peksu ajal pea kätega kinnikatmist. Selleks on vaja emotsionaalset distsipliini, et suhtuda kõigisse heatahtlikkuse ja ligimesearmastusega ning panna vastu soovile tunda vimma. Eelkõige on selleks vaja suuta kannatusi taluda. Kingi sõnul pidid inimesed, kes olid niigi pikalt kannatanud, taluma rõhumise lõppemiseks veel suuremaid kannatusi: „Ärateenimata kannatused lunastavad."[236]

Vägivallatu tee on irooniline tee: nõrgad suudavad võita, suutes kannatada; rõhutud ei tohi vastu võidelda, kui soovivad rõhuja alistada; õigluse poolel olijaid võib korrumpeerida nende enda õiglustunne.

Selline paradoksaalne loogika on nendel inimestel, kes näevad enda ümber langenud maailma. Selle loogikaga enim seotud 20. sajandi keskpaiga mõtleja on Reinhold Niebuhr. Randolph, Rustin, King ja teised sarnased inimesed mõtlesid samamoodi kui Niebuhr ja said temalt mõjutusi. Niebuhr väitis, et patuse loomuse tõttu tekitab inimene iseendale probleeme. Inimese tegude tähendus ei mahu inimmõistuse piiridesse. Me lihtsalt ei mõista oma tegude tagajärgede pikka ahelikku ega isegi oma impulsside päritolu. Neibuhr vaidles vastu kaasaegse inimese kergele südametunnistusele ja igal rindel valitsevale moraalsele rahulolule. Ta tuletas lugejatele meelde, et me ei ole kunagi nii vooruslikud ja meie motiivid ei ole nii süütud, kui arvame.

Niebuhr ütles, et koos nõrkuste ja rikutuse teadvustamisega tuleb jõuliselt võidelda kurjuse ja ebaõiglusega. Vaja on teadvustada, et meie motiivid ei ole süütud ja igasugune võim, mille saavutame ja mida kasutame, korrumpeerib.

„Me teeme praegu ja peame ka tulevikus tegema moraalselt ohtlikke tegusid, et säilitada tsivilisatsiooni," kirjutas Niebuhr külma sõja keskpaigas. „Me peame jõudu kasutama. Ent me ei tohiks uskuda, et rahvas saab olla selle kasutamise suhtes täiesti ükskõikne, ega ka jääda nautima rahva huvi ja innukust, mis korrumpeerivad jõu kasutamist õigustavat õiglust."[237]

Selliseks tegutsemiseks on vaja tuvi süütust ja mao kavalust. Ülim iroonia seisneb selles, et mis tahes võitluses „ei ole võimalik saavutada edu, kui oleme tõesti nii süütud, kui me väidame".[238] Kui me oleksime ka tegelikult süütud, ei saaks me heaolu saavutamiseks kasutada jõudu. Võttes aga omaks eneses kahtlemisel ja kõhklemisel põhineva strateegia, on võimalik saavutada osalisi võite.

KULMINATSIOON

Rustinil ja Randolphil oli esialgu raske veenda kodanikuõiguste liikumiste juhte Washingtoni marsi vajaduses. 1963. aasta kevadel Birminghamis Alabamas toimunud vägivaldsed protestid aga tõid kaasa meeleolumuutuse. Kogu maailm nägi, kuidas Birminghami politsei ässitas koerad teismeliste tüdrukute kallale, päästis valla veekahurid ja paiskas poisse vastu seina. Toimunu ajendas Kennedy administratsiooni töötama välja kodanikuõigusi puudutavat seadusandlust ja veenis pea kõiki kodanikuõiguste liikumises osalejaid, et aeg riigi pealinnas massimeeleavalduse korraldamiseks on küps.

Rustin, kes oli marsi peakorraldaja, eeldas, et ta nimetatakse ametlikuks juhiks. Otsustaval koosolekul oli aga Roy Wilkins NAACPist sellele vastu: „Tal on liiga palju arme." King kõhkles ja lõpuks sekkus Randolph ning ütles, et hakkab ise juhatajaks. Sellest tulenevalt oli tal võimalik nimetada asejuhataja, kelleks sai Rustin, kes oli sisuliselt tegelik juhataja. Wilkins oli üle kavaldatud.

Rustin korraldas kõike alates transpordist ja käimlatest kuni kõnede järjestamiseni. Vältimaks kohaliku politseiga tekkida võivaid vastuolusid, kutsus ta kohale mõne tol päeval töölt vaba mustanahalise politseiniku ja õpetas neile vägivallatust. Nende ülesanne oli ümbritseda marssijaid ja hoida ära kokkupõrkeid.

Kaks nädalat enne marssi võttis segregatsiooni pooldav senaator Strom Thurmond senatis sõna ja tegi Rustini maha, öeldes, et ta on seksuaalpervert. Ta esitas asitõendina Pasadena politsei väljastatud vahistamisorderi. Nagu John D'Emilio osutab väljapaistvas biograafias „Eksinud prohvet" („Lost Prophet"), sai Rustinist kohe ja tahtmatult Ameerika Ühendriikide üks silmapaistvamaid homoseksuaale.

Randolph kaitses Rustinit: „Olen kohkunud, et meie riigis on inimesi, kes kristlikku moraali rüütatult kahjustavad inimeste elementaarset sündsuse, privaatsuse ja tagasihoidlikkuse tunnetust, kuna soovivad kedagi taga kiusata."[239] Kuna marss pidi toimuma juba kahe nädala pärast, ei jäänud ka teistel kodanikuõiguste juhtidel muud üle kui Rustinit kaitsta. Lõppkokkuvõttes tegi Thurmond Rustinile suure teene.

Marsile eelnenud laupäeval tegi Rustin viimase avalduse, milles tegi oma hoolega kontrollitud agressioonipoliitikast kokkuvõtte. Marss pidi tema sõnul olema järgmine: „Korrakohane, aga mitte kuulekas. Uhke, aga mitte upsakas. Vägivallatu, aga mitte arglik."[240] Marsi toimumispäeval võttis Rustin sõna esimesena. Seejärel pani John Lewis oma tulise ja ründava kõnega rahvahulgad rõkkama. Mahalia Jackson laulis ja King pidas oma kuulsa kõne „Mul on üks unistus".

Ta lõpetas refrääniga vanast spirituaalist: „Lõpuks vabad! Lõpuks vabad! Ole tänatud, Suur Jumal, oleme lõpuks vabad!" Seejärel tuli poodiumile Rustin, kes oli tseremooniameistri rollis ja andis jutujärje Randolphile. Randolph juhatas rahvast tõotama võitlust jätkata: „Ma tõotan, et ma ei puhka enne, kui võit on käes ... Tõotan oma südame, meele ja kehaga, mõtlemata isiklikule ohverdustele, aidata kaasa ühiskondliku rahu saavutamisele sotsiaalse õigluse kaudu."

Pärast marssi tunnustasid Rustin ja Randolph üksteist. Rustin meenutas hiljem: „Ütlesin talle: „Härra Randolph, tundub, et Teie unistus on täitunud." Kui ma talle otsa vaatasin, nägin ta silmis pisaraid. See on ainus kord, mida mäletan, mil ta ei suutnud oma tundeid talitseda."[241]

Viimastel elukümnenditel leidis Rustin oma tee: ta tegi ränka tööd, et lõpetada apartheidi Lõuna-Aafrikas, võitles 1968. aastal toimunud otsustava õpetajate streigi ajal New Yorgi kodanikuõiguste liikumise eest ja kaitses rahvuslikumalt meelestatud tegelaste, näiteks Malcolm X, eest lõimumisideaali. Neil viimastel aastatel leidis ta ka eraelus rahu, olles loonud pikaajalise suhte Walter Naegle'iga. Rustin ei rääkinud oma eraelust avalikult pea kunagi, küll aga ütles ta intervjuus: „Kõige olulisem on see, et pärast paljusid otsinguaastaid olen lõpuks leidnud püsiva suhte inimesega, kellega oleme täiesti sarnased ... Otsisin aastaid põnevaid voodikogemusi, selmet otsida õiget inimest."

A. Philip Randolphi ja Bayard Rustini lugu on lugu sellest, kuidas mõrased inimesed kasutavad langenud maailmas võimu. Neil oli ühine maailmavaade, mis põhines ühiskondliku ja individuaalse patu teadvustamisel, ideel, et inimelu kulgeb mööda pimedaid radu. Nad õppisid – Randolph kohe ja Rustin elu käigus – ehitama üles iseenda seesmist raamistikku, mis ohjeldaks kaootilisi impulsse. Nad õppisid, et kaudselt saab pattude vastu võidelda ka ennast salates, juhtides elu mõõdukamale rajale. Nad olid oma olekult äärmiselt väärikad. Samal põhjusel tegutsesid nad ründavalt. Nad teadsid, et olulised muutused saabuvad harva sõbraliku veenmise tagajärjel. Ühiskondlikud patud nõuavad, et uksi lööksid maha sellised inimesed, kes samal ajal teadvustavad, et nad ei ole väärt olema nii uljad.

Nende võimufilosoofia on omane inimestele, kelles ühineb suur veendumus suure eneses kahtlemisega.

7. PEATÜKK

ARMASTUS

George Eliot kirjutas: „Mulle tundub, et inimelul peaksid olema sügavad juured mõnes kodumaa paigas, kust ammutada õrna vennalikku armastust maa palge vastu, inimese töö vastu, eluks ajaks kummitama jäävate helide ja kõnepruugi vastu, kõige vastu, mis annab tollele lapsepõlvekodule tuleviku suurenevas teadmistepagasis tuttavliku ja silmanähtava omapära."[242]

Elioti paik kodumaal asus Kesk-Inglismaal Warwickshire'i mahedal, pehmel ja tähelepandamatul maastikul. Oma kodust nägi ta nii vanu laiuvaid karjamaid kui ka uusi tahmaseid söekaevandusi – majanduslikku veelahet, millest tulenes viktoriaanlikule ajastule omane intensiivsus. Ta sündis 22. novembril 1819. aastal ja sai nimeks Mary Anne Evans.

Ta isa alustas puusepana, aga enesedistsipliin ja hea nina võimaluste peale tegid temast väga eduka maahaldaja. Ta valvas teiste inimeste vara ja sai sellega mõõdukalt rikkaks. Tütar jumaldas oma isa. Kui George'ist sai romaanikirjanik, kasutas ta isa omadusi – praktilisi teadmisi, loomupärast tarkust, ustavat tööle pühendumist – mitme oma imetlusväärseima tegelase kujutamisel. Pärast isa surma jättis ta tema traatraamidega prillid mälestuseks, et need meenutaksid isa valvsat pilku ja maailmavaadet.

Ta ema Christiana oli Mary tüdrukupõlvest enamiku aja kehva tervisega. 18 kuud pärast Mary Anne'i sündi jäi ta ilma kaksikutest poistest ja saatis ülejäänud lapsed internaatkoolidesse, et säästa end kehalisest pingutusest, mida nende kasvatamine nõudis. Tundub, et Mary Anne tunnetas ema kiindumuse kaotust teravalt, reageerides sellele, nagu biograaf Kathryn Hughes on öelnud, „tähelepanu otsimise ja enesevigastamise pöörase virvarriga".[243] Pealtnäha oli ta varaküps, tugeva tahtega, veidi kohmakas tüdruk, kes tundis end mugavamalt pigem täiskasvanute kui teiste laste seltsis; teisalt tundus, et tal oli millestki väga vajaka.

Ihates kiindumust ja kartes hülgamist, pööras ta noore tüdrukuna tähelepanu oma vanemale vennale Isaacile. Kui vend koolist kodus käis, järgnes Mary Ann talle kõikjale, pärides vennalt tolle elu iga üksikasja kohta. Mõnda aega vastas Isaac õe armastusele ja neil olid „oma üürikesed hetked", täuslikud päevad täis mänge rohus ja ojades. Kui vend sai vanemaks, sai ta omale poni ja kaotas tülika väikese tüdruku vastu huvi. Mary Anne nuttis ja tundis end hüljatuna. See oli muster – tema meeleheitlik armastusenälg ja mõne mehe tüdinud äraütlemine –, mis jäi domineerima ta kolmekümneks esimeseks eluaastaks. Ta viimane abikaasa John Cross väljendas seda nii: „Mary Anne'i moraalses arengus torkas varajasest noorusest saati silma omadus, mis püsis olulisel kohal terve ta elu – vajadus kellegi järele, kes oleks talle kõik ja kellele tema võiks olla kõik."[244]

1835. aastal haigestus Mary Anne'i ema rinnavähki. Mary Anne, kes oli saadetud viieaastaselt ema tervise säästmiseks internaatkooli, kutsuti 16aastaselt ema eest hoolitsema. Ei ole teada, et ta oleks ema haigusele allajäämist rängalt üle elanud, kuid ta ametlik haridustee oli lõppenud ja ta võttis üle majapidamistööd, olles isale justkui naise eest.

Romaani „Middlemarch" kuulsas sissejuhatuses kirjutab Eliot noorte naiste kriisist kutsumuse leidmisel. Nad tunnevad sisimas suurt igatsust, kirjutas ta, tulist soovi suunata oma energia mõne olulise, kangelasliku ja tähendusrikka eesmärgi saavutamisse. Neid tiivustab moraalne ettekujutus, tung teha oma eluga midagi kangelaslikku ja õiglast. Nende noorte naiste hingetuli, mis „sai toitu sisemusest", pürgis „piiramatu rahulduse poole, millegi poole, mis kunagi ei tunnista väsimust, mis lunastaks meeleheite õnnistava teadmisega eneseülesest elust". Ometi pakkus Victoria-aegne ühiskond nende energiale nii vähe kasutusvõimalusi, et nende „kättesaamatu headuse järele igatsevad armastavad südametuksed ja nuuksed pudenesid tuhaks ja hajusid takistustes, selmet koonduda mõneks igavikuliseks teoks".

Ka Mary Anne'i kannustas seesama moraalne tulihingelisus, see hingeigatsus. Teismeea lõpus ja kahekümnendate eluaastate alguses sai temast teatud mõttes usuhull. Ta sai täiskasvanuks ajal, mil ühiskond oli usuliselt väga rahutu. Teadus oli hakanud paljastama mõrasid kiriku inimese loomise käsitluses. Uskumatuse leviku käigus muutus moraalsus probleemiks; paljud viktoriaanid klammerdusid endisest kramplikumalt jäikade moraalinormide külge, hoolimata sellest, et nende kahtlused Jumala olemasolu suhtes kasvasid. Usklikud tegid katseid muuta kirikut elavamaks ja vaimsemaks. John Henry Newman ja Oxfordi liikumine püüdsid suunata anglikaanlust tagasi katoliiklike juurte juurde ning taastada austust traditsioonide ja keskaegsete rituaalide vastu. Evangelistid viisid ellu usu demokratiseerimise, luues rohkem karismaatilisi teenistusi ja tõstes esile üksi palvetamist, üksikisiku südametunnistust ja igaühe otsest sidet Jumalaga.

Teismeeas sattus Mary Anne usust vaimustusse ja muutus enesekeskse ebaküpsuse tõttu paljude usu kõige peenutsevamate ja ebameeldivamate külgede kehastuseks. Ta usk keskendus pikka aega ennastimetlevale loobumisele ja selles oli vähe ruumi rõõmule või inimlikule kaastundele. Ta lõpetas ilukirjanduse lugemise, uskudes, et moraalselt tõsine inimene peaks keskenduma tegelikule, mitte väljamõeldud maailmale. Ta ütles lahti veinist ja majapidamise perenaisena sundis ka teisi karskusele. Ta võttis omaks tõsise ja puritaanliku riietumislaadi. Muusika, mis oli kunagi olnud suure rõõmu allikas, oli Mary Anne'i otsusel edaspidi lubatud vaid jumalateenistuse ajal. Seltskondlikel koosviibimistel oli üsna kindel, et Mary Anne mõistab hukka labase inimloomuse, misjärel tabavad teda nutuhood. Ta kirjutas sõbrale, et ühel peol ei olnud tal „tantsimisega kaasneva ängistava lärmi" pärast võimalik „säilitada tõelisele kristlasele omast protestantlikku hoiakut".[245] Ta sai peavalu, muutus hüsteeriliseks ja tõotas, et lükkab edaspidi tagasi „kõik kahtlase iseloomuga kutsed".

D. H. Lawrence kirjutas kord: „Tegelikult sai kõik alguse George Eliotist. Tema oli see, kes hakkas tsirkust tegema." Teismelise Mary Anne'i elu oli melodramaatiline ja nartsissistlik, täis seesmisi piinu, võitlust ja loobumisi. Ta püüdis elada märterlikult ja alistuvalt. Tegelikult piiras ta end kunstlikult, kõrvaldades kõik inimliku ja õrna, mis ei sobitunud jäiga raamiga. Ta käitumine oli täis teesklust – selles oli vähe pühadust ja rohkelt soovi olla pühaduse pärast imetletud. Ta selle ajajärgu kirjades ja isegi varases kehvas poeesias oli palju piinarikast ja uhkeldavat eneseteadlikkust: „Oo, pühak! Kui pälviksin ma / selle nime, auväärseima, / küll seisaksin siis, püsti pea / vähimaina pühade seas." Biograaf Frederick R. Karl võtab kokku levinud arvamuse: „Kui välja arvata ta suur intelligentsus, tundus pea 19aastane Mary Anne 1838. aastal talumatu."[246]

Õnneks ei õnnestunud tal oma uitavat meelt kaua vangis hoida. Ta oli piisavalt arukas ja suutis anda endale täpse hinnangu. „Mul on tunne, et minu tavapahe on kõigist pahedest kõige purustavam, sest see on kõigi pahede ema – see on ambitsioon, küllastumatu soov kaaslaste austuse järele," kirjutas ta ühes oma kirjas. „See tundub olevat kõigi mu tegude lähtekoht."[247] Mingil tasandil sai ta aru, et ta avalik moraalitsemine on kantud paljalt tähelepanu pälvimise soovist. Pealegi oli ta liiga uudishimulik, et jääda pikalt iseenda piirangute vangiks. Ta janunes liialt teadmiste järele. Ta ei suutnud lugemist piirata.

Õige pea luges ta ka muud peale liturgilise kirjanduse. Ta ei loobunud piiblikommentaaride lugemisest, kuid õppis peale selle itaalia ja saksa keelt ning luges Wordsworthi ja Goethet. Muu hulgas luges ta romantikaajastu luulet, teiste hulgas Shelleyt ja Byronit, kelle elu ei vastanud mingil juhul ta kitsastele usulistele tõekspidamistele.

Peagi uuris ta mitmesugust teaduskirjandust, teiste hulgas ka John Pringle Nicholi teost „The Phenomena and Order of the Solar System" („Päikesesüsteemi nähtused ja korrapära") ja Charles Lyelli „Principles of Geology" („Geoloogia alused"), mis rajas teed Darwini evolutsioonikäsitlusele. Kristlikud kirjanikud asusid piiblist lähtuva loomisloo kaitsele. Mary Anne luges ka nende raamatuid, kuid need mõjusid vastupidi autorite taotlustele. Need olid uute teadusavastuste ümberlükkamisel nii vähe veenvad, et pigem süvendasid Mary Anne'is tekkinud kahtlusi.

Raamat, mis Mary Anne'i tugevalt mõjutas, oli Charles Hennelli „An Inquiry Concerning the Origin of Christianity" („Kristluse lätete uurimus"), mille ta ostis 1841. aastal 21aastasena. Hennell töötas läbi kõik evangeeliumid, et uurida, mis neis võiks olla faktid ja mis hilisemad ilustused. Ta jõudis järeldusele, et Jeesuse jumalik päritolu, imede tegemine või surnust ülestõusmine pole piisavalt tõendatud. Hennell järeldas, et Jeesus oli „õilsameelne reformija ja tark inimene, kes sai märtriks tänu salakavalatele preestritele ja julmadele sõduritele".[248]

Enamiku ajast ei olnud Mary Anne'il kedagi, kes oleks olnud sarnaste intellektuaalsete võimetega ja kellega oleks saanud loetut arutada. Ta mõtles enda seisundi kirjeldamiseks välja sõna: „jagamatusetus". Ta sai teadmisi, aga ei saanud neid vestluse abil läbi seedida.

Siis sai ta teada, et tema lähedal elab Hennelli noorim õde Cara. Cara abikaasa Charles Bray oli edukas paelakaupmees, kes oli kirjutanud usulise traktaadi „The Philosophy of Necessity" („Paratamatuse filosoofia"). Ta väitis, et universumit valitsevad Jumala ettekirjutatud muutumatud reeglid, kuid et Jumal ise maailmas ei tegutse. Inimese ülesanne oli need reeglid avastada ja neid järgides maailma parandada. Bray uskus, et inimesed peaksid veetma vähem aega palvetades ja tegelema rohkem ühiskonna reformimisega. Brayd olid terased, intellektuaalsed ja ebakonventsionaalsed mõtlejad, kes elasid ebakonventsionaalset elu. Kuigi nad olid abielus, sai Charles kuus last nende kokaga ning Caral oli lähedane ja tõenäoliselt seksuaalne sõprus Lord Byroni sugulase Edward Noeliga, kel oli kolm last ja maavaldus Kreekas.

Mary Anne'i tutvustas Braydele nende ühine sõber, kes ehk soovis tuua sellega Brayd tagasi ortodoksse kristluse rüppe. Kui see oli ta plaan, siis see ei toiminud. Kui Mary Anne Braydega tutvus, oli ka tema juba usust eemale tüürimas. Brayd tundsid temas kohe ära hingesugulase. Ta hakkas nendega järjest tihedamini läbi käima, rõõmustades, et oli endale lõpuks leidnud intellektuaalse poolest võrdväärsed kaaslased. Brayd ei olnud põhjuseks, miks Mary Anne kristlusest loobus, küll aga katalüsaatoriks.

Mary Anne hakkas ajapikku taipama, et süvenev umbusk toob kaasa lõputuid sekeldusi. See tähendaks eemaldumist isast, ülejäänud perekonnast ja laiemas plaanis ka kombekast ühiskonnast. Tal oleks väga raske leida abikaasat. Tolleaegses ühiskonnas tähendas agnostitsism põlu alla langemist. Ta jätkas siiski julgelt pürgimist selle poole, mida süda ja mõistus õigeks pidasid. „Tahaksin olla osaline selles hiilgavas ristiretkes, mille eesmärk on vabastada Tõe Püha Haud anastava võimu alt," kirjutas ta sõbrale.[249]

Nagu tollest lausest järeldub, ei öelnud Mary Anne koos kristlusega lahti usulisest vaimust. Ta heitis kõrvale kristliku õpetuse ja Jeesuse jumalikkuse, aga samas ei kahelnud ta Jumala olemasolus. Ta hülgas kristluse realistlikel kaalutlustel, vastumeelsusest kõige abstraktse või väljamõeldu vastu. Ta tegi seda pärast põhjalikku teemaga tutvumist, aga mitte ükskõikselt ega kuiva arutluskäigu tulemusel. Pigem oli põhjus selles, et ta armastus elu vastu oli nii maiselt kirglik, et tal oli raske leppida mõttega, et see maailm on vaid osa ühest teisest maailmast, kus kehtivad teistsugused reeglid. Ta tundis, et ei saavuta puhtust alistudes, vaid enda moraalsete valikute, voorusliku ja range elu kaudu. Sellise ellusuhtumisega asetas Mary Anne oma õlgadele ja oma käitumisele raske koorma.

1842. aasta jaanuaris ütles Mary Anne isale, et ei tule temaga enam kirikusse. Isa vastus oli, nagu üks biograafidest kirjeldab, viha, mis väljendus külmuses ja torssis olekus. Isa arvates ei trotsinud Mary Anne vaid teda ja Jumalat, vaid oli otsustanud häbistada ka perekonda ja tuua kaasa ühiskondliku põlguse. Esimesel pühapäeval pärast Mary Anne'i keeldumist läks isa kirikusse ning märkis päevikusse lihtsalt ja külmalt: „Mary Anne ei tulnud."

Järgmised paar nädalat möödusid „pühas sõjas", nagu Mary Anne seda nimetas. Ta oli isaga vaenujalal. Isa lõpetas tütrega suhtlemise, kuid võitles temaga mitmel rindel. Ta värbas sõpru ja sugulasi, et need tuleksid ja paluksid Mary Anne'il kasvõi taktitundest kirikusse tulla. Nad hoiatasid, et kui ta nii jätkab, ootavad teda ees vaesus, ühiskonnast välja heitmine ja eraldatus. Need väga usutavad tulevikuväljavaated ei avaldanud Mary Anne'ile mingit mõju. Isa palus ka vaimulikkonda ja teisi asjatundjaid, et nad tuleksid ja tõestaksid tütrele, et kristlus on õige õpetus. Nad tulid, nad väitlesid, nad kaotasid. Mary Anne oli juba lugenud kõiki raamatuid, mida nad enda seisukoha kinnitamiseks tsiteerisid, ja tal olid vastused valmis.

Viimaks otsustas isa kolida pere mujale. Kui Mary Anne plaanis teha end abielukõlbmatuks, polnud mõtet ka suurel majal, mis oli üüritud abikaasa ligimeelitamiseks.

Mary Anne püüdis taastada isaga suhtlemist ja kirjutas talle kirja. Esiteks selgitas ta, miks ta ei saa enam olla kristlane. Ta ütles, et vaatleb evangeeliumeid kui ajalugu, milles tõde seguneb väljamõeldisega: „Kuigi ma imetlen ja pean südamelähedaseks enamikku, mida arvan olevat Jeesuse enda moraaliõpetus, pean tema eluloole ehitatud õpetustesüsteemi ... Jumala teotamiseks ja selle mõju iga inimese ja ühiskonna õnne hävitavaks."

Ta väitis, et kummardada õpetust, mida ta peab hävitavaks, oleks üdini silmakirjalik.

Mary Anne kirjutas, et elaks hea meelega isa juures edasi, ent lisas: „Kui sa tahad, et ma lahkuksin, võin rõõmsal meelel su soovi täita ja minna, täis sügavat tänutunnet õrnuse ja üüratu lahkuse eest, mida sa oled minuga väsimatult jaganud. Seega ma ei kaeba, vaid lepin rõõmuga, kui karistuseks valu eest, mida olen sulle tahtmatult tekitanud, peaksid sa otsustama jagada võimaliku minu tuleviku toetamiseks mõeldu oma teistele lastele, kes võivad sinu silmis olla seda rohkem väärt."

Täiskasvanuea koidikul ei öelnud Mary Anne lahti vaid perekonna usust. Ta oli valmis astuma maailma ilma kodu, päranduse, abikaasa ja väljavaateta. Ta lõpetas kirja armastusavaldusega: „Enda süütuse tõestamiseks luba mul, kelle eest keegi ei kõnele, öelda, et kui ma sind kunagi armastanud olen, siis on see hetk praegu, kui ma olen kunagi soovinud järgida oma Looja seadusi ja järgneda kohustustele, kuhu tahes need mind ka ei viiks, siis soovin seda teha praegu, ja teadmine sellest annab mulle tuge, pangu seda pahaks kas või kõik olendid siin ilmas."

Selles nii noore naise kohta tähelepanuväärses kirjas märkame mitut joont, mida täheldame hiljem ka George Elioti juures: intensiivne intellektuaalne ausus, tuline soov elada südametunnistuse seatud piiride järgi, hämmastav julgus ühiskondliku surve tingimustes, soov tugevdada iseloomu, tehes vajalikke raskeid valikuid, samas ka veidi eneseupitamist, kalduvust etendada enese loodud melodraamas peaosa ja tugev soov pälvida meeste armastust, seda samas ise ohustades.

Paari kuu pärast jõuti kokkuleppele. Mary Anne soostus isaga koos kirikusse minema tingimusel, et isa ja kõik teised oleksid teadlikud, et Mary Anne ei ole kristlane ega usu Kristuse õpetusse. Võib tunduda, et tegemist oli allaandmisega, aga asjalood ei olnud päris nii. Tundub, et Mary Anne'i isa sai aru, kui julm on tütre äratõukamine. Ta paindus. Samal ajal taipas Mary Anne, et ta vastupanu kandis võimas eneseupituslaine, ja ta kahetses seda. Ta tajus, et skandaalse loo peategelaseks olemine pakkus talle salajast rahuldust. Ta kahetses valu, mida ta isale põhjustas.

Enamgi veel – ta teadis, et tema kompromissitu hoiak oli teatud mõttes enesekeskne. Vähem kui kuu aega hiljem kirjutas ta sõbrale, et mõistab sel moel hukka enda „tunnete kui ka otsustamise tormakuse". Hiljem ütles ta, et kahetseb südamest isaga kokku põrkamist, mida oleks ehk saanud ära hoida teatud osavuse ja enesetaltsutamisega. Mary Anne jõudis otsusele, et ta on küll kohustatud järgima isiklikku südametunnistust, aga ta moraalne kohus on summutada oma impulsse, arvestades nende mõju teistele inimestele ja kogukonnas kehtivale korrale. Selleks ajaks, kui Mary Anne'ist sai kirjanik George Eliot, oli ta niisuguse ilmse peenutsemise pühendunud vastane. Keskikka jõudes oli ta uuendaja ja järkjärguliste muutuste pooldaja, uskudes, et inimesi ja ühiskonda on kõige parem ümber korraldada aeglaste venituste, mitte äkiliste rebestustega. Nagu me edaspidi näeme, oli ta võimeline oma veendumusi järgides tegema julgeid ja äärmuslikke samme, aga ta pidas oluliseks ka sõbralikku läbikäimist ja tavasid. Ta uskus, et ühiskond püsib koos miljoni isikliku soovi vaoshoidmise läbi, mis seob üksikisiku ühise moraalse maailmaga. Ta oli arvamusel, et kui inimesed lähtuvad tegutsemisel kompromissitutest isiklikest soovidest, võib isekus nakatada ka neid ümbritsevaid inimesi. Ta käitumine oli sageli ebakonventsionaalne, kuid ta temperament oli konservatiivne ja ta radikaalne tee oli rüütatud viisakustesse. Temast sai julge vabamõtleja, kes säilitas siiski usu rituaalidesse, kommetesse ja tavadesse. Isaga peetud „püha sõda" andis sellel teel olulise õppetunni.

Mõne kuu pärast oli Mary Anne isaga ära leppinud. See, et ta imetles oma isa ja olenes temast moraalselt, tuleb välja kirjast, mille ta kirjutas vahetult pärast isa surma, mil „pühast sõjast" oli möödunud seitse aastat: „Mis minust isata saab? Tundub, nagu oleks kadunud osa minu moraalsest loomusest. Nägin eile öösel jubedat nägemust iseendast – puhastava ja tõkestava mõju puudumisel olin ma muutunud maiselt tundelikseks ja kuratlikuks."

PUUDUSETUNNE

Intellektuaalselt oli Mary Anne täiskasvanu. Teismeea suur lugemus oli talle andnud muljetavaldavad teadmised ja vaatlus- ning otsustusvõime. Mõistuse tasandil oli Mary Anne muutuste teel, mille käigus sai enesekesksest teismelisest täiskasvanu, kelle küpsust iseloomustas ületamatu võime tunda teiste inimeste tundeid.

Emotsionaalses plaanis aga oli Mary Anne veel nõrk. 22aastase

Mary Anne'i tutvusringkond naeris, et ta armub kõigisse, keda kohtab. Tema suhted olid kõik sarnased. Meeleheitlikult kiindumust otsides viskus ta kaela meestele, kes olid tavaliselt kas abielus või muidu kättesaamatud. Mary Anne'i vestlusoskusest pimestatud mehed vastasid ta tähelepanule. Pidades intellektuaalset kontakti romantiliseks armastuseks, keeras Mary Anne end emotsionaalselt üles, lootes, et armastus täidab tema sees haigutava tühjuse. Lõpuks mees kas hülgas Mary Anne'i või põgenes ta eest, või tegi mehe naine nende suhtele lõpu. Mary Anne lõpetas pisarate või piinavate migreenihoogudega.

Mary Anne'i romantilised röövretked oleksid võinud olla edukad, kui ta oleks olnud tavapäraselt ilus, aga nagu ütles Henry James, kes oli tollal noor ja kena, oli Mary Anne „võrratult inetu – oivaliselt võigas". Enamik mehi lihtsalt ei suutnud vaadata mööda ta jõulisest lõuast ja hobusesarnastest näojoontest, kuigi paremad hinged nägid viimaks ta sisemist ilu. 1852. aastal kirjeldas ameeriklasest külaline Sara Jane Lippincott, millist mõju avaldas Mary Anne'i välimusele ta vestlusoskus: „Preili Evans tundus mulle oma jõulise lõuajoone ja puiklevate siniste silmadega algul äärmiselt ilmetu. Mulle ei meeldinud ta nina, suu ega lõug; kui ta aga vestlusest siiralt huvitus, välgatas üle ta näo või silmist ere valgus, kuni paistis, nagu oleks nägu kuju muutnud; ta harvanähtava naeratuse sulnidust on raske kirjeldada."[250]

Mehed tulid. Mary Anne armus. Mehed läksid. Ta oli armunud kellessegi muusikaõpetajasse ja kirjanikku Charles Hennelli. Ta suhtles John Sibree nimelise noormehega, kes õppis kirikuõpetajaks. Sibree ei vastanud ta tunnetele, aga loobus pärast nende vestlusi vaimulikukarjäärist.

Hiljem klammerdus Mary Anne häiriva intensiivsusega lühikesekasvulise ja keskealise abielus kunstniku François d'Albert Durade'i külge. Kord kiindus ta umbes päevaks mehesse, kes oli ka tegelikult vallaline, kuid juba järgmiseks päevaks oli Mary Anne kaotanud ta vastu huvi.

Sõbrad pakkusid Mary Anne'ile sageli enda juures peavarju. Õige varsti tekkis tal aga pereisaga mingit laadi kirglik intiimsuhe. Doktor Robert Brabant oli palju vanem ja haritud doktor, kes andis Mary Anne'ile ligipääsu oma raamatukogule ja kutsus ta enda pere juurde elama. Peagi olid nende elud teineteisega läbi põimunud. „Olen tillukeses taevas ja doktor Brabant on peaingel," kirjutas ta Carale saadetud kirjas. „Ma ei jõua üles lugeda kõiki ta võluvaid omadusi. Me loeme, jalutame ja ajame juttu, ja ta seltskond ei tüüta mind kunagi." Õige pea tegi Brabanti naine sellele lõpu. Lahkuma pidi kas Mary Anne või läinuks tema ise. Mary Anne põgenes häbistatult.

Veidraim segadus tekkis majas, mis kuulus John Chapmanile, kes kirjastas ajakirja Westminster Review, kus Mary Anne oli hiljem kaasautor ja toimetaja. Kui Mary Anne tema juurde kolis, elasid Chapmani majas juba mehe abikaasa ja armuke. Peatselt võistlesid kolm naist Chapmani kiindumuse pärast. Nagu Elioti biograaf Frederick R. Karl märgib, olid olukorral kõik jandi tunnused – paukuvad uksed, majast salaja väljahiilivad paarikesed, haavatud tunded ning pisaratest ja vihast pungil stseenid. Kui mõni päev oli liialt rahulik, õhutas Chapman tuld, näidates naistele üksteise armastuskirju. Lõpuks sõlmisid Chapmani abikaasa ja armuke Mary Anne'i vastu liidu. Ta pidi taas laimujuttudest saadetuna lahkuma.

Üldjuhul väidavad biograafid, et emaarmastuse puudumine jättis Mary Anne'i olemusse tühimiku, mida ta püüdis kogu ülejäänud elu meeleheitlikult täita. Mary Anne'is oli siiski ka veidi nartsissistlikkust – ta armastas enda armastust, ta armastas enda hingesuurust, oma hoogsat kirge. Talle meeldis ennast üles keerata, nautides tähelepanu, tundes mõnu oma emotsioonide sügavusest, maitstes oma olemasolu ülimat tähtsust. Inimesed, kes peavad end oma päikesesüsteemi keskpunktiks, isikliku näitemängu peaosatäitjaks, on enda kohutavatest, kuid samas hõrkudest kannatustest sageli lummatud. Inimestel, kes peavad end osaks suuremast universumist ja pikemast loost, sellist tunnet tavaliselt ei teki.

Mary Anne kirjutas hiljem: „Olla luuletaja tähendab, et sul on hing, mis on nii väle tajuma, et vähimgi iseloomutahk ei jää tal märkamata, ja nii kiire tunnetama, et tajumine on vaid käsi, mis mängib peenelt korrastatud tundeakorde – see on hing, milles teadmised muunduvad hetkega tundeks ja tunne pöördub tagasi uue teadmisteallikana." Mary Anne'il oli selline hing. Tunne, tegu ja mõte olid temale üks ja seesama. Puudus aga inimene, kellele suunata kirg, ja töö, mis pakuks distsipliini ja raami.

OHJADE HAARAMINE

1852. aastal armus 32aastane Mary Anne filosoof Herbert Spencerisse. Herbert oli senistest meestest ainus, kelle intellektuaalsed võimed olid tema omadega ligilähedased. Nad käisid koos teatris ja vestlesid vahetpidamata. Spencerile meeldis Mary Anne'i seltskond, aga ta ei suutnud saada üle oma nartsissismist ega Mary Anne'i inetusest. „Kehalise külgetõmbe puudumine sai saatuslikuks," kirjutas Spencer aastakümnete pärast. „Mu instinktid ei allunud mu tahtele."

Juulis kirjutas Mary Anne talle kirja, mis oli anuv ja samas julge. „Need, kes tunnevad mind hästi, on öelnud, et kui ma kedagi tõeliselt armastan, suunan sellesse tundesse kogu oma elu. Ma usun, et neil on õigus," kuulutas ta. Ta palus, et mees ei jätaks teda: „Kui sa kellessegi teisesse kiindud, siis ma suren, aga seni, kuni sa oled minu lähedal, suudan ma võtta kokku julguse ja töötada ning tunda elust rõõmu. Ma ei palu sult ohverdust – oleksin väga õnnelik ja rõõmus ning ei tüütaks sind kunagi ... Mulle ei ole palju vaja, kui pääseksin sellest, et kaotan kõik."

Kirja sappa lisas ta otsustavalt: „Ilmselt pole ükski naine sellist kirja varem kirjutanud – aga ma ei häbene seda, sest mu mõistus ja kasvatus ütlevad mulle, et olen sinu austuse ja õrnuse ära teeninud, arvaku labased mehed või naised minust, mida tahavad."[251]

See kiri, mis on segu haavatavusest ja iseteadvusest, märgib Elioti elu pöördepunkti. Pärast puudustundega pikitud aastaid hakkas talle tekkima selgroog, mis võimaldas tal teha sellise ennast väärtustava avalduse. Võib öelda, et see oli Elioti ohjade haaramise hetk – sellest hetkest algas protsess, mille käigus ta lakkas olemast oma puuduste pillutada ja hakkas elama oma sisemiste kriteeriumite järgi, omandades ajapikku kirgliku ja püsiva võime algatada tegevusi ja juhtida ise oma elu.

Kiri ei lahendanud Elioti probleeme. Spencer hülgas ta sellest hoolimata. Eliot jäi endiselt ebakindlaks, eriti selles osas, mis puudutas ta kirjatöid. Ometi oli ta energia puhkenud. Ta ilmutas järjest suuremat eesmärgipärasust ja vahel ka hämmastavat vaprust.

Selline ohjade haaramise hetk saabub paljude inimeste ellu üllatavalt hilja. Vahel võib seda vajakajäämist täheldada puudust kannatavate inimeste puhul. Nende elu võib majandusraskuste, meelevaldsete ülemuste ja teiste väljaspool nende kontrolli olevate jõudude tõttu niivõrd segi paiskuda, et nad loobuvad uskumast, et sisend määrab ära oodatava väljundi. Neile võib elu parandamiseks pakkuda programme, aga nad ei pruugi saada neist täit kasu, sest nad ei usu, et saatuse kujundamine on nende endi kätes.

Privilegeeritud inimeste ja eriti privilegeeritud noorte hulgas võib näha inimesi, keda on kasvatatud heakskiidu ärateenimise vaimus. Nad võivad olla tegusad, toimekad, saamata sõba silmale, aga seesmiselt tunnevad nad end sageli passiivse ja oma elu eest mitte vastutavana. Nende elu suunavad teiste inimeste ootused, välised asjaolud ja sellised edu määratlused, mis neile ei sobi.

Ohjade haaramine pole automaatne. Selleks tuleb pingutada. See ei tähenda vaid enesekindlust ja tegutsemistahet. See tähendab, et tegutsemisel lähtutakse kindlaks kujunenud seesmistest kriteeriumitest. Ohjade haaramise hetk võib saabuda mistahes vanuses või ei kunagi. Elioti emotsionaalse ohjade haaramise märgid hakkasid ilmnema ajal, mil ta lävis Spenceriga, kuid need küpsesid täielikult alles pärast kohtumist George Lewesiga.

TÕELINE ARMASTUS

Lugu George Elioti armastusest George Lewesi vastu on pea alati räägitud Elioti vaatepunktist – kui suurest kirest, mis andis ta hingele terviklikkuse, mis võttis endassesulgunud ja meeleheitel tütarlapse ning pakkus talle igatsetud armastust ja vajalikku emotsionaalset tuge ja turvalisust. Seda lugu saab sama hästi rääkida ka Lewesi vaatevinklist – kui pidepunktist ta killustatusest terviklikkuseni kulgeval teel.

Lewes pärines segaste peresuhetega suguvõsast. Ta vanaisa oli komöödianäitleja, kes abiellus kolm korda. Ta isa oli abielus Liverpoolis elava naisega, kellega ta sai neli last; seejärel ta lahkus ja kolis Londonis kokku teise naisega, kellega sai kolm poega, misjärel kadus igaveseks Bermudale.

Lewesi lapsepõlv möödus suuresti vaesuses; ta haris ennast Euroopas, kus koolitas end Mandri-Euroopa tunnustatud autorite alal, kelle hulgas olid ka Spinoza ja Comte, keda sel ajal Inglismaal eriti ei teatud. Ta pöördus tagasi Londonisse, kus hankis endale elatist, kirjutades kõigest ja kõigile, kui selle eest maksti. Ajastul, mil au sisse tõusid spetsialiseerumine ja tõsidus, põlati ta pinnapealset rändurkirjamehe stiili.

Ameerika Ühendriikide feminist Margaret Fuller kohtus Lewesiga Thomas Carlyle'i majas toimunud peol ning pidas teda „vaimukaks ja kergemeelseks prantslaseks", kes oli „kiiskavalt pealiskaudne". Enamik biograafe on läinud sama rada, kirjeldades Lewesit seikleja ja põhimõttelageda inimesena, ladusa, kuid pealiskaudse ja mitte täielikult usaldusväärse kirjanikuna.

Biograaf Kathryn Hughesi veenvalt mõjuv vaade on lugupidavam. Ta kirjutab, et Lewes oli vaimukas ja pulbitsev, samal ajal kui teda ümbritsev ühiskond kaldus visa enesetähtsustamise poole. Ta teadis prantslaste ja sakslaste elust, samas suhtus ühiskond kõigesse mitte-britipärasesse sageli kahtlustavalt. Ta suhtus kirglikult mitmesugustesse ideedesse ja tähelepanuta jäänud mõtlejate avalikkuse ette toomisse. Ta oli vabamõtleja ja romantik ajal, mil ühiskond tema ümber läbis pingutatud ja „kinninööbitud" viktoriaanlikku ajastut.

Lewes oli kuulus oma inetuse poolest (üldtuntud kui ainus tähtis Londoni tegelane, kes oli veel inetum kui George Eliot), kuid ta oskas naistega ladusalt ja tundeküllaselt suhelda ning sellest oli talle kasu. Ta abiellus 23aastaselt 19aastase kauni noore naise Agnesega. Ajakohase ja vabameelse abielu esimesel üheksal aastal oldi üksteisele suuresti truud ja seejärel suuresti truudusetud. Agnesel oli pikaajaline suhe Thornton Huntiga. Lewes andis armulooks loa, tingimusel, et Agnes ei saa Huntiga lapsi. Kui lapsed siiski sündisid, adopteeris Lewes nad, et neile ei langeks väljaspool abielu sündinud laste teotav vari.

Sel ajal kui Lewes kohtas Mary Anne'i, elas ta Agnesest eraldi (kuigi tundub, et ta lootis ühel päeval tagasi kolida ja abielu jätkata). Ta ise on öelnud: „See oli mu elus sünge ja raisatud aeg. Olin loobunud kõigist püüdlustest, elasin peost suhu ja pidasin igapäevast kurjust piisavaks."[252]

Mary Anne oli samuti üksildane, aga oli saamas täiskasvanuks. Ta kirjutas Cara Brayle: „Minu mured on hingelist laadi – olen enesega rahulolematu ja mul on meeleheitlik soov saavutada midagi, mis on väärt tegemist." Päevikusissekandes võttis ta omaks mõtteavalduse, mille pani esimesena kirja feministlik kirjanik

Margeret Fuller: „Jään alatiseks valitsema intellekti abil, aga mu elu! Mu elu! Oo, mu jumal! On seda kunagi võimalik nautida?"[253]

Sel ajal, kolmekümnendate eluaastate keskpaigas, ei suhtunud ta endasse enam nii palavikuliselt: „Noorena peame oma muresid väga oluliseks – meie ees laiuv maailm on justnimelt meie elu draamade lavastamise paik ja meil on õigus pahameelt tundes lärmata ja sappi pritsida. Olen seda omal ajal palju teinud. Viimaks hakkame mõistma, et see kõik on oluline vaid meile endile, et see pole muud, kui kastepiisk roosilehel, mis on keskpäevaks kadunud. See ei ole mõni kõrgelennuline sentimentaalsus, vaid lihtne tõdemus, millest on olnud mulle igapäevaelus palju kasu."[254]

Lewes ja Mary Anne kohtusid 6. oktoobril 1851. aastal raamatupoes. Selleks ajaks oli Mary Anne kolinud Londonisse ja tegi anonüümset kaastööd ajakirjale Westminster Review (kus ta oli hiljem toimetaja). Lewes ja Mary Anne lävisid samade inimestega. Nad oli mõlemad Herbert Spenceri lähedased sõbrad.

Esialgu ei avaldanud Lewes Mary Anne'ile muljet, aga peagi kirjutas ta sõpradele, et peab Lewesit „sõbralikuks ja huvitavaks" ja ütles, et Lewes on „tahes-tahtmata võitnud minu poolehoiu". Lewes omakorda paistis märkavat uue tuttava häid omadusi. Muudes eluvaldkondades korrapäratu ja ränduri tüüpi mees oli suhtlemisel naisega, kellest sai hiljem George Eliot, järjepidev ja usaldusväärne.

Nende üksteisele saadetud kirju ei ole säilinud. Osalt seetõttu, et nad ei kirjutanud eriti palju (nad olid sageli koos), ja ka seetõttu, et Eliot ei tahtnud, et biograafid hiljem ta eraelus sobraksid ja muljetavaldavate romaanide all peituva haavatava südame paljastaksid. Seega ei tea me täpselt, kuidas nende armastuslugu arenes. Teame aga, et Lewes võitis Mary Anne'i poolehoiu samm-sammult. 16. aprillil 1853. aastal kirjutas Mary Anne sõbrale: „Eriti härra Lewes on lahke ja hoolitsev, ja nüüd, kui ta on juba parajal määral mu õelutsemist talunud, olen ma hakanud temast üsnagi lugu pidama. Nagu nii mõnigi teine inimene siin ilmas, on ta palju parem, kui tundub. Ta on südame ja südametunnistusega mees, kes kannab tuulepäisuse maski."

Mingil hetkel ilmselt rääkis Lewes Mary Anne'ile oma purunenud abielust ja segasest isiklikust elust. See tõenäoliselt ei šokeerinud Mary Anne'i, kellele olid keerulised inimsuhted tuttavad. Ilmselt vestlesid nad palju ka mitmesugustest ideedest. Neid huvitasid samad autorid: Spinoza, Comte, Goethe, Ludwig Feuerbach. Enam-vähem samal ajal tõlkis Mary Anne Feuerbachi teost „Kristluse olemus".

Feuerback oli seisukohal, et kuigi tema ajastul on religioosne usk kadunud, on armastuse abil võimalik säilitada usuga kaasneva moraali ja eetika tuuma. Ta väitis, et kellegi vastu tuntava nii kehalise kui ka hingelise armastuse kaudu on inimestel võimalik saavutada üleloomlikkus ja alistada oma patune olemus. Ta kirjutas järgmist.

Mil moel päästab inimene end sellest lahknevusest enda ja ideaalse olendi vahel, valulikust patu teadvustamisest, häirivast tähtsusetuse tundmisest? Kuidas nüristab ta patu surmava torke? Ainult nii: olles teadlik armastusest kui kõrgeimast absoluutsest jõust ja tõest, pidamata Jumalikku Olendit mitte ainult seaduseks, mõistvaks moraalseks olendiks, aga ka armastavaks ja õrnaks ja isegi subjektiivseks inimolendiks (mis hõlmab kaasatundmist igale üksikule inimesele).[255]

Mary Anne ja Lewes armusid teineteisesse tänu ideedele. Nende kohtumisele eelnenud aastail olid neid huvitanud samad kirjanikud, sageli ka samal ajal. Nad kirjutasid esseesid kattuvatel teemadel. Nad mõlemad suhtusid tõeotsingutesse samasuguse siira intensiivsusega ja mõlemad uskusid, et kristluse asemel, millesse nad ei uskunud, võivad moraalsuse aluseks olla inimlik armastus ja sümpaatia.

INTELLEKTUAALNE ARMASTUS

Me ei tea täpselt, kuidas Lewesi ja Mary Anne'i südamed üksteist süütasid, küll aga on meil teada, mil moel on armunud teised sarnased inimesed, ning sellest saame aimu, mida võisid tunda Lewes ja Mary Anne. Samalaadne armastus puhkes Briti filosoofi Isaiah Berlini ja Vene luuletaja Anna Ahmatova vahel. Nende vaimne teineteise leidmine oli iseäranis dramaatiline, kuna see toimus üleöö.

Tegevuspaigaks oli 1945. aasta Leningrad. Berlinist 20 aastat vanem Ahmatova oli revolutsiooni eel olnud suur luuletaja. Alates 1925. aastast ei olnud nõukogulased lubanud tal midagi avaldada. Ta esimene abikaasa oli 1921. aastal valesüüdistuste alusel hukatud. 1938. aastal vangistati ta poeg. Ahmatova seisis 17 kuud vangla ukse taga ja ootas asjatult temast teateid.

Berlin ei teadnud Ahmatovast eriti midagi, aga ta oli tulnud Leningradi ja üks sõpradest pakkus, et võib neid omavahel tuttavaks teha. Berlin läks kaasa Ahmatova korterisse ning kohtus ikka veel ilusa ja jõulise naisega, keda olid haavanud vägivallarežiim ja sõda. Esialgu oli nende vestlus kammitsetud. Nad vestlesid sõjakogemustest ja Briti ülikoolidest. Teised külalised tulid ja läksid.

Keskööks olid nad jäänud kahekesi, istudes teine teises toa otsas. Ahmatova rääkis Berlinile oma lapsepõlvest, abielust ja abikaasa hukkamisest. Ta hakkas tsiteerima Byroni „Don Juani", tehes seda nii kirglikult, et Berlin pööras tundeliigutuse varjamiseks näo akna poole. Ta tsiteeris mõningaid enda luuletusi ja murdus, kui kirjeldas, kuidas nende tõttu olid nõukogulased hukanud ühe ta kolleegi.

Kella neljaks hommikul olid nad jõudnud suurkujudeni. Nad olid ühel meelel Puškini ja Tšehhovi osas. Berlinile meeldis Turgenevi kerge arukus, Ahmatova eelistas aga Dostojevski sünget pinget.

Nad läksid järjest sügavamale, paljastades oma hinge. Ahmatova tunnistas, et tunneb end üksildasena, ja rääkis oma kirgedest, kirjandusest ja kunstist. Berlinil oli vaja minna tualettruumi, aga ta ei tahtnud, et lummus lakkaks. Nad olid lugenud samu asju, teadsid, mida teine teadis, mõistsid üksteise igatsust. „Sel ööl," nagu kirjutab Berlini biograaf Michael Ignatieff, „jõudis Berlini elu „kõige lähemale kunsti tüünele täiuslikkusele"". Viimaks tõmbus Berlin eemale ja läks tagasi hotelli. Kell oli 11 hommikul. Ta viskus voodile ja tõdes: „Ma olen armunud, ma olen armunud."[256]

Berlini ja Ahmatova koos veedetud öö on teatud laadi suhtlemise ideaalvariant. See on suhtlemine inimeste vahel, kelle arvates ei leia kõige olulisemaid teadmisi mitte kõikvõimalikest andmetest, vaid suurtest kunstiteostest, inimkonna päritud moraalse, emotsionaalse ja eksistentsiaalse tarkuse varasalvest. See on suhtlemine, mille käigus intellektuaalne sobivus muutub emotsionaalseks kokkusulamiseks. Berlin ja Ahmatova said sellist elumuutvat vestlust kogeda, sest nad olid teinud ära kodutöö. Nad olid seisukohal, et maadlemine suurte ideede ja raamatutega on vajalik selleks, et õppida elu kogema kogu rikkuses ja tegema peeneid moraalseid ja emotsionaalseid valikuid. Nad olid hingeliselt auahned. Nende käsutuses oli ühine kirjanduskeel, mille olid loonud geeniused, kes mõistavad meid paremini kui me ise.

See öö on ka teatud laadi sideme ideaalkuju. Selline armastus oleneb paljude asjaolude kokku langemisest, mistõttu juhtub seda vaid korra või paar elu jooksul või ei juhtugi üldse. Berlini ja Ahmatova puhul sobitus kõik hämmastaval kombel. Nad olid paljuski sarnased. Nende vahel oli selline harmoonia, et kõik seesmised tõkked haihtusid ühe öö jooksul.

Kui lugeda Ahmatova selle õhtu kohta kirjutatud luuletusi, võib tunduda, et nad armatsesid, kuid Ignatieffi andmetel nad vaevu puudutasid üksteist. Nende ühendus oli peamiselt intellektuaalne, emotsionaalne ja hingeline, mis tekitas sõpruse ja armastuse kombinatsiooni. Kui sõbrad astuvad maailmale vastu külg külje kõrval ja armsamad elavad näoga üksteise poole, siis Berlini ja Ahmatova puhul tundusid mõlemad seisundid esinevat korraga. Nad jagasid ja ühtlasi ka laiendasid üksteise arusaamu.

Berlinile oli see öö elu kõige olulisem sündmus. Ahmatova oli kinni Nõukogude Liidus, kannatades manipuleeriva, hirmu külvava ja valetava režiimi käes. Nimetatud režiim otsustas, et ta oli suhelnud Briti luurajaga. Ta visati Kirjanike Liidust välja. Ta poeg oli vanglas. Ta tundis end üksildasena, aga oli tänulik Berlini külaskäigu eest, rääkides temast kirglikult ja kirjutades liigutavalt tolle öö jumalikust maagiast.

Elioti armastuses Lewesi vastu oli sarnast intellektuaalset ja emotsionaalset intensiivsust. Ka nemad kogesid armastust moraalse jõuna, mis muudab inimese sügavamaks, mahutab inim-mõistusse teised hinged ja ülendab seda nii, et see on suuteline suureks teenimiseks ja pühendumiseks.

Tõepoolest, kui me vaatame armastust selle kõige kirglikumas faasis, näeme, et armastus orienteerib hinge ümber mitmel olulisel moel. Esiteks tekitab armumine alandlikkust. Armumine tuletab meile meelde, et me tegelikult ei kontrolli ka iseennast. Enamiku kultuuride ja tsivilisatsioonide müütides ja lugudes kirjeldatakse armastust kui välist jõudu – jumalat või deemonit –, mis tuleb ja võtab inimese üle võimust, muutes tema sees kõike. See on Aphrodite või Cupido. Armastust kirjeldatakse kui hõrku hullumeelsust, raevutsevat tuld, taevalikku pöörasust. Me ei loo armastust; me armume kontrollimatult. Selles on midagi ürgset ja samas midagi väga meile omast, see on vapustav ja hirmuäratav galvaaniline jõud, mida ei saa kavandada, päevaplaani võtta või otsustada.

Armastus on nagu sissetungiv armee, mis tuletab sulle meelde, et sa ei ole oma territooriumi peremees. See vallutab su tasahilju, mõjutades su energiataset, mõjutades su magamisrütmi, mõjutades su suhtlusteemasid ning reastades protsessi lõppfaasis ümber ka su seksuaalse iha objektid ja isegi tähelepanu fookuse. Olles armunud, mõtled pidevalt armastatule. Inimeste keskel viibides näed igal sammul midagi, mis meenutab teda. Meeleolu kõigub üles-alla ja vähimgi etteheide teeb sulle valu, kuigi sa tead, et see on tõenäoliselt ebaoluline või sinu ettekujutuse vili. Armastus on tugevaim sõjavägi, sest see ei tekita vastupanu. Kui vallutus on pooleli, igatseb ohver, et ta alistataks, ta ootab seda hirmuga, kuid kogu hingest ja lootusetult.

Armastus on alistumine. Sa paljastad oma haavatavaimad paigad ja loobud ettekujutusest, et suudad ennast valitseda. Haavatavus ja soov toetuse järele võib avalduda pisiasjades. Eliot kirjutas kord: „Toetavat kätt pakkudes võidab kummalisel kombel enamiku naiste poolehoiu; kuigi füüsilist abi ei pruugi parajasti vaja olla, rahuldab tajutav välise, ent ometi nende kasutuses oleva jõu kohalolu ning tunne, et abi on käeulatuses, nende kujutlusmaailma lakkamatu igatsuse."

Armastus oleneb inimeste valmidusest olla haavatav ja armastus omakorda süvendab haavatavust. See toimib, sest kui üks paljastab end, vastab teine kohe samaga. „Sind hakatakse armastama päeval, mil sa suudad näidata oma nõrkust, ilma et inimene, kellele see on suunatud, kasutaks seda oma tugevuse kinnitamiseks," kirjutas itaalia romaanikirjanik Cesar Pavese.

Järgmiseks, armastus teeb lõpu enesekesksusele. Armastus juhib sind välja tavapärasest enesearmastuse seisundist. Armastus paneb su märkama enam teisi kui iseennast.

Armunud inimene võib tunda, et taotleb isiklikku õnne, aga see on illusioon. Tegelikult soovib ta sulada ühte teise inimesega, ja kui sulandumine peaks sattuma vastuollu õnnelikkusega, valib ta tõenäoliselt sulandumise. Kui pealiskaudne inimene elab oma ego piiratuses, siis armunud inimene leiab, et tõelised rikkused ei peitu tema sisemuses, vaid väljaspool, armastatus ja armastatuga saatuse jagamises. Edukas abielu on 50aastane vestlus, mille käigus jõutakse mõistuse ja südame ühtesulamisele järjest lähemale. Armastus avaldub jagatud naeratustes ja pisarates ja lõpeb avaldusega: „Kas ma armastan sind? Ma olengi sina."

Paljud vaatlejad on täheldanud, et armastus kaotab ära saamise ja andmise vahe. Kuna armastajate minad on teineteisega läbi põimunud, segi paisatud ja kokku sulandunud, on armastatule anda nauditavam kui ise saada. Montaigne kirjutab, et armunud inimene, kes saab kingituse, teeb tegelikult suurima kingituse oma armastatule: võimaluse kogeda rõõmu, mis kaasneb kingituse andmisega. Ei saa öelda, et armastaja on suuremeelne või omakasupüüdmatu, sest armastusest pöörane armunu, kes annab armastatule, annab samas ka iseendale.

Oma kuulsas essees sõprusest kirjeldab Montaigne, kuidas sügav sõprus või armastus võivad muuta mina piire.

Meie sõpruse ainus eeskuju on see sõprus ise ja seda ei saa võrrelda millegi muuga. Selles pole mingit ühte selget kaalutlust ega ka kahte või kolme või nelja või tuhandet: see on kõikvõimalike kaalutluste sulami ma ei tea missugune kvintessents, mis haaras kaasa kogu mu tahte ning sundis selle sukelduma ja kaduma tema tahtesse; mis haaras kaasa kogu tema tahte ning sundis selle sukelduma ja kaduma minu omasse, ühesuguse näljaga ja teineteise võidu. Ma ütlen „kaduma", sest tõepoolest, see ei jätnud meile kummalegi midagi päris oma, mis oleks ainult tema oma või ainult minu oma.[iii]

---

iii   Michel de Montaigne. Esseid. Tallinn 2013, tlk Kristiina Ross, 120. – Tlk.

Järgmiseks, armastus tekitab inimestes luulelist meelelaadi. Aadam I vaatleb elu läbi utilitaristliku prisma, soovides kogeda võimalikult palju naudinguid, kaitsta valu ja haavatavuse eest, säilitada kontrolli. Aadam I tahab, et astuksid läbi elu iseseisvalt, külmalt kalkuleerides riske ja tasu ning seistes enda huvide eest. Aadam I kujundab strateegiaid ning arvutab kulusid ja tulusid. Ta tahab, et hoiaksid maailmaga distantsi. Armumine aga tähendab teatud määral mõistuse kaotamist, maagilise mõtlemise poolt ülendamist.

Armunud olla tähendab kogeda sadu üksteisele järgnevaid tillukesi tundevarjundeid, mida sa pole sel moel kunagi varem kogenud. See tekitab tunde, nagu oleks elu esimest korda ilmutanud sulle oma teise poole, mis on segu imetlusest, lootusest, kahtlustest, võimalustest, hirmudest, vaimustusest, armukadedusest, haiget saamisest ja kõigist teistest võimalikest tundmustest.

Armastus on alistumine, mitte otsus. Armastus nõuab luulelist alistumist seletamatule jõule, ilma kalkuleerimata, mis see maksma läheb. Armastus nõuab tingimusliku mõtlemise hülgamist ja armastuse jõulist väljendamist, mitte lusikatäitega mõõtmist. Selles on kübeke aukartust ja see muudab su tajusid. See suhkurdab su nägemist, mistõttu, nagu Stendhal seda väljendas, särab su armastatu nagu sädelev kalliskivi. Sinu jaoks on ta imeline, kuigi teised seda ei näe. Sinule on paigad, kus armastus õitsele puhkes, pühad, kuigi teised seda ei tunne. Kalendripäevad, mil vahetati esimesed otsustavad suudlused ja sõnad, muutuvad pühadeks päevadeks. Sinu tundmusi ei ole võimalik väljendada proosa kaudu, vaid ainult muusika ja luule, pilkude ja puudutuste kaudu. Üksteisele öeldud sõnad on nii tobedad ja ülepingutatud, et neid tuleb hoida saladuses. Päevasel ajal sõpradele lausutuna mõjuksid need jaburalt.

Sa ei armu inimesse, kellest võiks sulle kõige enam kasu olla – ta ei ole kõige rikkam, kõige populaarsem, kõige paremate sidemetega, kõige paremate karjäärivõimalustega. Aadam II-na armume me kindlasse inimesse paljalt seepärast, et tema on tema ja mina olen mina, ning põhjuseks pole midagi muud peale teatud seesmise harmoonia, inspiratsiooni, rõõmu ja meeleülenduse. Veelgi enam – armastus ei otsi otseteed, mis viib kindlalt sihile, vaid toitub loomuvastaselt teetakistustest; mõistus siin ei aita. Ehk olete proovinud hoiatada kahte armunud inimest, et nad oleksid abiellumisega ettevaatlikud, sest nende liit ei oleks õnnelik. Maagilisest mõtlemisest haaratud armunud aga ei näe, mida näevad teised, ja ilmselt ka vastupidisel juhul ei muudaks nad kurssi, sest parema meelega oleksid nad õnnetud koos kui õnnelikud eraldi. Nad on armunud, mitte ei soeta aktsiaid, ja luulelisus – pooleldi mõtlemine, pooleldi sädelevad emotsioonid, täidab neid üleni. Armastus on seisund, mis nõuab luulelisust; see eksisteerib loogikast ja arvestustest nii madalamal kui ka kõrgemal tasandil.

Sel moel loob armastus hingelise teadvustamisvõime. See on intensiivne ja kõikehõlmav, kuid samal ajal pulbitsev teadvuse muutunud seisund. Sellises olekus kogevad paljud suure tõenäosusega müstilisi hetki, mil nad tunnetavad teatud sõnatu müsteeriumi olemasolu, mis jääb teispoole inimtasandit. Nende armastus pakub neile tõelise armastuse hetki, mil armastus ei ole seotud mõne konkreetse inimesega, vaid lähtub kusagilt kõrgemast ilmast.

Oma mälestusteraamatus „My Bright Abyss" („Minu sädelev põrgu") kirjutab luuletaja Christian Wiman järgmist.

> Tõelise armastuse puhul – ema armastuses lapse vastu, mehe armastuses naise vastu, sõbra armastuses sõbra vastu – eksisteerib liigne energia, mis peab alati liikuma. Lisaks ei tundu see energia liikuvat[257] vaid inimeste vahel, vaid nende kaudu millegi muu poole. („Ma tean nüüd / et mida rohkem ta mind armastas, seda rohkem armastasin mina maailma" – Spencer Reece.) Seetõttu võib selline armastus muuta meid nõutuks ja enese alla matta (ja ma ei pea siinkohal silmas vaid hetke, mil armume; räägin pigem teistest, veidi kestvamatest suhetest): see tahab olla enam, kui on; see kisendab meie sees ja nõuab, et muudaksime selle enamaks, kui see on.

Paljudele inimestele, usklikele ja mitteusklikele, pakub armastus võimaluse kiigata teada ja tuntu taha. Praktilisemas plaanis muudab see suuremaks ka südame. Igatsus kui selline muudab südame avatumaks ja vabamaks. Armastus on nagu ader, mis avab kõva pinnase ja võimaldab asjadel kasvada. See murrab lahti kooriku, millest sõltub Aadam I, ja paljastab pehme viljaka pinnase, mis on Aadam II. Märkame sellist nähtust pidevalt: üks armastus viib teiseni, üks armastus suurendab võimalust kogeda järgmist.

Enesekontroll on nagu lihas. Kui sul tuleb päeva jooksul sageli ennast kontrollida, väsid, ja õhtul ei ole enesekontroll vähese jaksu tõttu enam nii tõhus. Armastusega on vastupidi. Mida rohkem armastad, seda rohkem suudad armastada. Inimene, kel on üks laps, ei armasta teda vähem, kui sellele lapsele peaks sündima õde-sid või vendi. Inimene, kes armastab oma kodulinna, ei armasta vähem oma riiki. Armastades suureneb võime armastada. Seetõttu mõjub armastus pehmendavalt. Me kõik teame ini-mesi, kes olid enne armumist rabedad ja soomustatud. Tolle sulni ja haavatava motivatsiooniseisundi käigus muutus nende käitumine. Räägime nende selja taga, et nad hõõguvad armastusest. Homaari kest on eemaldatud, paljastunud on õrn sisu. See on muutnud armastajad kartlikumaks ja kahjustustele altimaks, aga ka südam-likumaks ja võimelisemaks elama elu kui ohverdust. Shakespeare, kes on sel teemal vaieldamatu autoriteet, kirjutas: „Rikkusest, mis annan, mu rikkus kasvab – nad on lõpmatud."[258iv]

Niisiis, lõpuks, sunnib armastus teenimisele. Kui esialgu on armastus allapoole suunatud liikumine, mis kaevub inimese haa-vatavusse ja paljastab ta, siis lõpuks on tegemist aktiivse ülespoole suunatud liikumisega. See tekitab palju energiat ja soovi teenida. Armunud inimene ostab väikeseid kingitusi, toob teisest toast joogiklaasi ja haiguse korral taskuräti, trotsib liiklust, et minna armastatule lennujaama vastu. Armastus tähendab ööst öösse tõusmist, et imetada, aastast aastasse elamist, et hoolitseda. See tähendab lahingus oma eluga riskimist ja selle ohverdamist sõbra eest. Armastus õilistab ja muundab. Üheski teises olukorras ei elata nii sageli meie tahtmise järgi. Ühegi teise pühendumise puhul ei eirata nii suure tõenäosusega isiklikke huvisid ega panustata tingi-musteta igapäevasesse hoolitsusse.

---

iv Kasutatud Georg Meri tõlget. – Tlk.

Vahel kohtad kedagi, kel on 1000aastane süda. 1000aastase südamega inimene on võtnud kirglikust ja rahutust armumise faasist viimast. Kirglikud kuud või aastad on vajutanud ta mällu sügava pühendumise pitseri. Kunagi palavalt armastatud nimest või asja armastab ta nüüd soojalt, kuid järjekindlalt, õnnelikult, kõigutamatult. Tal ei tule mõttessegi armastada armastatut selleks, et temalt midagi vastu saada. Ta loomulik armastus on enesest-mõistetav. See on armastus kui kingitus, mitte armastus, mis ootab vastuteenet.

Selline oli armastus, mida George Lewes tundis Mary Anne Evansi vastu. Armastus teineteise vastu muutis ja õilistas neid mõlemat, kuigi Lewesiga toimunud muutus oli mitmes mõttes suurem ja õilistavam. Lewes ülistas Elioti ülimat andekust. Ta õhutas seda, kutsus seda esile ja toitis seda. Tuhande kirja ja teenega asetas ta end oma mõtetes teisele ja Elioti esimesele kohale.

OTSUS

Otsus jääda kokku oli tähendusrikas ja elu muutev. Kuigi Lewes ja ta abikaasa elasid kumbki ise majapidamises ja Agnes kandis teise mehe lapsi, oli Lewes ametlikult abielumees. Elioti ja Lewesi paariminek oleks maailma silmis olnud jultunud abielurikkumine. Kombekas seltskond jäänuks nende jaoks suletuks. Perekonnad lõi-ganuks nad endast ära. Nad, ja eriti Eliot, oleksid välja tõugatud. Elioti biograaf Frederick R. Karl tõdeb: „Mehi, kes pidasid armu-kesi, kutsuti elumeesteks, armukeseks olevaid naisi aga litsideks."[259]

Ometi tundub, et 1852.–1853. aasta talveks oli Eliot jõudnud järeldusele, et Lewes on ta hingesugulane. 1853. aasta kevadel hakkasid nad pidama ühiskonnast eraldumise plaani, et olla üksteisega. Aprillis tabasid Lewesit uimasus, peavalud ja *tinnitus* ning ta kukkus kokku. Eliot tõlkis neil kuudel Feuerbachi. Feuerbach väitis, et abielu ei ole oma sisult tegelikult juriidiline kokkulepe, vaid moraalne; selliste mõtete lugemine aitas Eliotil ilmselt otsustada, et tema ja Lewesi armastus oli tõeline ja kõrgem kui Lewesi kokkulepe oma seadusliku, kuid lahus elava naisega.

Lõpuks tuli Eliotil otsustada, millised sidemed on talle kõige olulisemad, ja ta leidis, et armastus peab ühiskondlike sidemete ees võidutsema. Nagu ta hiljem kirjutas: „Kerged ja lihtsalt katkevad suhted on need, mida ma ei soovi ei teoreetiliselt ega suudaks nendega leppida ka tegelikus elus. Naised, kes selliste sidemetega lepivad, ei talita minu kombel."

Hea inimesetundjana otsustas Eliot usaldada Lewesit, kuigi too ei olnud selleks hetkeks veel täielikult Eliotile pühendunud. Eliot kirjutas sellest oma kirjas: „Olen kaalunud hinda, mida pean oma sammu eest maksma ja olen valmis ärritumata või kibestumata leppima sellega, et mu sõbrad mu hülgavad. Ma ei eksi inimese suhtes, kellega olen end sidunud. Ta on väärt ohvrit, mida pean kandma, ja mu ainus mure seisneb selles, et Lewesit vääriliselt hinnataks."

Igasugune armastus mõjub kitsendavalt. See tähendab loobumist kõigist teistest võimalustest peale ühe. 2008. aastal Cass Sunsteini ja Samantha Poweri pulmapeol toosti lausunud kirjanduskriitik Leon Wieseltier väljendas seda mõtet pea parimal võimalikul moel.

Pruudid ja peigmehed on inimesed, kes on armastuse kaudu avastanud õnne paikse loomuse. Armastus on laiaulatuslik revolutsioon, suur revisjon; see on isiklik ja see on eriline; see on suunatud selle mehe ja tolle naise isikupärale, selle hinge ja tolle ihu isesugususele. Armastus eelistab sügavust laiusele, siinolekut eemalolekule; lähedust kaugusele ... Armastus on, või peaks olema, ajaloo suhtes ükskõikne, selle vastu immuunne – sellest pääsemise õrn ja kindel pelgupaik. Kui päev lõpeb ja pimedus saabub ning deemonite peletamisel või inglite tervitamisel on jäänud abiks vaid too teine süda, too teine meel, too teine nägu, siis pole mingit tähtsust, kes on president. Soostudes abielluma, annate nõusoleku end läbinisti tundma õppida, mis on ähvardav väljavaade; seetõttu panustab inimene armastusele, et see korrigeeriks tekkinud mulje tavalisuse ja kutsuks esile andestuse, mis on tõese pildi puhul vältimatult vajalik. Abielu on paljastus. Võime olla oma kaaslaste silmis kangelased, aga ei pruugi olla iidolid.

Tundub, et sel otsustaval hetkel oli Elioti meel hüplik. Ta teadis, et peagi muutub ta elu tundmatuseni ja sealt pole tagasiteed. Ta järeldas ilmselt, et ta senine elu oli tuginenud reale valedele valikutele ja et on aeg teha üks ja õige valik. Ta tegi sammu, mida W. H. Auden kirjeldas kuulsas luuletuses „Leap Before You Look" („Hüppa, enne kui vaatad").

Ohutunne ei tohi kaduda:
tee on kindlalt lühike ja järsk korraga,
ükskõik kui tasane see siit võib tunduda;
vaata, kui soovid, ent sa pead hüppama.

Ka kindlameelsed magades tundlevaks muutuvad
ja rikuvad eeskirju, mida rumalgi suudab järgida;
mitte tavadel, vaid hirmudel
kalduvus on kaduda ...

Riided, mida peetakse sobivaks,
pole soodsad või mugavad kanda,
seni kuni nõustume elama kui lambad
ja eal ei märka neid, kes jäävad kadunuks ...

Üksindus kümme tuhat sülda sügaval
hoiab ülal aset, millel lebame, mu arm:
kuigi armastan sind, sa pead hüppama;
me unelm ohutusest peab kaduma.

20. juulil 1854. aastal läks Eliot Londoni Toweri lähedal asu-
vale kaile ja astus Antwerpenisse sõitvale laevale nimega Ravens-
bourne. Eliot ja Lewes olid otsustanud alustada ühist elu välis-
maal. Et hoopi pehmendada, kirjutas ta paarile sõbrale kirja, milles
teatas oma otsusest. Lewes ja Eliot võtsid ühist reisi kui kooselu-
katset, kuid tegelikult sai sellest sammust alguse nende ülejäänud
elu. Mõlema jaoks oli tegemist hämmastava julgustükiga ja häm-
mastava pühendumisega vastastikusele armastusele.

KOOSELU

Nad valisid hästi. Üksteise valimine päästis nende mõlema elu. Nad reisisid koos Euroopas, peamiselt Saksamaal, kus neid tervitasid tolleaegsed suurimad kirjanikud ja intellektuaalid. Mary Anne'ile meeldis elada avalikult proua Lewesina: „Olen iga päevaga järjest õnnelikum ja kodune elu tundub mulle järjest nauditavam ja kasulikum."[260]

Londonis seevastu põhjustas nende suhe sõimurahe, mis määras ära Elioti edaspidise ühiskondliku elu. Mõni inimene nautis Elioti mahategemist, kutsudes teda abielumehe vargaks, kodurikkujaks ja seksuaalmaniakiks. Teised mõistsid, et Lewes oli samahästi kui vallaline, mõistsid armastust, mis Lewesit ja Eliotti üksteise poole tõmbas, kuid ei saanud sellest hoolimata nende suhet heaks kiita, sest see võinuks ohustada ühiskondlikku moraali. Üks endine tuttav, kes oli teostanud Elioti pea frenoloogilise uuringu, kuulutas: „Oleme sügavalt häbistatud ja murelikud; ja ma tahaksin teada, kas preili Evansi peres esineb hullumeelsust; sest Elioti käitumine – ajuga, mis tal on – tundub mulle haiglasliku vaimse hälbena."[261]

Eliot ei kahelnud enda otsuses. Ta palus end kutsuda proua Lewesiks, sest kuigi otsus Lewesiga koos olla oli olnud pigem mäss, uskus ta traditsioonilisse abiellu. Asjaolude sunnil oli ta pidanud käituma ekstreemselt, aga moraali ja filosoofia mõttes uskus ta kombekohasesse asjade käiku. Lewes ja Eliot elasid nagu tavaline abielupaar. Ja nad täiendasid teineteist. Eliot võis olla morn, ent Lewes oli ergas ja lustlik seltskonnainimene. Nad käisid koos jalutamas. Nad töötasid koos. Nad lugesid koos raamatuid.

Nad olid lahutamatud, tulihingelised, tasakaalukad ja iseseisvad. „Mis saaks olla kahe inimhinge jaoks paremat," kirjutas Eliot hiljem oma raamatus „Adam Bede", „kui tunda, et nad on koos kogu eluks – toetamas üksteist kõigis töödes, pakkumas tuge kõigis muredes, lohutamas kõigis valudes, olemas üheskoos vaiksetes sõnulseletamatutes mälestustes viimasel lahkumisel."

Side Lewesiga läks Eliotile maksma mitu sõprust. Ta pere ütles temast lahti; kõige valusam oli äratõukamine venna Isaaci poolt. Tekkinud skandaalist oli siiski ka kasu, sest see võimaldas Lewesil ja Eliotil näha sügavamale endasse ja maailma. Nad elasid pidevalt piiri peal, otsides märke solvangutest või poolehoiust. Kuna nende elu oli ühiskondlike tavadega vastuolus, tuli neil oma tegemisi jälgida erilise hoolega. Inimeste vaenulikkusest põhjustatud šokk mõjus neile ergutavalt. See võimaldas neil vahetult kogeda ühiskonna toimimist.

Eliot oli alati olnud hea teiste inimeste emotsioonide tajuja. Ta oli alati neelanud endasse raamatuid, ideid ja inimesi. Inimesed olid teda alati pidanud hirmutavalt läbinägelikuks, justkui oleks tegemist võluvõimetega nõiaga. Praegu aga olid ta mõtteprotsessid kuidagi korrapärasemad. Tundub, et tema ja Lewesi skandaalsele põgenemisele järgnenud kuudel leppis ta lõpuks oma eriliste annetega. Hakkas tekkima selge maailmavaade. Ehk oli põhjus selles, et viimaks sai ta maailmale läheneda enesekindlalt. Pärast rapsivat elu oli Eliotil lõpuks õnnestunud paika saada kõige olulisem. Ta oli usaldanud Lewesit. See oli läinud talle kalliks maksma. Ta oli saanud tuleristsed. Pikkamööda jõudis ta ikkagi teisele kaldale. Rahuldustpakkuv armastus oli seda väärt. Nagu ta kirjutas romaanis „Adam Bede": „Pole kahtlust, et suur meeleheide võib teha ära mitme aasta töö ja me võime väljuda neist tuleristsetest hingega, mis on täis uut aukartust ja uut kaastunnet."

ROMAANIKIRJANIK

Lewes oli pikka aega julgustanud Eliotti kirjutama ilukirjandust. Ta ei olnud kindel, kas Eliot suudab välja mõelda süžeeliine, kuid ta teadis, et ta on suurepärane kirjeldaja ja iseloomustaja. Pealegi maksti ilukirjanduse eest rohkem kui muude kirjutiste eest ja Lewesi perekonnal oli rahast alati puudus. Ta kehutas Eliotti proovima: „Sa pead proovima lugu kirjutada." Ühel 1856. aasta septembrihommikul, mil Eliot fantaseeris ilukirjanduse kirjutamisest, kargas talle pähe pealkiri „Reverend Amos Bartoni õnnetu elu". Lewes sattus kohe õhinasse. „Kui hea raamatu pealkiri!" hüüatas ta.

Nädal hiljem luges Eliot Lewesile ette kirjutise esimese osa. Lewes taipas otsekohe, et Eliot on andekas kirjanik. Eliot kirjutas päevikusse: „Me mõlemad nutsime selle pärast, misjärel ta tuli minu juurde ja suudles mind, öeldes: „Ma arvan, et su paatos on parem kui su naljad"". Nad mõlemad mõistsid, et Mary Anne'ist saab edukas romaanikirjanik. Temast saab George Eliot – nimi, mille ta võttis, et (teatud ajaks) varjata oma skandaalset isikut. Oskus, milles Lewes kõige enam kahtles – võime kirjutada dialooge –, oli tegelikult valdkond, milles Eliot oli eriti hiilgav. Lewes polnud ikka veel päris kindel, kas Eliot suudab tuua lugudesse tegevust ja liikumist, aga ta teadis, et kõik muud oskused on naisel olemas.

Peagi oli Lewesist saanud Elioti konsultant, agent, toimetaja, kirjastaja, psühhoterapeut ja nõunik. Lewes taipas kiiresti, et Elioti talent käib tema omast kaugelt üle, ja paistab, et Lewes tundis sellest, kuidas Eliot ta varju jättis, vaid isetut rõõmu.

Elioti põgusatest päevikusissekannetest selgub, kui lähedalt oli Lewes 1861. aastaks seotud ta kirjutiste tegevusliinide loomisega: Eliot kirjutas päeval ja luges kirjutatu seejärel Lewesile ette. Elioti eri eluaastaist pärinevate kirjade ja päevikusissekannete järgi võib öelda, et Lewes oli julgustav publik: „Lugesin ... romaani esimesi lõike ja ta rõõmustas nende üle väga ... Pärast seda lugesin kõva häälega ette, mida olin IX osa kohta George'ile kirjutanud, ja minu üllatuseks kiitis ta selle täielikult heaks ... Kui lugesin oma kallile abikaasale kõva häälega käsikirja ette, naeris ja nuttis ta vaheldumisi ja kiirustas seejärel mind suudlema. Ta on suurim õnnistus, mis on muutnud võimalikuks kõik muu, andes mulle tagasisidet kõige kohta, mida olen kirjutanud."

Lewes tutvustas Elioti romaane paljudes paikades ja pidas läbirääkimisi paljude toimetajatega. Esimestel aastatel valetas ta George Elioti romaanide tegeliku autori kohta, öeldes, et tegemist on vaimulikust sõbraga, kes soovib jääda anonüümseks. Kui tõde selgus, kaitses ta oma naist kriitika eest. Isegi hiljem, kui Eliotti peeti üheks tolle aja parimaks kirjanikuks, haaras ta esimesena ajalehtede järele ja lõikas välja ning viskas minema kõik artiklid, milles kõlas midagi muud kui külluslik kiitus. Lewesi reegel oli lihtne: „Mitte kunagi öelda Eliotile, mida inimesed ta raamatutest arvavad, olgu see hea või halb ... Lasta tal keskenduda peamiselt oma kunstile, mitte avalikkusele."

VAEVALINE ÕNN

George ja Mary Anne kannatasid edaspidigi haiguste ja depressioonihoogude käes, aga olid koos üldiselt õnnelikud. Üheskoos veedetud aastate jooksul kirjutatud kirjad ja päevikusissekanded kinnitavad igati rõõmu ja armastuse olemasolu. 1859. aastal kirjutas Lewes sõbrale: „Olen Spencerile tänu võlgu veel ühe teise ja olulisema asja eest. Tema kaudu tutvusin Marianiga – seda naist tunda tähendas teda armastada – ning sellest ajast saati olen kui uuesti sündinud. Võlgnen Mary Anne'ile tänu kogu isikliku õitsengu ja õnne eest. Jumal õnnistagu teda!"

Kuus aastat hiljem kirjutas Eliot: „Tänu üksteisele oleme õnnelikumad kui kunagi varem. Olen väga tänulik oma armsale kaasale ta täiusliku armastuse eest, mis aitab mind heas ja tasakaalustab halvas – olen järjest enam teadlik, et tema on minu suurim õnnistus."

Elioti meistriteos „Middlemarch" räägib peamiselt õnnetutest abieludest, aga kajastab põgusalt ka õnnelikke liite ja kaasadevahelist sõprust, mida ta ise oma elus nautis. „Kellegi pragamine ei tohiks mulle rohkem meeldida kui oma mehe pragamine; see on midagi, mida tuleks abielludes tähele panna," teatab üks ta raamatutegelastest. Eliot kirjutas sõbrale saadetud kirjas: „Olen iga päevaga järjest õnnelikum ning kodune elu tundub mulle järjest nauditavam ja kasulikum. Kiindumus, austus ja intellektuaalne sümpaatia süvenevad ja esimest korda elus saan öelda hetkedele: „Las need kestavad, need on nii ilusad"."

Eliot ja Lewes olid õnnelikud, aga mitte rahulolevad. Esiteks läks elu edasi. Nende juurde saabus üks Lewesi eelmisest abielust pärit poegadest, kes oli parandamatult haige, ja nad hoolitsesid tema eest ta surmani. Nii Eliotil kui ka Lewesil oli sagedasi terviseprobleeme ja depressiooniepisoode iseloomulike migreenide ja peapööritushoogudega. Hoolimata sellest tiivustas neid vajadus moraalse arengu – sügavuse ja tarkuse järele. Seda rõõmu ja ambitsiooni segu kirjeldab Eliot 1857. aastal: „Olen väga õnnelik – õnnelik suurima õnnistuse läbi, mida elu võib meile anda, tundes täiuslikku armastust ja sümpaatiat kelleltki, kes ergutab mu enda tervislikke tegusid. Tunnen ka, et kohutav valu, mida kogesin viimastel aastatel, mis oli osalt tingitud mu enda loomuse puudujääkidest ja osalt välistest asjaoludest, on tõenäoliselt olnud ettevalmistus mõneks eriliseks tööks, mida ehk saadan korda enne oma surma. See on õnnistatud lootus, mis tekitab rõõmuvärinaid."

Eliot kirjutas: „Seiklused ei toimu välismaailmas, vaid inimese sisemuses." Paljud ei suuda mõelda, kui nad ei kirjuta, ja kirjutamisprotsessi kaudu küünitas ta mingi erilise teadmise poole. Ta oli piinavalt teadlik kõigest, mida ta oli välja kannatanud, seistes oma ebakonventsionaalse käitumisega vastu kogu Briti riigiaparaadile, ja ta tundis, et peab leidma neile katsumustele rakendust.

Aja jooksul Elioti kiindumused süvenesid ja nooruse egoism ei kallutanud teda enam nii palju rajalt kõrvale. Kirjutamine aga valmistas Eliotile edaspidigi piinu. Iga raamatuga kaasnesid ärevushäireid ja depressioonihood. Ta kaotas lootuse. Sai usu tagasi. Kaotas jälle lootuse. Kirjanikuna seisnes ta loomupärane anne selles, et ta suutis tunda tugevaid tundeid, aga ka mõelda mõistlikke ja korrapäraseid mõtteid. Ta pidi kõike läbi tunnetama ja kannatama. Ta pidi muutma selle tunnetuse üksikasjaliselt läbi mõeldud vaatluseks. Tema raamatud olid kui lapsed, mis sündisid läbi valu ja kurnatuse. Nagu enamikul kirjutavatel inimestel, nii tuli ka Eliotil taluda elukutsega kaasnevat tasakaalustamatust. Kirjanik jagab midagi isiklikku ja haavatavaks tegevat, aga lugeja on kaugel ja vastu kajab vaid vaikus.

Eliotil puudus süsteem. Ta oli süsteemivastane. Nagu ta kirjutas romaanis „The Mill on the Floss" („Veski Flossi jõel"), jälestas ta „maksiime armastavaid inimesi", öeldes, et „mõttèterad ei suuda hõlmata elu keerukust ja selliste valemite kasutamine tähendab kõigi täiustuvast taipamisest ja sümpaatiast tulenevate jumalike ajendite ja inspiratsiooni allasurumist."

Eliot ei püüdnud oma raamatutes niivõrd esitada mingit väidet või midagi tõestada, kuivõrd pigem luua maailma, kuhu lugejad saaksid eri eluhetkedel minna ja iga kord midagi uut õppida. Rebecca Mead kirjutab: „Mulle tundub, et „Middlemarch" on korrastanud mu iseloomu. Tean, et see on saanud osaks mu kogemusest ja vastupidavusest. „Middlemarch" inspireeris mind, kui olin noor ja kibelesin kodust lahkuma; ja nüüd, keskealisena, näitab see raamat mulle, mida võib tähendada kodu peale selle, et see on paik, kus suureks kasvada ja kust välja kasvada."[262]

Eliot loob endale sisemise maastiku, millele on omased kõik tegelikule maastikule iseloomulikud vastuolulised impulsid ja püüdlused. Ta oli realist. Teda ei huvitanud kõrgelennulisus ega kangelaslikkus. Ta kirjutas argipäevast. Ta tegelased kipuvad tegema vea, kui põlgavad ära igapäevaelu närused ja keerukad olud ja eelistavad abstraktseid ja äärmuslikke kujutluspilte. Neil läheb hästi, kui nad püsivad kodukohas, järgivad juurdunud tavasid, lähtuvad tegutsemisel kodulinnas ja peres valitsevatest oludest. Eliot uskus, et tarkus algab täpsest ja tähelepanelikust tegeliku olukorra uurimisest, konkreetsest asjast, konkreetsest inimesest, mida ei sega abstraktsed ideed, tundevarjundid, fantaasia või pagemine religioossesse maailma.

Oma varases romaanis „Adam Bede" kirjutab ta: „Maailmas on vähe prohveteid, vähe tõeliselt kauneid naisi, vähe kangelasi. Ma ei saa kulutada kogu armastust ja austust sellistele haruldustele: tahan suure osa oma tunnetest jätta igapäevastele kaaslastele, eriti neile mõnele, kes on suure inimmassi esiplaanil, kelle näod on mulle tuttavad, kelle kätest olen kinni hoidnud, kellele pean lahkelt ja viisakalt ruumi tegema."

Ta lõpetas oma hilisema ja võib-olla silmapaistvaima romaani „Middlemarch" piduliku lõppsõnaga, milles ülistas neid, kes elavad alandlikku elu: „Ta mõjus teatud moel kõigile teda ümbritsevatele inimestele, sest maailma headus oleneb osalt mitteajaloolistest tegudest; ja see, et ei sinu ega minu olukord pole sugugi laita, tuleneb pooleldi neist inimestest, kes elavad truult varjatud elusid ja puhkavad rohtukasvanud haudades."

Elioti nägemus moraalist põhines sümpaatial. Pärast endassesüvenenud teismeiga saavutas ta hämmastava võime siseneda teiste inimeste mõtetesse ning vaadelda neid teisest vaatenurgast ja kaastundliku mõistmisega. Romaanis „Middlemarch" väljendas ta seda nii: „Pole olemas üldkehtivat õpetust, mis ei suudaks hävitada meie moraalsust, kui seda ei hoiaks vaos kaaskodanike vastu tuntav sügavalt sisse juurdunud küünarnukitunne."

Vanemas eas sai Eliotist tähelepanelik kuulaja. Kuna ta tunnetas teisi inimesi väga tugevalt, sööbisid nende elu mitmesugused faktid ja tunded talle mällu. Ta oli selline inimene, kellele ei jäänud midagi kahe silma vahele. Hoolimata sellest, et ta enda abielu oli õnnelik, rääkis ta silmapaistvaim raamat õnnetutest abieludest, mida ta suutis kirjeldada väga tõetruult.

„Iga piir tähistab nii algust kui ka lõppu," kirjutas ta romaanis „Middlemarch". Ta tunneb kaasa ka oma raamatute kõige ebasümpaatsematele tegelastele, näiteks süngele eneseimetlejast pedandile Edward Casaubonile, kes peab end andekamaks, kui ta tegelikult on, taibates seda ajapikku ka ise. Paljudes Elioti sulest pärinevates lugudes on kujutatud tõelise moraali hävitava mürgina võimetust eeskätt pere keskis üksteisele kaasa tunda ja suhelda.

SEIKLUS SISEILMAS

Eliot uskus, et maailma on võimalik parandada. Ta ei uskunud suurde kõikemuutvasse pöördesse. Ta uskus aeglasesse, pidevasse ja konkreetsesse tegutsemisse selle nimel, et iga järgnev päev saaks olla eelmisest veidi parem. Iseloomu kujunemine, nagu ka ajalooline progress, toimub kõige paremini märkamatult, igapäevase pingutuse kaudu.

Ta raamatud pidid avaldama lugejate siseelule aeglast ja püsivat mõju, suurendama nende sümpaatiat, parandama nende võimet mõista teisi inimesi, andma neile veidi enam kogemusi. Selles mõttes elas Elioti isa, ja ta kehastatav alandlik ideaal, Eliotis kogu elu. Romaanis „Adam Bede" ülistab ta paikset inimest.

Nad rühivad edasi, kuigi on harva loomu poolest andekad, olles tavaliselt hoolsad, ausad inimesed, kes oskavad ja tahavad teha hästi nende ees seisvaid töid. Väljaspool oma elupaika on nad üldjuhul tundmatud, kuid võite olla üsna kindlad, et leiate mõne korraliku teejupi või ehitise, kivimite uue kasutusala, talupidamisarenduse või kogukonna head käekäiku edendava ümberkorralduse, millega seostatakse nende nime põlvkond või paar hiljem.

Paljud Elioti tegelaskujud, ja eriti külgetõmbav Dorothea Brooke romaanist „Middlemarch", astuvad täiskasvanuellu tulihingeliste moraalsete püüdlustega. Nad soovivad saavutada püha Teresa kombel midagi suurt ja head, aga nad ei tea, mis see olla võiks, nad ei tea, mis võiks olla nende kutsumus või millest üldse alustada. Nende tähelepanu on suunatud teatud puhtale ideaalile, kusagile silmapiiri taha. Eliot oli Victoria ajastu inimene, ta uskus moraalsesse edenemisse. Oma romaanides aga kritiseeris ta selliseid kõrgelennulisi, teisest maailmast pärinevaid moraalseid eesmärke. Need on liiga abstraktsed ja võivad, nagu Dorotheagi puhul, kergesti olla ebarealistlikud ja ettekujutatavad. Ta väidab, et parim moraalne reform on hoopis seotud kõigega, mis on siin ja praegu, ning et seda suunavad ausad tunded ühe või teise inimese vastu, mitte inimkonna vastu tervikuna. Võim seisneb üksikasjades, üldistused on kahtlased. Elioti arvates ei ilmne pühadus mitte pärast maailmalõppu, vaid on osa maistest asjadest, näiteks abielust, mis küll seob, aga pakub iga päev konkreetseid eneseohverdamise ja abistamise võimalusi.

Pühadust sütitab töö, igapäevane hästi tehtud töö. Eliot võtab ette-kujutused moraalist – kohusetunde, teenimisvajaduse, innuka soovi vaigistada isekus – ning annab neile konkreetse kuju ja otstarbe.

Ta õpetab, et sellel, kui palju me saame muuta teisi inimesi või kui kiiresti suudame muutuda ise, on piirid. Suur osa elust möödub sallimise tähe all – me talume teiste inimeste nõrkusi ja isiklikke patte, püüdes neid samal ajal tasapisi ja armastusega mõjutada. „Neid kaassurelikke, igaüht neist," kirjutas ta raamatus „Adam Bede", „tuleb võtta sellisena, nagu nad on: sinu võimuses ei ole muuta sirgeks nende nina või muuta neid arukamaks või parandada nende meelelaadi; just neisse, kelle seas veedad oma elu, tuleb suhtuda sallivalt, neile tuleb kaasa tunda ja neid armastada; need on need suuremal või vähemal määral inetud, rumalad, eba-järjekindlad inimesed, kelle heategusid peaksid suutma imetleda, kelle suhtes peaksid varuks hoidma kogu oma lootuse ja kogu kan-natlikkuse." See on hoiak, millel põhines Elioti nägemus moraalist. Seda on lihtne sõnadesse panna, aga keeruline teoks teha. Eliot püüdis olla salliv ja leplik, aga ka järeleandmatu, pühendunud ja nõudlik. Ta armastas ja mõistis kohut samal ajal.

Sõna, mida seostatakse Elioti tööga kõige enam, on „küpsus". Tema raamatud, nagu ütles Virginia Woolf, on mõeldud täis-kasvanutele – neis vaadeldakse elu sellisest vaatenurgast, mis on tavalisest ühtaegu nii kaugem kui ka lähem, nii arukam kui ka hel-dem. „Inimesed ülistavad kõiksugu kangelaslikkust, välja arvatud seda, mida nad võiksid üles näidata oma lähima naabri heaks," kir-jutas ta – see on vaieldamatult küps väide.[263]

Keegi naisterahvas nimega Bessie Rayner Parkes kohtus Elio-tiga, kui too oli veel noor naine. Pärast seda kirjutas ta sõbrale, et ta veel ei tea, kas see inimene – tollal veel Mary Anne Evans – võiks talle hakata meeldima. „Ma ei tea sugugi, kas meist kumbki peaks hakkama teda kunagi sõbrana armastama. Muljest, mille ta jätab, ei nähtu veel kõrgemat moraalset eesmärki ja vaid see saab armastust juhtida. Usun, et ta muutub. Suurtel inglitel võtab tiibade sirutamine aega, aga kui nad on seda teinud, kaovad nad silmapiirilt. Preili Evansil kas ei olegi tiibu või, nagu arvan mina, on need alles tärkamas."[264]

Mary Anne Evansil oli käia pikk tee, et saada George Eliotiks. Tal tuli kasvada välja enesekesksusest ja jõuda helde sümpaatiani. Küpsemisprotsess pakkus siiski rahuldust. Ta küll ei saanud jagu depressioonihoogudest ja kirjatööde kvaliteediga seonduvast ärevusest, aga ta suutis end mõelda ning tunda teiste inimeste mõtetesse ja südametesse, et harjutada, nagu ta ütles, „sallivuse vastutust". Ta tõusis häbistatud seisundist ja jõudis elu lõpuks suure ingli kuulsuseni.

Määrava tähtsusega sündmus sellel pikal teel oli armastus George Lewesi vastu ning see tasakaalustas, ülendas ja süvendas teda. Nende armastuse viljad on näha kõigi ta raamatute pühendustes.

„Adam Bede" (1859): „Oma kallile abikaasale George Henry Lewesile pühendan ma selle töö käsikirja, mis oleks jäänud kirjutamata, kui poleks olnud õnne, mille ta on mu ellu toonud."

„Veski Flossi jõel" (1860): „Oma armastatud abikaasale George Henry Lewesile pühendan ma selle, oma kolmanda raamatu käsikirja, mis on kirjutatud meie kuuendal kooseluaastal."

„Romola" (1863): „Abikaasale, kelle täiuslik armastus on olnud ta naisele parim taipamise ja jõu allikas, on ta ustav naine, raamatu autor, pühendanud selle käsikirja."

„Felix Holt" (1866): „George Eliotilt oma kallile abikaasale, sellel kolmeteistkümnendal aastal nende ühises elus, milles naise süvenevat arusaama oma ebatäiuslikkusest lohutab nende süvenev armastus."

„Hispaania mustlane" („The Spanish Gypsy") (1868): „Mu kallile – iga päevaga kallimale – abikaasale."

„Middlemarch" (1872): „Mu kallile abikaasale, George Henry Lewesile, meie püha liidu üheksateistkümnendal aastal."

8. PEATÜKK

KORRASTATUD ARMASTUS

Augustinus sündis 354. aastal Tagaste linnas praeguse Alžeeria territooriumil. Ta sündis Rooma impeeriumi viimastel päevadel, mil impeerium oli kokku varisemas, kuid tundus ikka veel igavesena. Ta kodulinn asus impeeriumi äärealadel, 300 kilomeetri kaugusel rannikust, kultuurioludes, mis olid keeruline segu Rooma paganlusest ja tulihingelisest Aafrika kristlusest. Elu esimesel poolel võitlesid temas ta isiklikud pürgimused ja vaimne loomus.

Augustinuse isa, Patricius, kes oli vähetähtis linnanõunik ja maksukoguja, juhatas perekonda, mis paiknes kusagil keskklassi kõrgemas otsas. Patricius, kes oli materialistlik ja vaimselt loid, lootis, et kunagi teeb ta geniaalne poeg säravat karjääri, millest ta ise oli jäänud ilma. Ühel päeval nägi ta oma puberteediealist poega avalikus kümblusasutuses ja haavas teda, tehes roppu nalja ta kubemekarvade, peenise suuruse või muu sellise kohta – pilke täpne olemus on langenud unustusehõlma. „Minu kohta aga mõtles [ta] tühisusi," kirjutas Augustinus ükskõikselt.[v]

---

v   Siin ja edaspidi selles peatükis on Augustinuse „Pihtimuste" tsiteerimisel kasutatud Ilmar Vene tõlget: Aurelius Augustinus. Pihtimused. Logos, 1993. – Tlk.

Augustinuse ema Monica on alati köitnud ajaloolaste – ja psühhoanalüütikute – tähelepanu. Ühest küljest oli ta maalähedane ja harimatu naine, kes oli kasvanud kiriku rüpes, mida peeti tollal primitiivseks. Ta käis pühendunult igahommikusel jumalateenistusel, sõi surnute haudadel ning otsis unenägudest endeid ja juhatust. Teisalt oli ta uskumatult jõuline isiksus ja oma vaadetele tuginevate tõekspidamistes absoluutselt järeleandmatu. Ta oli jõuline kogukonnaliige, rahusobitaja, kuulujuttude suhtes ükskõikne, muljetavaldav ja väärikas. Augustinuse biograaf Peter Brown märgib, et ta oli võimeline vabanema vääritutest inimestest salvava sarkasmiga.[265]

Majapidamist korraldas Monica. Ta parandas abikaasa tehtud vigu ning kõrvalehüpete puhul ootas ära nende loomuliku lõpu ja tegi siis peapesu. Ta armastus poja vastu ja soov ta elu juhtida oli täitmatu ning vahel ka omakasupüüdlik ja maine. Augustinus möönis, et ta ema soovis poega enda lähedal ja käpa all hoida palju rohkem kui enamik teisi emasid. Ema ütles, et poeg hoiduks teiste naiste eest, kes võivad püüda meelitada teda abielluma. Monica pühendas oma täiskasvanuelu poja hinge eest hoolitsemisele, nunnutades teda, kui ta kaldus ema kristlusekäsitluse poole, ning nuttes ja vihast erutunult plahvatades, kui ta kaldus rajalt kõrvale. Kui Augustinus liitus filosoofilise usulahuga, mida ema heaks ei kiitnud, saatis Monica poja enda juurest minema.

28aastaselt, mil Augustinus oli juba edukas täiskasvanu, tuli tal laevaga Aafrikast lahkumiseks vedada ema ninapidi. Ta ütles emale, et läheb sadamasse sõpra laevale saatma ning lipsas armukese ja pojaga laevale. Minema purjetades nägi ta ema, nagu ta ise ütles, „kurbusest meeletuna" kaldal nutmas ja kätega vehkimas. Loomulikult järgnes ema talle Euroopasse, palvetas poja eest, koristas teelt ta armukese ja korraldas abielu 10aastase pärijannaga, lootes, et see sunnib Augustinust võtma vastu ristiusku.

Augustinus mõistis, et ta ema armastus oli kantud omandihimust, kuid ei suutnud teda kõrvale heita. Ta oli tundlik poiss, keda hirmutas ema pahameel, aga isegi täiskasvanuna oli ta uhke ema julguse ja tervemõistusliku tarkuse üle. Ta oli vaimustuses, kui avastas, et ema suudab võrdväärselt vestelda õpetlaste ja filosoofidega. Ta mõistis, et ema kannatas ta pärast rohkem, kui ta ise enese pärast kannatas, või rohkem, kui ema suutis kannatada enese pärast. „Ma ju ei suuda piisavalt väljendada, mida ta mu vastu hinges tundis ja kui palju suurema vaevaga ta sünnitas mind vaimus, kui oli elu andnud lihas."[266] Kogu selle aja armastas Monica oma poega palavalt ja varitses ta hinge. Hoolimata ema liigsest karmusest kuulusid ema ja poja leppimised ja vaimsed ühinemised Augustinuse elu helgemate hetkede hulka.

AMBITSIOON

Augustinus oli lapsena palju haige, seitsmeaastaselt vaevasid teda tõsised rindkerevalud ja keskealisena tundus ta palju vanem, kui ta tegelikult oli. Koolipoisina oli ta särava mõistusega tundlik laps, kes polnud eriti koostööaldis. Õppekava oli talle igav ning ta jälestas peksmisi, mis käisid koolidistsipliini tagamise juurde. Võimaluse korral vältis ta kooli minemist ja käis selle asemel vaatamas linnaväljakul korraldatud paganlikke karu- ja kukevõitlusi.

Juba väikese poisina oli Augustinus jäänud kahe võistleva ideaali – klassikalise maailma ja judeo-kristliku maailma vahele. Nagu Matthew Arnold kirjutab raamatus „Kultuur ja anarhia" („Culture and Anarchy"), seisneb hellenismi peamine idee teadvuse spontaansuses, aga hebraismi puhul, nagu ta seda nimetab, südametunnistuse ranguses.

See tähendab, et hellenistliku maailmavaatega inimene tahab näha asju sellisena, nagu need tegelikult on, ja uurida maailmas leiduvat suurepärasust ja headust. Nii mõtlev inimene suhtub maailma paindliku ja mängulise meelega. „Vabaneda teadmatusest, näha asju sellisena, nagu need on, ja neid nähes näha nende ilu – selline on lihtne ja ligitõmbav hellenistlik ootus inimloomusele."[267] Hellenistlik mõttelaad on „õhkkerge, selge ja kiirgav". See on täidetud „sulniduse ja helgusega".

Hebraism seevastu „kasutab ära teatud lihtsaid ja kõikehõlmavaid vihjeid üldkehtivale korrale ning pühendub, võiks öelda, uskumatult tõsimeelselt ja pingsalt nende uurimisele ja järgimisele".[268] Seega, kui hellenistliku maailmavaatega inimene kardab, et midagi jääb elus kogemata, olles samas kindlalt oma elu tüüri juures, siis hebraismi austav inimene keskendub kõrgemale tõele ja on ustav surematule korrale: „Enesealistamine, pühendumine, allumine mitte enese, vaid Jumala tahtele ja kuulekus on selle mõtteviisi peamised tahud."[269]

Hebraistliku mõttelaadiga inimene, vastupidi hellenistile, ei tunne end selles maailmas mugavalt. Ta on teadlik patust ning enda sisemistest jõududest, mis takistavad täiuslikkuse saavutamist. Arnold kirjutab: „Kristlus pakkus moraalse kurnatuse käes vaevlevale maailmale taevaliku eneseohverduse vaatemängu;

see näitas inimestele, kes endale midagi ei keelanud, kedagi, kes keelas endale kõike."[270]

Nime poolest elas Augustinus pooljumalike imperaatorite valitsemise all, kes olid tegelikult muutunud kaugeteks, aukartustäratavateks kujudeks, keda peenekombelised takka kiitjad kutsusid pidulikult „võitmatuteks" ja „maailma taastajateks".[271] Talle õpetati stoikute filosoofiat, mille järgi oli ideaalne elu rahumeelne, tundmusi alla suruv ja sõltumatu. Ta õppis pähe Vergiliust ja Cicerot. „Mulle meeldis ärritada oma kõrvu väljamõeldud lookestega, et nad seda rohkem kirvendades süütaksid mu silmis üha suuremat uudishimu," meenutas ta hiljem.[272]

Tundub, et teismeikka jõudnud Augustinus oli edukas ja populaarne. „Mind peeti paljutõotavaks poisiks," meenutas ta. Ta äratas kohaliku suurkuju Romanianuse tähelepanu, kes oli nõus maksma kinni noormehe hariduse ja saatma teda mitmesugustesse õppeasutustesse. Augustinus janunes tunnustuse ja imetluse järele ning lootis saavutada klassikalise unistuse jääda igavesti elama järeltulevate põlvede huulil.

17aastaselt läks Augustinus Kartaagosse, et jätkata õpinguid. Hingestatud memuaarides „Pihtimused" kirjapandu järgi tundub, nagu oleks lõbujanu ta alla neelanud. „Saabusin Kartaagosse," kirjutab ta oma õpinguaja kohta, „ja kõikjal ümbritses mind kohinaga häbiväärsete armusuhete virvarr." Augustinuse kohalolu ei mõjunud olukorrale just vaigistavalt. Ta kirjeldab end kui rahutut noort meest, kelle veri vemmeldas kirest, himudest, armukadedusest ja ihadest.

Veel ma ei armastanud, ja ma armastasin armastamist ning salajases rahuldamatuses vihkasin ma end

oma vähese vajaduse pärast ... Armastada ja armasta-
tud olla oli minu jaoks sulnim, kui sain lõbu tunda
ka armastatu kehast ... Sööstsin ka armastusse, iha-
tes talle anduda ... Rõõmsal meelel mähkisin ma end
vaevade võrku, et mind peksaksid armukadeduse ja
kahtluste ja hirmude ja raevude ja tülide hõõguvad
raudvitsad.

Augustinus oli ajaloo ilmselt kõige enam poputamist vajav
poiss-sõber. Ta väljendab end väga täpselt. Ta ei ole armunud teise
inimesse, vaid võimalusse pälvida kellegi armastust. Kõik keer-
leb tema ümber. Mälestustes kirjeldab ta, kuidas ta korrastamata
himud toitusid iseendast. „Pihtimuste" kaheksandas raamatus kir-
jeldab Augustinus peaaegu teaduslikult, miks tema emotsionaalse
puudustunde puhul oli tegemist sõltuvusega.

Selle järele igatsesin mina, kelle oli raudu pannud
mitte võõras jõud, vaid mu enese raudne tahe. Minu
tahet pidas enda valduses vaenlane, kes oli sellest teinud
ahela, et mind kütkes hoida. Väärdunud tahtest tekib
ju meelasus ja kui orjatakse meelasust, tekib harjumus,
ja kui harjumusele ei seista vastu, tekib vajadus. Nende
otsekui omavahel ühendatud lülide abil ... pidas mind
ränk orjus oma kütkes.

Augustinusel tuli vahetult seista silmitsi faktiga, et ta oli ise-
endaga vastuolus. Osa temast ihkas maailma pealiskaudseid nau-
dinguid. Osa temast ei kiitnud neid soove heaks. Need soovid ei

olnud kooskõlas ta teiste võimetega. Ta suutis kujutada ette sündsa-
mat elu, kuid ei suutnud seda saavutada. Ta elu oli rahutu ja korratu.
Selle palavikulise kirjatüki põhjal jääb mulje, et Augustinus
oli kui seksinäljas Caligula. Sajandite jooksul on paljud inimesed
lugenud „Pihtimusi" ja järeldanud, et Augustinus kirjutaski sek-
sist. Tegelikult ei ole teada, kui metsik Augustinus õigupoolest oli.
Arvestades seda, mida ta nende aastate jooksul saavutas, paistab, et
tegemist oli virga ja vastutustundliku noormehega. Ülikoolis läks
tal väga hästi. Kartaagos sai temast õpetaja ja karjääriredelil järgnes
üks hea ametikoht teisele. Seejärel kolis ta Rooma ja sai viimaks
töö tegelikus võimukeskuses Milanos, keiser Valentinianus II
õukonnas. Ta vabaabielu, mis oli tollal tavaline, kestis umbes viis-
teist aastat. Naine sünnitas talle ühe lapse ja Augustinus oli naisele
truu. Ta tudeeris Platonit ja Cicerot. Ta patud, nii palju kui neid
oli, tundusid seisnevat peamiselt selles, et ta käis vaatamas teatri-
etendusi ja aeg-ajalt vaatas naisi, keda kohtas kirikus. Kokkuvõttes
meenutab ta tänapäevast noort ja edukat Ivy League'i üliõpilast,
nii-öelda tavapärast meritokraati hilise Rooma impeeriumi aega-
dest. Augustinuse karjäär oli Aadam I vaadete kohaselt elus edasi-
jõudmise musternäidis.

Noore mehena kuulus Augustinus rangesse filosoofilisse usu-
lahku, mida kutsuti maniluseks ehk manihheismiks. See meenutas
veidi 20. sajandi alguse Venemaa kommunistlikku parteisse astu-
mist. See tähendas liitumist tarkade, pühendunud noorte inimeste
seltskonnaga, kes uskusid, et teavad kõike selgitavat tõde.

Manilased uskusid, et maailm jaguneb Valguse ja Pimeduse
Kuningriigiks. Nad arvasid, et eksisteerib igavene konflikt hea
ja halva vahel ning et selle konflikti käigus jääb mõni headuse

osakene pimedusse kinni. Puhas hing võis jääda lõksu surelikku kehasse.

Manilusel on loogilise süsteemina mitu eelist. Jumalal, kes on puhta headuse poolel, ei lasu vähimatki kahtlust, et ta võiks olla vastutav kurjuse eest.[273] Manilus aitab end välja vabandada ka inimestel, kes on teinud halba: „See polnud mina, ma olen olemuslikult hea, see oli Pimeduse Kuningriik, mis minu kaudu tegutses." Augustinus väljendas seda nõnda: „Teadmine, et olen süüst puhas, paisutas mu uhkust, ja kui ma tegin kurja, ei tunnistanud ma, et tegija olin olnud mina." Viimaks, olles tunnustanud neid eeldusi, oli manilus ka väga range loogikasüsteem. Kogu universumit oli võimalik seletada konkreetsete mõistuspäraste sammudena.

Maniluse järgijatel ei olnud keeruline tunda end teistest paremana. Peale selle oli neil koos lõbus. Augustinus meenutas, et talle meeldis „rääkida ja naerda koos, olla heasoovlikult valmis vastastikuseks abiks, lugeda üksteise seltsis sõnaosavalt kirjutatud raamatuid, vallatleda üheskoos ja osutada üksteisele lugupidamist, tülitseda mõnikord, kuid ilma vihata, nagu inimene tülitseb iseendaga, nii et seesama üliharv lahkheli paneb aluse paljudele kooskõladele; õpetada üksteisele ja õppida üksteiselt, igatseda tusaselt taga eemalolijaid, võtta rõõmuga vastu saabujaid".[274] Kurjusest vabanemiseks harjutati ka asketismi. Manilaste vaimulikku eliiti ehk „valitute" hulka kuulujad hoidusid suguelust ja sõid vaid teatud toite. Nad vältisid kõikvõimalikest kokkupuudetest lihaga ja neid teenindasid „kuulajad" (teiste hulgas ka Augustinus), kes tegid nende eest ära mustad tööd.

Klassikaline kultuur pidas väga oluliseks väitluste võitmist ja retooriliste oskuste demonstreerimist. Augustinus, kes järgis elus rohkem pead kui südant, avastas, et manilaste väiteid kasutades on lihtne võita väitlusi: „Võitsin alati rohkem vaidlusi, kui mulle kasulik oli, väideldes kogenematute kristlastega, kes püüdsid kaitsta oma usku."[275]

SEESMINE KAOS

Kokkuvõttes elas Augustinus Rooma unistuse kohaselt. Ometi ei olnud ta õnnelik. Ta tundis end seesmiselt killustatuna. Tal ei olnud millelegi suunata oma hingeenergiat. See lihtsalt hajus ja aurustus. Augustinuse Aadam II elu oli korratu. „Mind pillutati sinna ja tänna," kirjutab ta „Pihtimustes", „andsin endast kõik, olin sunnitud tormama mitmes suunas ja põlesin läbi."

Ta saavutas edukuse viimase astme harukordselt noorena. Talle anti võimalus kõnelda keiserliku õukonna ees. Ta ise aga tundis, et teeb vaid tühje sõnu. Ta valetas ja inimesed armastasid teda, kuni valed olid meisterlikud. Ta elus ei olnud ühtegi tõelist armastust, midagi, mis oleks väärinud tõelist pühendumist: „Olin seesmiselt näljast nõrkemas, olin hingetoiduta." Ta kuulsusejanu orjastas ta, mitte ei pakkunud rõõmu. Ta oli teiste inimeste juhuslike ja pinnapealsete arvamuste ohver, tundlik vähimagi kriitika suhtes, otsides pidevalt kuldse karjääriredeli järgmist pulka. Palavikuline sädelevate pahede jahtimine hävitas viimsegi rahupiisa.

Augustinuse killustatusetunde vaste tänapäeva maailmas on paljusid praegusaja noori painav paaniline kartus, et nad jäävad millestki ilma. Maailm pakub neile ülekülluses põnevaid tegevusi.

Loomulikult soovivad nad haarata igast võimalusest ja kogeda võimalikult palju. Nad soovivad haarata kõigest heast, mis on nende nina all. Nad tahavad toidupoes kõiki kaupu. Nad on hirmul mõttest, et võivad jääda ilma millestki, mis tundub põnev. Soovimata millestki loobuda, killustavad nad end ülearu. Veel halvem on see, et nad muutuvad toredate asjade otsijaiks, janunedes kogemuste järele ning keskendudes vaid endale. Nõnda elades muutud kavalaks taktikuks, kes sõlmib rea ettevaatlikke poolpühendumisi, kuid tegelikult ei alistu ühelegi suuremale eesmärgile. Nii kaotad võime öelda ühe ülekaaluka ja rahuldustpakkuva jah-i nimel sada ei-d.

Augustinus tundis end aina rohkem eraldatuna. Kui elad vaid enda tahtmiste järgi, muutuvad teised inimesed objektideks, mille eesmärk on rahuldada su ihasid. Kõik on kõigest millegi saavutamise vahendid. Nii nagu prostituut muutub orgasmi saamise vahendiks, saab töökaaslasest ametialase võrgustumise vahend, võõrast müügi sooritamise vahend ja abikaasast armastuse hankimise vahend.

Kasutame sõna „iha" seksuaalse himu tähenduses, kuid laiem ja õigem tähendus on isekas himu. Tõeline armastaja tunneb rõõmu armastatu teenimisest. Iha puhul liigub kõik vaid väljast sisse. Iha tundev inimene vajab, et teised täidaksid tema sees oleva tühjuse. Kuna ta tegelikult ei soovi teisi teenida ega ehitada üles täiuslikku vastastikust suhet, ei õnnestu tal kunagi täita enda sees olevat emotsionaalset tühjust. Iha algab tühjusest ja lõpeb tühjusega.

Kord nimetas Augustinus oma 15aastast vabaabielu madalamast klassist naisega „lihtlabaseks himura armastuse tehinguks".

Nende suhe ei olnud ilmselt täiesti sisutu. On raske ette kujutada, et keegi niivõrd intensiivse emotsionaalse registriga inimene nagu Augustinus oleks võtnud kergelt 15aastast lähedast suhet. Ta armastas nende ühist last. Kaudselt pühitses ta oma naise vankumatust traktaadis „Mis on abielus head". Tundub, et Augustinus kannatas, kui sekkus Monica, kes ajas naise ära, et Augustinus saaks abielluda sobilikust ühiskonnaklassist pärit rikka tüdrukuga: „Ja kui mu küljest oli kistud too naine – takistus tulevase abielu sõlmimisel –, kellega olin tavatsenud magada, siis süda, milles ta kinni oli, sai ränga haava ning veritses."

Ometi ohverdas Augustinus selle naise ühiskondliku positsiooni pärast. Nimetu naine saadeti ilma pojata tagasi Aafrikasse, kus ta väidetavasti lubas elada elu lõpuni tsölibaadis. Augustinuse ametlikuks kaasaks valitu oli vaid kümneaastane – kaks aastat noorem kui abiellumiseks vaja –, mistõttu vahepeal pidas Augustinus vajaduste rahuldamiseks veel ühte liignaist. Nii käis ta sel hetkel ümber oma elu iga valdkonnaga, heites staatuse ja edu nimel kõrvale ohvrit nõudvad pühendumised.

Ühel päeval Milanos jalutades nägi ta kerjust, kes tõenäoliselt oli just söönud korraliku kõhutäie ja võtnud veidi napsu. Mees tegi nalja ja oli muidu rõõmus. Augustinus taipas, et kuigi ta ise oli terve päeva rassinud ja rüganud, täis muret, oli kerjus, kes ei teinud midagi sellist, temast õnnelikum. Ehk kannatas ta seetõttu, et püüdles kõrgemate sihtide poole, mõtles Augustinus. Tegelikult mitte, sest ta taotles samu maiseid naudinguid, mida kerjus, kuid ei leidnud neist ühtegi.

Kahekümnendate eluaastate lõpuks oli Augustinus jõudnud eluga ummikusse. Siin ta oli – elamas vaevarikast elu, mis ei pakkunud talle kübetki toidust, mida ta vajas. Ta himustas asju, mis ei teinud teda õnnelikuks, kuid sellest hoolimata järgnes ta oma himudele. Mis ometi toimus?

ENESETUNDMINE

Augustinus reageeris kriisile iseendasse vaatamisega. Võiks arvata, et kui inimene kohkub oma enesekesksusest, astub ta sedamaid isetuse teele. Sellise inimese nõu oleks lihtne: eira ennast ja pööra tähelepanu teistele inimestele. Augustinus aga alustas peaaegu teadusliku sisekaemusega. Raske on meenutada kedagi teist Augustinusest varasemat lääne ühiskonna ajaloolist isikut, kes oleks oma vaimu nii põhjalikult läbi kaevanud.

Endasse vaadates nägi ta tohutut universumit, mis ei allunud tema kontrollile. Ta tajus endas sügavust ja keerukust, mida pea keegi polnud enne kogenud: „Kuidas korraldatakse neid mitmesuguste ja erinevate meeldivuste määrasid ühes ja samas hinges? … Oh mäherdust sügavikku tähendab inimene, kelle juuksedki, Issand, on Sul loendatud ja ei lähe Sinus kaotsi; ja siiski on ta juukseid kergem loendada kui ta tundmusi ja hingeliigutusi." See tohutu suur sisemine maailm on kirju ja muutlik. Augustinus tajub kergete aistingute tantsu ja tunnetab teadvustasandi all peituvat tohutut sügavikku.

Augustinus oli lummatud näiteks mälust. Vahel meenuvad valusad mälestused meile tahtmatult. Augustinust hämmastas inimmeele võime väljuda aja ja ruumi piiridest. „Sest ka pimedas ja vaikuses olles võin ma oma mälu abil soovi korral esile manada värve ... Midagi haistmata eristan liiliate lõhna kannikeste lõhnast. ..."[276] Augustinust hämmastas inimese mälu ulatus.

> Suur on see mälu jõud, ütlemata suur, mu Jumal, avar ja lõputu siseruum. Kes jõuaks tema põhjani? Ning see jõud on mu teadvusel ja ta kuulub mu loomuse juurde, ning ma ise ei haara mõistusega tervenisti, mis ma olen. Niisiis on teadvus kitsas iseenda sisaldamiseks. Kus see siis on, mida ta eneses ei mahuta? Kas tõesti temast väljaspool ja mitte temas? Kuidas ta siis ei mahuta? See asi kutsub minus esile suurt imetlust, hämmeldus haarab mind.

Sellest siseilma ekspeditsioonist tulenes vähemalt kaks olulist järeldust. Esiteks mõistis Augustinus, et kuigi inimesed on sündinud võrratute omadustega, oli algupärane patt mõjunud nende ihadele väärastavalt. Kuni selle hetkeni oli Augustinus palavalt ihanud teatud maiseid asju, muu hulgas ka kuulsust ja staatust. Need ei teinud teda õnnelikuks. Ometi ihkas ta neid ikka.

Üksi jäetuna ihaldame sageli valesid asju. Olgu see siis seotud magustoidukandiku või öise baariga – me teame, et peaksime valima nii, aga ikka valime naa. Nagu öeldakse piiblis Pauluse kirjas roomlastele: „Sest head, mida ma tahan, ma ei tee, vaid paha, mida ma ei taha, ma teen."

Milline müstiline olend on inimene, mõtiskles Augustinus, kes ei suuda teha seda, mida on otsustanud, kes teab, mida soovib pikas perspektiivis saavutada, kuid keskendub selle asemel lühiajalistele naudingutele, kes teeb nii palju oma elu kihva keeramiseks? Ta jõudis järeldusele, et inimesed on ise enda probleem. Peaksime ennast umbusaldama: „Kardan väga oma salajasi kalduvusi,"[277] kirjutas ta.

VÄIKESED JA TÄHTSUSETUD KÕLVATUSED

„Pihtimustes" kirjeldas Augustinus seda nähtust teismelisena põhjendamatult tehtud vembu näitel. Ühel igaval õhtupoolikul, mil 16aastane Augustinus oli sõpradega väljas, otsustati varastada lähedasest viljapuuaiast mõni pirn. Neil ei olnud pirne vaja. Nad ei olnud näljased. Need ei olnud ka kõige paremad pirnid. Nad lihtsalt varastasid need ja viskasid nalja pärast juhuslikele sigadele.

Toimunule tagasi vaadates oli Augustinus teo mõtlematusest ja labasusest rabatud. „Mina tahtsin korda saata vargust ning ma varastasin, ilma, et mind oleks seda tegema pannud mingi vaesus; mind sundisid õiglustunde puudus, õigluse jälestamine ja soov nuumata end pahatahtlikkusega ... See oli jälk ja ma armastasin seda; armastasin hukkaminekut, armastasin oma langemist; mitte toda, mille tõttu langesin, vaid ma armastasin oma langust ennast, mina, alatu ja sinu kindlusest hävingusse pudenev hing, kes ei ihanud mitte teotuse abil millegi saamist, vaid teotust ennast."

„Pihtimusi" pealiskaudselt lugenud inimestel tekib alatasa küsimus, miks suhtus Augustinus lapsepõlve vimkasse nii tõsiselt. Mina tavatsesin mõelda, et pirnide vargus tähendas tegelikult mõnda jälgimat kuritegu, millega teismelised poisid tol õhtul hakkama said, näiteks ahistasid mõnda tüdrukut või muud sellist. Augustinus aga nägi selle kuriteo põhjendamatust osana mädast tavapärasusest. Teeme selliseid väikeseid pahelisi tegusid pidevalt, need on osa meie enesega rahulolevast elust.

Tema olulisem tähelepanek on, et kaldumine vale armastuse poole, patu poole, on inimloomusele sügavalt omane. Inimesed mitte ainult ei tee pattu, vaid on patust kummalisel kombel lummatud. Olles kuulnud, et mõni kuulsus on saanud hakkama mõne ennekuulmatu teoga, me justkui pettume, kui selgub, et tegelikult ei vasta kuulujutt tõele. Kui jätta vahvad lapsed omapäi igavlema, satuvad nad peagi pahandustesse. (Briti kirjanik G. K. Chesterton märkis kord, et patu olemasolu saab jälgida mõnel kaunil pühapäevaõhtul, mil igavlevad ja rahutud lapsed hakkavad kassi kiusama.)

Ka meeldivad ühiskondlikud tavad, näiteks sõbramehelikkus ja sõprus, võivad väänduda, kui need ei ole seotud mõne kõrgema kutsumusega. Pirnide varastamise lugu on ka lugu kehvast sõprusest. Augustinus mõistab, et kui ta olnuks üksinda, poleks ta ilmselt nii käitunud. Soov olla osa sõpruskonnast, vajadus vastastikuse imetluse järele oli see, mis õhutas poisse sedasi käituma. Kardame nii väga jääda rühmast välja, et oleme valmis tegema asju, mida peaksime teistes oludes ülekohtuseks. Kui kogukondadel puudub õige eesmärk, võivad need muutuda üksikisikutest barbaarsemaks.

JUMALA KOHALOLEK

Teine Augustinuse sisekaemusest tulenev oluline tähelepanek on tõdemus, et inimmõistus ei ole eraldiseisev, vaid igavikuline. Augustinus ei leia enda sisemusest üksnes rikutust, vaid ka jälgi täiuslikkusest ja üleloomulikkusest ning emotsioone, mõtteid ja tundeid, mis ulatuvad lõplikkuse taha teise tegelikkusesse. Augustinuse meeleseisundi mõistmiseks võib öelda, et ta mõtted tegelevad käegakatsutava maailmaga, kuid kerkivad seejärel üles ja väljuvad selle maailma piiridest.

Reinhold Niebuhri sõnutsi jõudis ta Augustinuse mäluuuringu kaudu „arusaamisele, et inimhinge sügavaimad ja kõrgeimad osad on seotud igavikuga ning et see vertikaalne dimensioon on inimese mõistmisvõime juures olulisem kui vaid ta ratsionaalne võime vormida üldisi mõisteid".[278]

Sisseminev tee viib üles. Inimene vaatab endasse, kuid avastab, et teda suunatakse Jumala igaviku poole. Ta tajub Jumala olemust ja ta igavest loometööd ka enda mõistuses, tillukeses Jumala kätetöös. Sajandeid hiljem teeb C. S. Lewis sarnase tähelepaneku: „Sügavalt üksinduse südamest viib tee enesest välja; see on ühendustee millegagi, mis ei seostu ühegi meeltega tajutava objektiga, bioloogilise või sotsiaalse vajadusega või ükskõik millega, mida suudame endale ette kujutada, või mõne meeleseisundiga – see on midagi täiesti neutraalset. See igavikuline neutraalne kord on meie kõigi kujundaja. Meie elu ei saa vaadelda sellest eraldi. Patt – soov varastada pirne – tundub hoovavat kusagilt minevikust läbi inimloomuse ja iga üksiku inimese. Samal ajal on universaalsed ka pühaduse igatsemine, pürgimine kuhugi kõrgemale, soov elada heakskiidetavat ja tähenduslikku elu.

See tähendab, et inimesed suudavad ennast mõista üksnes vaadeldes endist sõltumatuid jõudusid. Inimese elu ei piirne ise-endaga. Augustinus vaatab endasse ja saab ühendust teatud uni-versaalsete moraalsete tundmustega. Ühtlasi teab ta, et suudab täiuslikkust küll ette kujutada, kuid et selle saavutamine pole kui-dagi tema võimuses. Kusagil peab eksisteerima kõrgem jõud, iga-vene moraalne kord.

Niebuhr on väljendanud seda nii: „Inimene on üksikisik, aga ta ei ole iseseisev. Tema loomuse seadus on armastus, elude harmoo-niline kooseksisteerimine ning kuuletumine oma elu jumalikule keskmele ja allikale. Seadust rikutakse, kui inimene püüab muuta iseend oma elu keskmeks ja allikaks.“

MUUTUS

Augustinus hakkas muutma oma elu. Esimese asjana lõpetas ta suhted manilusega. Maailma selge jagunemine täielikult heaks ja täielikult halvaks ei tundunud talle enam tõene. Pigem kaasneb iga voorusega mõni pahe – enesekindluscga uhkus, aususega too-rus, julgusega ettevaatamatus ja nii edasi. Eetik ja teoloog Lewis Smedes kirjeldab meie plekilist sisemaailma Augustinusega sama-moodi.

Meie sisemaailm ei jagune päevaks ja ööks, kus ühel pool on täielik valgus ja teisel pool täielik pimedus.

Enamjaolt on meie hinged varjulised paigad; elame piirialal, kus meie pimedamad küljed tõkestavad meie valgust ja heidavad varju meie sisemaailmale ... Alati ei ole võimalik öelda, kus lõpeb valgus ja algab vari või kus lõpeb vari ja algab pimedus.[279]

Augustinus hakkas ka uskuma, et manilased olid nakatatud uhkusest. Suletud ja kõike seletav tegelikkuse mudel paelus neid nende edevuse tõttu; see tekitas illusiooni, et nad olid omandanud teadmised kõigi asjade kohta. See aga muutis nad müsteeriumite suhtes külmaks ning nad ei suutnud tunda alandlikkust keerukuste ja tundmuste ees, mis Augustinuse sõnade järgi „teevad südame sügavaks". Neil oli mõistust, aga puudus mõistmine.

Augustinus oli kahe maailma vahel. Ta tahtis elada tõepärast elu. Ta ei olnud aga valmis loobuma karjäärist, seksist ega mõnest oma maisest püüdlusest. Ta soovis saavutada vanade meetoditega paremaid tulemusi. See tähendab, et ta alustas põhimõttelisest eeldusest, mis oli olnud kogu ta ambitsioonika meritokraatliku elu aluseks – see ütles, et inimene juhib oma elu peamiselt ise. Maailm on piisavalt mõjutatav ja sina saad seda vormida. Et elada paremat elu, tuleb vaid kõvemini tööd teha või pingutada tahtejõudu või teha paremaid otsuseid.

Tänapäeval püüavad sarnasel moel oma elu muuta paljud inimesed. Nad suhtuvad sellesse kui kodutöösse või kooliprojekti. Nad võtavad aega ja loevad eneseabiraamatuid, näiteks raamatut „Väga efektiivse inimese 7 harjumust". Nad õpivad parema enesekontrolli tehnikaid. Ka Jumalaga luuakse suhet samuti, nagu taotletakse edutamist või kõrgemat kraadi – vallutades: lugedes teatud raamatuid, käies järjekindlalt jumalateenistustel, harjutades näiteks korrapärase palvetamise kaudu vaimset distsipliini, kandes oma hinge eest hoolt.

UHKUS

Viimaks Augustinus veendus, et ennast järk-järgult muuta pole võimalik. Ta järeldas, et vanade meetoditega head elu ei saavuta. Seda seepärast, et probleem peitub meetodites. Ta endise elu otsustav viga seisnes arvamuses, et ta on ise oma õnne sepp. Kuni sa pead end oma hinge kapteniks, triivid tõest aina kaugemale.

Esiteks ei ole võimalik saavutada head elu ise roolis olles, sest sa ei ole selleks võimeline. Inimmõistus on nii tohutu suur ja tundmatu kosmos, et ka iseenda tundmine pole kunagi võimalik. Su tundmused on nii muutlikud ja keerukad, et sa ei suuda korraldada ise oma tundeelu. Su isud on nii lõpmatud, et sa ei suuda neid ise kunagi täita. Enesepettus on nii võimas jõud, et vaid harva oled enda vastu täiesti aus.

Peale selle on ka maailm nii keerukas ja saatus nii ebamäärane, et sa ei suuda tegelikult kunagi piisavalt tõhusalt kontrollida teisi inimesi või keskkonda, et määrata ise oma saatust. Mõistus ei ole küllalt võimekas, et ehitada intellektuaalseid süsteeme või mudeleid, mis võimaldaksid sul täielikult aduda ümbritsevat maailma või ennustada tulevikku. Su tahe ei ole piisavalt tugev kontrollimaks edukalt oma ihasid. Kui sul oleksid sellised võimed, täituksid kõik plaanid, mida uueks aastaks oled teinud. Toimiksid kõik dieedid. Raamatupoed ei oleks täis eneseabiraamatuid. Sul oleks vaja vaid ühte neist ja kõik oleks kombes. Sa järgiksid seal toodud juhtnööre, lahendaksid elumured ja ülejäänud samalaadsed raamatud muutuksid kasutuks. Järjest enamate eneseabikäsiraamatute olemasolu tõestab, et neist pole enamjaolt kasu.

Augustinus jõudis järeldusele, et probleem peitub sinu arvamuses, et sa suudad end ise päästa, sest nii võimendad sa pattu, mis sind pääsemast takistab. Uskuda, et saad olla oma elu kapten, tähendab teha uhkuse pattu.

Mis on uhkus? Tänapäeval on sõnal „uhkus" positiivne kõrvaltähendus. See tähendab, et tunned ennast oma ümbruses hästi. Negatiivses tähenduses mõtleme uhkuse all kõrki inimest, kes on ennast õhku täis tõmmanud ja on isekas, kes suurustleb ja kõnnib tähtsalt ringi. See ei ole aga uhkuse tegelik olemus. See on vaid üks viis, kuidas see tõbi endast märku annab.

Teise selgituse järgi tähendab uhkus õnne rajamist saavutustele, enda väärtuse mõõtmist töö kaudu. See on uskumine, et jõuad iseseisvalt, oma pingutuste kaudu rahuldustpakkuva eluni.

Uhkust esineb ka täispuhutud kujul. See on täispuhutud Donald Trumpi laadne uhkus. Selline inimene soovib, et kõik näeksid ta üleolekut oma silmaga. Ta soovib kuuluda väga tähtsate inimeste nimekirja. Vesteldes ta uhkeldab ja praalib. Ta tahab näha oma ülimuslikkust teiste inimeste silmades. Ta usub, et ta üleolekutunne toob talle lõpuks rahu.

See versioon on meile tuttav. On aga teisi uhkeid inimesi, kel on madal enesehinnang. Nad tunnevad, et nad pole elanud oma võimete kohaselt. Nad tunnevad end väärtusetuna. Nad tahavad varjuda ja kaduda, hajuda tagaplaanile ja tegeleda oma kannatustega. Me ei seosta neid uhkusega, kuid tegelikult kannatavad nad sama tõve käes. Ka nemad seostavad õnne saavutustega; aga selmet anda endale hindeks 5+, peavad nad endid 2– vääriliseks. Nad on tavaliselt sama solipsistlikud ja omal moel sama enesekesksed, kuid pealetükkivuse ja praalimise asemel on nad valinud enesehaletsuse ja eraldumise.

Uhkusega kaasneb omapärane vastuolu – sageli saavad siin omavahel kokku ülim enesekindlus ja ülim ärevustunne. Uhke inimene tundub sageli iseseisev ja enesekeskne, kuid on tegelikult tundlik ja ebastabiilne. Uhke inimene püüab enesehinnangut parandada hea maine saavutamise kaudu, kuid muutub seetõttu äärmiselt sõltuvaks keelt peksvast ja ebastabiilsest inimmassist. Uhke inimene soovib võistelda. Alati leidub siiski neid, kes suudavad paremini. Kõige võidujanulisem inimene seab võistluses üles lati, mille teised peavad kas ületama või millele alla jääma. Kõigile teistele peab edu olema samasugune kinnisidee. Kunagi ei ole turvaline olla. Dante on öelnud: „Sest ihkasin nii väga / esile paista kõigi teiste hulgas.“[vi]

Joovastushimulisel uhkel inimesel on kalduvus teha end naeruväärseks. Uhketel inimestel on hämmastav võime muutuda klouniks – kammida juuksed üle pea, kuigi see ei peta kedagi ära, täita vannituba kuldsete nipsasjakestega, kuigi see ei avalda kellelegi muljet, poetada juttudesse tähtsate inimeste nimesid, kuigi see ei innusta kedagi. „Iga uhke inimene,“ kirjutab Augustinus, „pöörab endale tähelepanu, ja see, kes valmistab enesele heameelt, tundub endale vapustav. See, kes valmistab heameelt endale, valmistab

vi Dante Alighieri. Jumalik komöödia. Purgatoorium. Tallinn, 2016, tlk Harald Rajamets, 92. – Tlk.

aga heameelt lollile, sest ta on loll, kui ta valmistab enesele heameelt."[280]

Kirikuõpetaja ja kirjanik Tim Keller on täheldanud, et uhkus on ebastabiilne seetõttu, et teised inimesed kas kogemata või teadlikult ei käi uhke inimese egoga ümber nii aupaklikult, kui ta arvab end olevat ära teeninud. Ta tunneb, et ta tunded saavad pidevalt haavata. Ta jääb alatiseks head nägu tegema. Selline inimene kulutab rohkem energiat endast õnneliku mulje jätmisele – postitades Facebooki uhkeid pilte ja tehes muud sellist – kui tegelikult õnnelik olemisele.

Augustinus taipas äkki, et ta probleem laheneb alles pärast seda, kui ta teeb läbi kavandatust põhjalikuma muutuse ja loobub ettekujutusest, et suudab olukorra ise lahendada.

ÜLENDUS

Augustinuse hilisemate sõnade järgi tõi Jumal ta ellu kibedust ja rahulolematust selleks, et teda endale lähemale tuua. „Ma läksin vastu küpsusele, olles oma tühisuses seda vastikum, mida aastaid sai rohkem; suutsin kujutleda vaid substantsi, mida silmaga saab näha." Või, nagu kõlab ta kuulus ütlus: „Rahutu on meie süda, kuni ta ei puhka Sinus."

Augustinuse ambitsioonikate eluaastate valu ei olnud vähemalt ta hilisema kirjelduse järgi ainuüksi enesekeskse ja ebastabiilse inimese valu. See oli valu, mis on sellisel inimesel, kes on enesekeskne ja ebastabiilne, kel on tugev aimus, et on võimalik elada paremini, kui ta ainult teaks, kuidas. Nagu teised usku pöördunud on öelnud, on nad Jumalaga niivõrd seotud, et juba enne Jumala leidmist tunnevad nad temast puudust. Nad on teadlikud millegi jumaliku puudumisest, mis närib neid seest, ja see puudus tõendab teatud kohalolu. Augustinus aimas, mida ta rahu leidmiseks vajab, kuid ometi ei ajendanud see teda ka tegelikult selles suunas liikuma.

Selleks, et liikuda killustatud elust sidusa elu ja oportunistlikust elust pühendunud elu poole, tuleb osa võimalustest välistada. Augustinus, nagu enamik meist selliseks olukorras, ei tahtnud võimalustest loobuda ega öelda lahti asjadest, mis pakkusid heaolu. Loomuomaselt kippus ta arvama, et vabaneb ärevusest, kui saab seda, mida ihkab, rohkem, mitte vähem. Seega rippus ta emotsionaalse kuristiku kohal: ühel pool religioosne elu, millele ta kartis ohvreid tuua, ja teisel pool ilmalik elu, mida ta jälestas, kuid millest ta ei loobunud. Ta käskis endal asetada iseenda asemel oma elu keskpunkti Jumala. Ta keeldus endale kuuletumast.

Ta tundis muret oma maine pärast. Ta kartis, et peab loobuma seksist, tunnetades, et tema puhul oleks tsölibaat usule pühendatud elu oluline osa. „See vastuolu minu südames tulenes vaid mu enda vastuolulistest soovidest." Tagasi vaadates, meenutas ta: „Õndsat elu armastades kartsin teda [leida] tema tõelises kohas ning otsisin teda tema juurest põgenedes."

Augustinuse tavapärane lahendus oli viivitamine. Muuda mind vooruslikuks – aga mitte praegu.

„Pihtimustes" kirjeldab Augustinus vahejuhtumit, millega ootamine viimaks lõppes. Ta istus aias ja vestles sõbra Alypiusega, kes rääkis talle lugusid Egiptuse munkadest, kes jätsid kõik, et teenida Jumalat. Augustinus oli rabatud. Inimesed, kes ei olnud

saanud osa suurepärasest haridussüsteemist, tegid hämmasta-
vaid asju, samal ajal kui süsteemi vilistlased elasid endale. „Mida
talume?" hüüatas Augustinus. „Harimatud ajavad end sirgu ja
võtavad taeva endi valdusse, meie aga oma õpetatusega, vaata, kui-
das me lihas ja veres vähkreme!"

Selles kahtluste ja enesesüüdistuste hoos tõusis Augustinus
püsti ja jalutas minema, sellal kui Alypius silmitses teda vaikse
hämminguga. Augustinus hakkas aias ringi käima ning Aly-
pius tõusis ja järgnes talle. Augustinus tundis, kuidas kõik temas
kisendas, et ta lõpetaks selle kahetise elu, et lakkaks see lõputu
rähklemine. Ta katkus ennast juustest, lõi vastu otsaesist, pigis-
tas sõrmedega põlve. Tundus nagu peksaks Jumal teda seestpoolt,
korraldades „põhjalikku halastust", mitmekordistades teda vaevava
hirmu ja häbi piinu. „Kohe saab teoks, kohe saab teoks," ütles ta
endale. Ta maised ihad ei andnud siiski nii lihtsalt järele. Ta pähe
kargas igasuguseid mõtteid. Tundus, nagu kisuksid need teda riie-
test. „Kas jätad meid maha? Sellest hetkest peale pole meid enam
sinuga mitte iialgi." Augustinus kõhkles, mõeldes: „Kas arvad, et
saad nendeta hakkama?"

Seejärel kerkis ta vaimu ja mõtteisse väärika karskuse ja enese-
ohjeldamise ideaal. „Pihtimustes" väljendab ta seda mõtet meta-
fooriliselt, nägemusena naisest. Ta ei kirjelda naist askeetliku puri-
taanliku jumalannana. Otse vastupidi – tegemist on maalähedase
ja viljaka naisega. Ta ei loobu rõõmust ja sensuaalsusest; ta pakub
nende paremat versiooni. Ta näitab kõiki noori mehi ja naisi, kes
on juba loobunud ilmalikest naudingutest usuliste kasuks. „Sina ei
suuda, mida suudavad need ja nood?" küsib ta. „Miks seisad ene-
ses, suutmata seista?"

Augustinus punastas ega suutnud ikka otsustada. „Tõusis määratu torm, mis tõi kaasa määratu pisaratesaju." Augustinus tõusis ja eemaldus taas Alypiuse juurest, tahtes olla üksi oma meelehärduses. Sel korral Alypius ei järgnenud talle, vaid lubas tal minna. Augustinus heitis pikali ühe viigipuu alla ja andis pisaratele vaba voli. Seejärel kuulis ta häält, mis kostis, nagu oleks kõnelenud mõnes naabermajas elav poiss või tüdruk. Hääl ütles: „Võta ja loe, võta ja loe!" Augustinus tundis, kuidas kõik pinged ühtäkki lahtusid. Ta avas läheduses oleva piibli ja luges esimese lõigu, millele ta pilk langes: „Mitte prassimises ega purjutamises, mitte kiimaluses ega kõlvatuses, mitte riius ega kadeduses, vaid rõivastuge Issanda Jeesuse Kristusega ja ärge tehke ihu eest hoolitsemisest himude rahuldamist!"

Augustinusel polnud tarvis edasi lugeda. Ta tundis, kuidas ta südame ujutas üle valgus, mis hajutas kõik varjud. Ta tundis, kuidas ta tahe äkitselt pöördus ja ühtäkki tekkis temas vastupandamatu soov öelda lahti maistest, piiratud naudingutest ja teenida Kristust. Elu tundus pealiskaudsete mõnudeta magusam. Sellest, millest ta oli kartnud ilma jääda, loobus ta nüüd rõõmuga.

Loomulikult läks ta otsekohe Monica juurde ja rääkis, mis oli juhtunud. Võime kujutada ette Monica rõõmuhõiskeid ja kiiduavaldusi Jumalale, et ta ammustele palvetele oli vastatud. Nagu Augustinus seda väljendas: „Sa ju pöörasid mind Enese poole ... Ja tema kurbuse muutsid sa rõõmuks palju külluslikumalt, kui ta oli tahtnud, ja see rõõm oli palju kallim ja puhtam tollest, mida ta minu liha kaudu oli soovinud oma lastelastelt."

Stseen aias ei ole tegelikult usku pöördumise hetk. Augustinus oli juba enne teatud mõttes kristlane. Pärast aias toimunut ei olnud tal kohe täielikku ettekujutust sellest, mida tähendab Kristuses elamine. Aiastseeni võib pidada ülendumise hetkeks. Augustinus pöörab selja ühtedele soovidele ja naudingutele ning on valmis kogema kõrgemaid rõõme ja naudinguid.

OHJADE ENDA KÄTTE VÕTMINE

Selline ülendumine ei tähenda vaid suguelust loobumist – kuigi Augustinuse puhul paistis see tähendavat ka seda. See tähendab loobumist kogu eneseharimise eetosest. Aadam I maailma põhivalem ütleb, et pingutusele järgneb tasu. Kui sa teed kõvasti tööd, järgid reegleid ja hoolitsed ise kõige eest, võid olla ise oma õnne sepp.

Augustinus jõudis järeldusele, et see valem on puudulik. Ta ei tõmbunud maailmast tagasi. Ta tegutses kogu ülejäänud elu poliitiliselt aktiivse piiskopina, osaledes jõhkrates ja vahel õelateski avalikes dispuutides. Ta avalik tegevus toimus täieliku alistumise tingimustes. Ta jõudis järeldusele, et sisemise rõõmuni ei vii ohjade enda kätte haaramine ja tegutsemine, vaid alistumine ja Jumalale vastuvõtlikkus. Selleks tuleb alistuda või vähemalt suruda alla oma tahe, oma ambitsioonid ja soov ise võita. Tuleb tunnistada Jumala juhtrolli ja seda, et tal juba on sinu jaoks plaan. Jumal tahab, et sa elaksid tema tõdede järgi.

Enamgi veel, Jumal on sinu olemasolu juba õigustanud. Sul võib olla tunne, et sind pannakse siin elus proovile, et positiivse otsuse ärateenimiseks tuleb sul teha tööd ja saavutada ja jätta endast jälg.

Mõnel päeval õnnestub sul tõendada, et oled väärt inimene. Teisel päeval tõendad vastupidist. Tim Kelleri sõnutsi on kristliku mõtlemise seisukohast kohtuprotsess juba lõppenud. Otsus tehti juba enne, kui sina alustasid oma esitlust. Seda seetõttu, et Jeesus oli sinu eest kohtu all. Tema pälvis hukkamõistu, mida sa väärid.

Kujuta ette, et inimene, keda armastad maailmas üle kõige, lüüakse sinu pattude pärast karistuseks naeltega plangule. Kujuta ette tundeid, mis sind seda nähes valdaksid. Kristluse seisukohast on see kõigest tagasihoidlik versioon Jeesuse sinu eest tehtud ohverdusest. Keller väljendab seda nii: „Jumal omistab Jeesuse ideaalsed teod meile, justnagu oleksime ohvri toonud meie, ja võtab meid vastu oma perekonda."[281]

Põikpäise meelelaadi probleem, nagu Jennifer Herdt väljendas oma raamatus „Putting On Virtue" („Vooruste omandamisest"), seisneb selles, et „Jumal tahab teha meile kingituse, aga meie soovime seda osta".[282] Soovime jätkuvalt pälvida lunastust ja tähendust töö ja ilmalike saavutuste kaudu. Tegelikult saavutad selle ellusuhtumise järgi lunastuse ja tähenduse, kui tõstad alistumise märgiks valge lipu ja lubad heasoovlikkusel oma hinge täita.

Õige asend oleks alistuv – käed sirutatud laiali kõrgele üles, nägu vaatamas üles, pilk suunatud taeva poole, täis rahulikku, kuid kirglikku ootust. Augustinus soovib, et võtaksid omaks sellise alistunud asendi. See asend tuleneb vajaduse tunnetamisest ja iseenda piiratusest. Vaid Jumal suudab su siseilma korrastada, mitte sina. Vaid Jumal suudab suunata su ihasid ja kujundada tundmusi, mitte sina.[283]

Augustinuse ja suure osa hilisema kristliku mõtlemise jaoks tuleneb see vastuvõtlik asend enda väikese ja patusena tundmisest võrreldes Jumala aukartustäratava väärikusega. Alandlikkust aitavad meenutada igapäevased meeldetuletused me rikutusest. Alandlikkus vabastab meid tohutust pingest, mis kaasneb pideva püüdega olla parim. See suunab meie tähelepanu mujale ja tõstab meie silmis asju, millele tavaliselt vaatame ülalt alla.

Kogu varasema elu oli Augustinus pürginud kõrgemale: ta tuli ära Tagastest, kolis Kartaagosse, Rooma ja Milanosse, otsides järjest prestiižikamaid ringkondi ja säravamat seltskonda. Ta elas, nagu meiegi tänapäeval, täielikus klassiühiskonnas, püüeldes kõrgemale. Kristluses aga, vähemalt selle ideaalkujul, ei tähenda suursugusus prestiižset ja kõrget, vaid igapäevast ja madalat. See tähendab jalgade pesemist, mitte triumfikaari. Kes iganes end ülistab, seda alandatakse. Kes end alandab, seda ülistatakse. Enne ülestõusmist, tuleb laskuda madalale. Augustinus väljendas seda nii: „Seal, kus on alandlikkus, seal on majesteetlikkus; kus on nõrkus, seal on tugevus; kus on surm, seal on elu. Kui soovid neid saavutada, ära põlga neid ära."[284]

Sellise alandliku elu kangelane ei tunne vastumeelsust kiitusega kaasnevate naudingute vastu, kuid tühised esiletõstmised, mille pälvid, ei näita sinu tegelikku väärtust inimesena. Jumala anded on nii kõikehõlmavad, et võrreldes nendega ei ole kõige säravama Nobeli auhinna laureaadi ja kahvatuima juhmardi vahe mainimisväärne. Kõige olulisemas tähenduses on kõik hinged üksteisega võrdsed.

Augustinuse kristlus nõuab teistsugust hääletooni: mitte vastuvaidlematut peremehe kombel teenijaga kärkimist, vaid lähenemist altpoolt, sisenemist igasse suhtesse madalalt, lootes jõuda kõrgemale. Ilmalik edu ja avalik tunnustus pole ilmtingimata halvad, need on lihtsalt saavutatud planeedil, mis on vaid hinge puhkuspaik, mitte teekonna lõpp-punkt. Siin teenitud edu, mis on saavutatud inetult, võib muuta lõpliku edu vähem tõenäoliseks; lõplikku edu ei saavutata teistega võisteldes.

Pole päris õige öelda, et Augustinus mõtles inimloomusest halvasti. Ta uskus, et iga inimene on tehtud Jumala näo järgi ja omab väärtust, mis õigustab Jeesuse kannatusi ja surma. Täpsem oleks öelda, et ta uskus, et inimesed, olles võimetud ise korrastama oma ihasid, ei suuda üksi, iseseisvate indiviididena, hästi elada. Nad leiavad selle korra ja tõelise armastuse, alistudes Jumala tahtele. See ei tähenda, et inimesed oleksid haletsusväärsed; see tähendab, et nad on rahutud, kuni saavad puhata Temas.

ARM

Augustinuse tõekspidamised ja suur osa üldisest kristlikust õpetusest seavad eneseharija reeglistiku kahtluse alla veel ühel olulisel moel. Augustinuse arvates ei pälvi inimesed seda, mida väärivad – vastasel korral oleks elu põrgulik. Selle asemel saavad inimesed palju rohkem, kui nad väärivad. Jumal pakub meile armulikkust – armastust, mida me pole ära teeninud. Jumal pakub kaitset ja hoolitsust just seetõttu, et me ei vääri seda ega saa seda ära teenida. Sa ei saa armu osaliseks seetõttu, et oled hästi tööd teinud või lapsevanema või sõbrana suuri ohvreid toonud. Arm on osa elus olemise kingitusest.

Selleks, et pälvida Jumala armu, tuleb sul muu hulgas loobuda mõttest, et suudad armu ära teenida. Pead loobuma meritokraatlikust impulsist, mis ütleb, et suudad Jumala enda poole võita ja saad pingutuse eest tasu. Seejärel pead olema valmis armu vastu võtma. Sa ei tea, millal Jumala arm sind tabab. Jumala armule avatud ja tundlikud inimesed tunnistavad, et on tundnud seda kõige kummalisematel ja vajalikumatel hetkedel.

Paul Tillich kirjutab jutluste kogumikus „Shaking of the Foundations" („Alusmüüride murenemisest") alljärgnevalt.

Arm tabab meid suure valu ja rahutuse hetkedel. See tabab meid hetkel, mil uitame mõttetu ja tühja elu pimedates koridorides ... See tabab meid hetkel, mil me vastikustunne iseenda olemuse, ükskõiksuse, nõrkuse, vaenulikkuse ning suuna ja enesevalitsuse puudumise pärast on muutunud meile talumatuks. See tabab meid hetkel, mil aastatepikkune täiusliku elu ootus pole täitunud, kui samad tahtmised valitsevad meid aastakümneid, kui lootusetus hävitab kogu rõõmu ja julguse. Sellistel hetkedel tabab meie pimedust mõnikord valguskiir ja tundub, nagu ütleks keegi: „Sa oled omaks võetud. *Sa oled omaks võetud,* omaks võetud kellegi poolt, kes on suurem kui sina, kelle nime sa ei tea. Ära küsi nime kohe – ehk saad selle teada hiljem. Ära püüa midagi teha kohe – ehk teed hiljem palju. Ära otsi midagi, ära tee midagi, ära plaani midagi. *Lihtsalt lepi teadmisega, et sind on omaks võetud.*" Kui meiega nii juhtub, kogeme armu. Pärast sellist kogemust ei pruugi meil olla parem kui enne ja me ei pruugi uskuda rohkem kui enne. Siiski on kõik muutunud. Sel hetkel alistab arm patu ja lepitus saab sillaks üle võõrdumise lahe. See kogemus ei oota meilt religioosseid, moraalseid ega intellektuaalseid eeldusi, ainult leppimist.[285]

Meie, kes me elame peavoolukultuuris, oleme harjunud mõttega, et inimesed pälvivad armastust seetõttu, et nad on lahked või naljakad või kenad või targad või hoolitsevad. Üllatavalt raske on võtta vastu armastust, mida arvame, et me ei ole ära teeninud. Leppides aga teadmisega, et sa oled omaks võetud, tekib suur soov sellele armastusele vastu minna ja samaga vastata.

Kedagi kirglikult armastades soovid talle pidevalt rõõmu valmistada. Tahad osta talle kingitusi. Tahad seista ta akna all ja laulda naeruväärseid laule. Samamoodi soovivad Jumalale rõõmu valmistada need, kes on tundnud ta armu. Nad naudivad tegevusi, mis võiksid talle rõõmu valmistada. Nad töötavad väsimatult kõige kallal, mis võiks nende arvates Jumalat ülistada. Soov tõusta ja Jumala armastusele vastu minna võib äratada ellu tohutu energia.

Kui inimene tõuseb ja püüab Jumalale vastu minna, siis tema soovid ajapikku muutuvad. Palvetades kujundavad inimesed tasahilju ümber oma püüdlusi, soovides aina enam seda, mis nende arvates rõõmustab Jumalat, mitte seda, mida nad arvasid rõõmustavat neid ennast.

Selle arvamuse järgi ei õnnestu enese lõplik alistamine mitte enesedistsipliini või tohutu seesmise võitluse tagajärjel. Enesealistamine saabub enesest väljumise tulemusel, Jumalaga ühte-kuuluvuse saavutamisel ja tehes asju, mis tulevad Jumalale vastu-armastuse pakkumisel loomulikult.

Selle protsessi tulemusel saabub sisemine muutus. Ühel päeval märkad, et kõik su sisemuses on ümber korraldatud. Kunagised armastused ei vaimusta enam. Sind paeluvad teistsugused asjad ja su tähelepanu on suunatud mujale. Sinust on saanud teistsugune inimene. Muutus sinus ei toimunud vaid ühe või teise kõlblus-koodeksi järgimise, karmi distsipliini või teatud harjumuste omaksvõtmise kaudu. Sa muutusid, sest hindasid ümber oma prio-riteedid, ja nagu Augustinus kordab ikka ja jälle, saad sa selleks, mida hindad.

ALANDLIK AMBITSIOONIKUS

Oleme seega jõudnud teistsuguse motivatsiooniteooriani. Kokku-võtlikult algab Augustinuse protsess hingesügavustesse sukeldu-misega, et näha sisekosmose määratust. Sisemusse sukeldumine viib väljapoole, teadlikkuseni välisest tõest ja Jumalast. See oma-korda viib alandlikkuseni, mis tuleneb enda väiksena tundmisest kõikvõimsa kõrval. See viib alandlikkuse ja enesetühjendamiseni, tehes ruumi Jumalale. See avab tee, mida mööda jõuab sinuni Jumala arm. See kingitus tekitab tohutu tänutunde, soovi pakkuda vastuarmastust, anda midagi vastu ja valmistada rõõmu. See oma-korda äratab ellu tohutu energia. Sajandite vältel on paljudel ini-mestel olnud suur soov Jumalale rõõmu valmistada. See tahtmine on olnud sama tugev kui kõik teised võimsad tegudele tõukajad: rahahimu, kuulsuse- ja võimujanu.

Selle käsitusviisi geniaalsus peitub asjaolus, et mida enam inimesed Jumalast sõltuvad, seda suurem on nende ambitsioonikus ja tegutsemisvõime. Sõltuvus ei loo passiivsust, vaid energiat ja saavutusi.

ENDISED LEMMIKUD

Pärast aias toimunud „usku pöördumist" ei oodanud Augustinust eest rahulik ja lihtne elu. Ta tundis rõõmu esialgsest optimismipuhangust, kuid taipas seejärel, et ta patusus pole kuhugi kadunud. Ta enda väärkiindumused polnudki võluväel haihtunud. Augustinuse elulookirjutaja Peter Brown kirjutab: „Minevik võib olla väga lähedal: selle võimsad ja keerukad tundmused on lahkunud alles hiljaaegu; võime ikka veel tunnetada nende piirjooni läbi õhukese uute tunnete kihi, mis on kasvanud nende peale."[286]

Augustinuse „Pihtimused", mis on teatud mõttes ta varase meheea memuaarid, ei ole mõeldud südamlike mälestustena. Need kirjutised on rasketest aegadest tingitud vajalikud ümberhindamised. Brown kirjutab: „Tal tuleb tulevikus vaadelda ennast teisiti, ja kuidas muidu ta seda saavutaks, kui mitte ümber hinnates seda osa minevikust, mis oli päädinud usku pöördumisega ja millele ta oli alles hiljuti rajanud nii suured ootused."[287]

Augustinus meenutab uskujatele, et nende elu kese ei peitu neis enestes. Aineline maailm on ilus ning seda tuleb maitsta ja nautida, aga selle maailma naudingud on kõige hõrgumad, kui neid nautida ühenduses Jumala üleloomuliku armastusega. Augustinuse palved ja meditatsioonid on täis meie maailma piire ületava maailma ülistamist. Näiteks küsib Augustinus ühes oma kõige ilusamas meditatsioonis: „Mida ma siis armastan oma Jumalat armastades?"

> Mitte keha kaunidust, mitte ajalikku ilu, mitte valguse hiilgust – minu silmadele nii meeldivat –, mitte vanade laulude sulneid ja vaheldusrikkaid viise, mitte lillede, salvide ja aroomide head lõhna, mitte mannat ja mett, mitte liikmeid, mida lihalikult meeleldi emmatakse – seda kõike ma oma Jumalat armastades ei armasta. Ja siiski armastan ma mingit valgust ja mingit häält ja mingit lõhna ja mingit toitu ja mingit embust, kui ma oma Jumalat armastan – valgust, häält, lõhna, toitu ja embust oma sisemuses, kus mu hingele särab valgus, mida ei mahuta ükski ruum, ja kus kostab heli, mida ei kaota aeg, ja kus lõhnab nii, et seda ei hajuta tuulepuhang, ja kus on maitse, mida aplus ei kahanda, ja kus on embus, mida küllastus ei lahuta. Seda ma armastan, kui armastan oma Jumalat.

Selline näeb välja elu, mis on elatud laiemas seoses. Teoloog Lisa Fullam on öelnud: „Alandlikkus kui voorus tähendab enese mõistmist laiemal taustal, mis saavutatakse tänu keskendumisele millelegi endast väljaspool."

VAIKUS

Pärast aias toimunud lahtiütlemist vedas Augustinus end kooli-aja lõpuni, õpetades retoorikat, millesse ta enam ei uskunud. See-järel läks ta koos ema, poja ja sõprade seltskonnaga viieks kuuks maamajja, mis kuulus Milanost pärit sõbrale, kelle naine oli kristlane. Maja asus Milanost umbes 30 kilomeetrit põhjapool Cassiciacumis. Seltskond osales mitmel kollokviumil, kus rühm haritlasi mõtiskles sügavatel teemadel. Augustinusel oli hea meel, et Monical oli teistega sammu pidamiseks ja isegi vestluste juhti-miseks piisavalt sünnipärast tarkust. Seejärel otsustas Augustinus naasta koju Aafrikasse, et elada koos emaga ühiskonnast tagasi-tõmbunult palves ja mõtisklustes.

Seltskond liikus lõunasse – biograafid meenutavad, et nad kasutasid sama teed, kus oli kaks aastat varem rännanud Augus-tinuse minemasaadetud armuke. Nende teed takistas sõjaväe-blokaad ja nad ei jõudnud kaugemale kui Ostia linna. Ühel päeval seisis Augustinus Ostias aknal, kust avanes vaade aiale (paljud ta elusündmused toimuvad aias), ja vestles emaga. Monica oli selleks hetkeks veendunud, et ta surm pole enam kaugel. Ta oli 56aastane.

Augustinus kirjeldab nende jutuajamist, öeldes, et neid valdas „suur lihalike meelte rõõm ... eredas maises valguses". Lähedased ema ja poeg hakkasid rääkima Jumalast: „Me läbisime järk-järgult kõik kehalised asjad ja ka taeva, kust päike ja kuu ja tähed paistavad maa peale." Neist maistest asjadest me siirdusime oma hingedesse ja läbisime need, et jõuda lõppematu külluse alale."

Seda jutuajamist kirjeldades kasutab Augustinus pikka lauset, mida on keeruline mõtestada, kuid osas tõlgetes kasutatakse siin korduvalt sõna „vaikimine" – „liha rahutus vaikis, vesi ja õhk vaikisid, kõik ulmad ja kujutluslikud ilmutused vaikisid, iga keel vaikis, kõik mööduv-nähtuv vaikis, hing vaikis liikudes endast välja vaikusesse".

Ema või poeg hüüatab: „Mitte ise pole me end teinud, vaid meid on teinud See, kes jääb igavesti." Pärast seda ütlust vaikib ka see hääl. Ja see „kes nad on teinud ... Ise räägib üksi, mitte nende, vaid Iseenda kaudu." Ning Augustinus ja Monica kuulevad Jumalat „mitte lihase keele või ingli hääle või pilve kõmina või võrdumi mõistukõne kaudu", vaid nad kuulevad „Teda Ennast". Ja nad ohkavad pärast hetke, mis oli täis täiuslikku mõistmist.

Augustinus kirjeldab siin täieliku ülendumise hetke: vaikis ... vaikis ... vaikis ... vaikis. Kogu maailma kära suubub vaikusse. Seejärel võtab nende üle võimust soov loojat kiita, kuid ka kiitus vaikib kesk kenoosi, kesk enesetühjendamist.

Seejärel valdab neid nägemus igavesest tarkusest, mida Augustinus nimetab „õnnelikeks varjatud sügavikeks". Võib ette kujutada ema ja poja ääretut rõõmu selle otsustava kohtumise üle. Pärast aastaid täis pisaraid ja viha, kontrolli ja põgenemist, katkestusi ja äraleppimist, püüdlusi ja manipuleerimist, sõprust ja võitlust, jõuavad nad lõpuks teatud laadi õlatundeni. Nad saavad kokku ja sulanduvad ühte, mõtiskledes selle üle, mida nad nüüdseks mõlemad armastavad.

Monica ütleb Augustinusele: „Poeg, mis puutub minusse, siis mind ei rõõmusta selles elus enam ükski asi ... Oli vaid üks [asi], mille pärast tahtsin veel mõneks ajaks jääda sellesse ellu: näha sind enne surma kristlasena. Mu Jumal võimaldas seda mulle ülima küllusega."

Selleks, et terveneda, tuleb mõraneda. Õige tee viib enesest välja. C. S. Lewis on märkinud, et kui minna peole teadliku sooviga muljet avaldada, ootab sind ilmselt ees läbikukkumine. Soov saab teoks vaid juhul, kui keskendud teistele inimestele. Kui alustada kunstiprojekti sooviga olla originaalne, ei ole su valmiv teos tõenäoliselt originaalne.

Sama on tüünusega. Teadlikult sisemist rahu ja pühadustunnet püüeldes jääd sellest ilma. Taotletut on võimalik saavutada vaid kaudselt, olles keskendunud millelegi välisele. Eesmärgile jõuad vaid enese unustamise kõrvalsaadusena, kui su energia on suunatud millelegi suurele.

Augustinuse puhul oli muutus määrava tähtsusega. Teadmistest ei piisa rahu ja headuse saavutamiseks, sest need ei sisalda soovi hea olla. Vaid armastus sunnib tegudele. Me ei muutu paremaks sellest, et omandame uusi teadmisi. Muutume paremaks, kui leiame paremad armastuse objektid. Me ei muutu oma teadmisteks. Haridus on armastuse tekkimise protsess. Kool peaks pakkuma uusi armastuse objekte.

Mõni päev hiljem Monica surmahaigus süvenes ja üheksa päeva pärast ta suri. Ta oli Augustinusele öelnud, et ta matmine Aafrikasse pole enam oluline, sest kõik paigad on Jumalast sama kaugel. Ta ütles Augustinusele, et hoolimata nende kõigist katsumustest polnud poeg talle öelnud ühtegi halba sõna.

Kui Monica suri, kummardus Augustinus ta kohale ja sulges ema silmad. „Mu südamesse voolas kokku määratu kurbus, valmis voolama pisaratena." Sel hetkel tundis Augustinus, kes ei olnud veel täielikult stoitsismist lahti öelnud, et ta peab end valitsema ja mitte nutma puhkema. „Kuid samas allusid mu silmad tahte tungivale käsule, neelates allika endasse tema kuivamiseni, ning niimoodi endaga võideldes oli mul väga halb olla ... Jäädes seega ilma nii suurest lohutusest, mida ta minu jaoks tähendas, sai mu hing haavata ning mu elu, mis koos tema omaga moodustas ühtse terviku, kisti justnagu lõhki."

Augustinuse sõbrad kogunesid ta ümber, sama ajal kui Augustinus püüdis ikka veel leina alla suruda: „Ma tundsin suurt häbi, et need inimlikud tundmused omasid mu üle nii suurt mõju ... Siis valutasin ma oma valus veel selle teise valuga ning kannatasin kahekordset kurbust."

Augustinus läks kümblema, et ennast koguda, jäi seejärel magama ja tundis ennast ärgates paremini. „Ning seejärel hakkasin ma endisel viisil mõtisklema Sinu ümmardajast, tema vagadusest Sinu suhtes ja tema pühaduseni lahkest ja järeleandlikust suhtlemisest meiega; äkitselt olin jäänud temast ilma, ja mulle oli kergenduseks nutta Sinu palge ees tema pärast ja tema eest, minu pärast ja minu eest."

Monica oli sündinud maailma, kus Euroopat valitses Rooma impeerium ja mõtlemist ratsionalistlik filosoofia. Oma kirjatöös kasutab Augustinus teda näitena puhta ratsionalismiga vastamisi seisvast usust, maiste pürgimustega vastamisi seisvast vaimsest järeleandmatusest. Kogu ülejäänud elu veetis Augustinus piiskopina, võideldes ja jutlustades ja kirjutades – võideldes ja väideldes. Ta saavutas nooruses igatsetud suremastuse, kuid tegi seda ettenägematul moel. Algul arvas ta, et suudab oma elu valitseda. Tal tuli sellest uskumusest lahti öelda ning langeda avatuse ja alandlikkuse seisundini. Pärast seda taganemist oli ta piisavalt avatud, et võtta vastu armu, tunda tänulikkust ja tõusta kõrgemale. Selline on edenemise-taganemise-edenemise mustriga elu. Elu, surm ja ülestõusmine. Liikumine alla sõltuvuseni, et seejärel tõusta mõõtmatutesse kõrgustesse.

9. PEATÜKK

ENESEUURIMINE

Samuel Johnson sündis 1709. aastal Lichfieldis Inglismaal. Ta isa oli edutu raamatukaupmees. Ta ema oli harimatu naine, kes sellegipoolest arvas, et oli abiellunud madalamast seisusest mehega. „Mu isa ja ema ei teinud üksteist eriti õnnelikuks," meenutas Johnson. „Nad suhtlesid harva, kuna isa ei tahtnud oma tegemistest rääkida ja ema, kuigi ta ei tundnud raamatuid, ei osanud rääkida millestki muust ... Tal puudus selge ettekujutus äriajamisest ja seega koosnesid ta sõnavõtud vaid kaeblemisest, hirmudest ja kahtlustustest."[288]

Johnson oli habras laps, kes elas kõigi üllatuseks sündimise üle. Ta anti otsekohe üle ammele, kelle piimast sai ta lümfituberkuloosi. Haiguse tagajärjel jäi ta alatiseks ühest silmast pimedaks ja ühest kõrvast kurdiks ning nägi teise silmaga halvasti. Hiljem haigestus ta rõugetesse, mille tõttu ta nägu alatiseks armistus. Teda ravinud arstid tegid haiguse leevendamiseks tuimestust kasutamata Johnsoni vasemasse kätte sisselõike. Nad hoidsid haava hobusejõhvi abil lahti kuus aastat, lastes sellest aeg-ajalt välja vedelikku, mida nad seostasid haigusega. Nad avasid ka kaelal olevad lümfisõlmed.

Ebaõnnestunud operatsioonist jäid Johnsonile eluks ajaks vasemale näopoolele kõrvast lõuani jooksvad sügavad armid. Välimuselt oli ta kogukas, inetu, armiline ja koletislik.

Ta võitles haigustega ägedalt. Kord lapsena läks ta koolist koju, kuid ei näinud hästi tänavarentslit ja kartis sellesse komistada. Ta laskus neljakäpakile, liikus niimoodi edasi ja uuris hoolega kõnnitee serva, et selle järgi samme seada. Kui üks õpetaja talle abi pakkus, sattus Johnson raevu ja ajas ta minema.

Johnson suhtus kogu elu kahtlustavalt enesekesksusse, mille suhtes kroonilised haiged tema arvates altid olid. „Haigus põhjustab suurel määral isekust," kirjutas ta elu lõpu poole. „Valudes inimene otsib leevendust." Johnsoni biograaf Walter Jackson Bate märgib, et Johnson tunnetas vastusena oma haigusele „sügavat vajadust olla enda suhtes nõudlik ja täielikult vastutav ... Iseäranis huvitav on täheldada, kui kiiresti, juba väikese lapsena – olles avastanud, et ta erineb välimuselt teistest –, hakkas ta otsima teed iseseisvuse ja oma kehalise piiratuse teadliku eiramise poole. See jäi talle alatiseks omaseks".[289]

Johnson sai põhjaliku ja range hariduse. Ta käis koolis, kus õpetati klassikalisi, renessansist kuni 20. sajandini lääneliku hariduse põhisisuks olnud õppeaineid – Ovidius, Virgilius, Horatius, ateenlased. Ta õppis ladina ja krecka keeli. Kui ta oli laisk, sai ta ihunuhtlust. Õpetajad käskisid poistel kummarduda tooli kohale ja äigasid neile kepiga. „Teen seda sinu võllast päästmiseks," ütlesid nad.[290] Hilisemas elus kurtis Johnson peksmiste üle. Ometi pidas ta keppi siiski leebemaks kui psühholoogilist survet ja emotsionaalset manipuleerimist – veenmisvahendeid, mida kasutavad paljud tänapäevased lapsevanemad.

Kõige olulisema hariduse omandas Johnson omapäi. Kuigi tal ei tekkinud oma eaka isa vastu kunagi sooje tundeid, luges ta läbi isa raamatuvarud, neelates reisikirjeldusi, armastusromaane ja ajalooraamatuid, tema erilised lemmikud olid uljad rüütlilood. Lugedes lasi ta fantaasial lennata. Üheksa-aastaselt luges ta „Hamletit" ja jõudis vaimu stseenini. Ta pages hirmust haaratuna tänavale, et veenduda elava maailma olemasolus. Tal oli hea mälu. Kui ta oli palvet korra või paar lugenud, teadis ta seda elu lõpuni peast. Näib, et ta mäletas kõike, mida oli lugenud, meenutades vestlustes mõnda aastakümneid varem loetud tundmatut kirjanikku. Kui ta oli väike poiss, oli ta isal kombeks temaga enne pidulikke õhtusöömaaegu uhkeldada ja käskida pojal imetlevale publikule deklameerida. Noorele Samile oli isa edevus tülgastav.

Kui Johnson oli 19aastane, sai ema pärand.seks väikese summa, millest jätkus üheks aastaks Oxfordis õppimiseks. Johnson kasutas võimaluse kohe ära. Oxfordi saabudes oli ta täielikult teadlik oma võimetest, ta põles ambitsioonikusest ja pakatas, nagu ta hiljem ütles, soovist endale nime teha ja „nauditavast lootusest saavutada igavene kuulsus". Olles aga harjunud iseseisvalt õppima ja tundes end paljudest teistest üliõpilastest majanduslikult ja sotsiaalselt kehvemana, ei suutnud ta Oxfordi reeglitest kinni pidada. Selle asemel et tundetule süsteemile alistuda, võitles ta sellega, reageerides vähimalegi autoritaarsuseilmingule toore vägivallaga. „Olin vihane ja vägivaldne," meenutas ta hiljem. „See oli kibestumus, mida peeti ülemeelikuseks. Olin ääretult vaene ja mõtlesin rajada endale teed kirjanduse ja nutikuse abil; seega eirasin igasugust jõudu ja võimu."[291]

Johnsonit peeti säravaks üliõpilaseks. Ta pälvis kiitust Alexander Pope'i luuletuse ladina keelde tõlkimisega. Pope ise ütles, et ei oska öelda, kumb on parem, kas ladinakeelne tõlge või originaal. Ent Johnson oli ka mässumeelne, toores ja laisk. Ta ütles juhendajale, et oli loengutest puudunud, sest eelistas kelgutamist. Ta töötegemist iseloomustasid terve elu vältel pidevad pausid ja taasalustamised. Tal oli kombeks päevade kaupa laiselda ja kella põrnitseda, oskamata öelda õiget aega; sellele järgnes üliaktiivne ajajärk, mille käigus valmis meisterlik töö ühe hingetõmbega ja õigeks ajaks.

Johnsonist sai Oxfordis teataval määral kristlane. Ühel päeval asus ta lugema William Law' teoloogilist teost „A Serious Call to a Devout and Holy Life" („Tõsine üleskutse vagaks ja pühaks eluks"). Ta kirjutas: „Eeldasin, et see on igav raamat (nagu sellised raamatud tavaliselt on) ja saab veidi naerda. Selle asemel pidin tõdema, et Law on minust üle. See oli esimene kord pärast mõistuspärase uurimisoskuse omandamist, mil suhtusin religiooni tõsiselt." Law raamat, nagu ka Johnsoni hilisemad moraalikirjutised, on konkreetne ja praktiline. Law loob tegelaskujude abil satiirilisi portreesid inimestest, kes eiravad oma vaimseid huvisid. Ta rõhutab, et maised püüdlused ei toida südant. Kristlus tegelikult ei muutnud Johnsonit, vaid ta sai veel rohkem iseendaks, olles äärmiselt kahtlustav enesekesksuse ja rangete enesele esitatud moraalsete nõudmiste osas.

Olles teadlik oma vaimsetest võimetest, pidas ta kogu elu meeles piibli tähendamissõna talentidest, võttes südamesse õppetunni, mille järgi „halb ja laisk sulane", kes ei ole täielikult kasutanud talle osaks saanud andeid, heidetakse „välja kaugele pimedusse, seal on ulgumine ja hammaste kiristamine". Johnsoni Jumal oli pigem karm kui armastav või tervendav Jumal. Johnson oli teadlik oma küündimatusest ja kartis pälvida hukkamõistu ning elas terve elu tundmusega, et ta üle mõistetakse pidevalt kohut.

Pärast Oxfordi-aastat sai Johnsoni raha otsa ja ta naasis häbistatult Lichfieldi. Tundub, et teda tabas tõsine depressioonihoog. Ta kroonik James Boswell kirjutas: „Teda valdas kohutav hüpohondria, ta oli pidevalt ärritunud, rahutu ja kannatamatu; lisandusid rusutus, süngus ja lootusetus, mis muutsid olemise talumatuks."[292]

Johnson võttis enda tegevuses hoidmiseks ette 50kilomeetriseid rännakuid. Ehk kaalus ta ka enesetappu. Tundub, et ta ei suutnud kontrollida oma liigutusi. Tal tekkisid tahtele allumatud tõmblused ja liigutused, mida paljud tänapäevased asjatundjad peaksid Tourette'i sündroomiks. Ta väänutas oma käsi, kõigutas end ette-taha ja tegi peaga veidraid sundliigutusi. Ta tekitas kummalist vilistavat heli ja ilmutas obsessiiv-kompulsiivse häire sümptomeid: ta koputas tänaval jalutades kepiga veidraid rütme, ning kui oli vaja mõnda kohta siseneda, siis luges astutud sammud üle ja sisenes uuesti, kui arv ei sobinud. Temaga koos einestamine oli paras katsumus. Ta sõi nagu metsloom, kugistades rohmakalt kiirustades alla suure koguse toitu ning ajades palakesi oma silmapaistvalt räpastele riietele. Romaanikirjanik Fanny Burney kirjutas: „[Ta] nägu on kõige koledam, isik kõige kohmakam ja kombed kõige eriskummalisemad, mida kunagi on nähtud või nähakse. Teda saadavad pea alati kramplikud liigutused, mida ta teeb käte, huulte, jalgade või põlvedega või vahel kõigiga korraga."[293] Kui võõrad teda kõrtsis kohtasid, pidasid nad teda eksikombel külalolliks või kellekski, keda on tabanud mõni nõdrastav vaimuhäda. Seejärel aga üllatas ta neid erudeeritud ja klassikutele viitava pika mõtte-avaldusega. Tundub, et ta nautis selliseid olukordi.

Johnsoni kannatused jätkusid aastaid. Ta püüdis hakata õpe-tajaks, kuid tahtmatud liigutused panid õpilased teda rohkem naeruvääristama kui austama. Tema rajatud kool oli ühe ajaloolase hinnangul „oletatavasti kõige edutum erakool hariduse ajaloos". 26aastaselt abiellus Johnson 46aastase Elizabeth Porteriga ja pal-jud pidasid neid kummaliseks paariks. Biograafid ei ole osanud Porterist, keda Johnson kutsus Tettyks, eriti midagi arvata. Oli ta kena või kõhetu? Oli ta elutark või kergemeelne? Tema tunnus-tuseks võib öelda, et ta nägi Johnsoni koreda pealispinna all tule-vast suurust, ja Johnson omakorda oli naisele kogu elu truu. John-son oli suure empaatia- ja kiindumisvõimega väga õrn ja tänulik armastaja, kuid nad veetsid palju aastaid lahus, elades kumbki oma elu. Koolile pandi alus Porteri rahadega, millest suur osa läks selles riskantses ettevõtmises kaduma.

Kuni 20. eluaastate lõpuni oli Johnsoni elu olnud lõputu häda-org. 1737. aasta 2. mail asus Johnson koos oma endise õpilase David Garrickiga (kellest sai hiljem üks kuulsamaid briti näitlejaid) teele Londoni poole. Johnson seadis end sisse marginaalsete kirjanike tänava, Grub Streeti lähistel ja püüdis teenida elatist vabakutselise kirjanikuna. Ta kirjutas mistahes teemal ja žanris: luulet, draamat, poliitilisi esseesid, kirjanduskriitikat, kõmulugusid, vabu esseesid – kõike, mis müüs. Grub Streeti töörügaja päevad olid sihitud, korrapäratud ja sageli täis armetut peost suhu elamist. Luuletaja Samuel Boyse pantis kõik oma riided ja istus paljalt voodis teki all. Ta lõikas teki sisse käe jaoks paraja augu ja kirjutas luuletusi põlvele toetatud paberilehtedele. Raamatut kirjutades pantis ta esimesed leheküljed, millest saadud raha eest ostis süüa, et saaks edasi kirjutada.[294] Johnson ei langenud kunagi päris nii madalale, aga enamasti, ja iseäranis esimestel aastatel, tuli ta vaevu ots otsaga kokku.

Ometi sai Johnson sel ajal hakkama ühe ajakirjanduse kõigi aegade kõige hämmastavama saavutusega. 1738. aastal võttis Briti alamkoda vastu seaduse, millega kuulutati parlamendikõnede avaldamine „ametiseisundi kuritarvitamiseks". Ajakiri The Gentleman's Magazine otsustas avaldada kõnede veidi hägused ilukirjanduslikud versioonid, et inimesed siiski teaksid, mis toimub. Kahe ja poole aasta vältel kirjutas kõnesid ainsana Johnson, kes oli käinud parlamendis vaid korra. Tal oli allikas, kes ütles talle, kes ja millises järjekorras kõnelesid, millised olid üldised seisukohad ja kuidas neid põhjendati. Johnson mõtles seejärel välja väljendusrikkad kõned, nagu need võisid olla tegelikkuses ette kantud. Kõned olid nii hästi kirjutatud, et kõnelejad ei teinud katsetki neid ümber lükata. Neid peeti ehtsateks ümberkirjutusteks vähemalt järgmised 20 aastat. Veel 1899. aastal ilmus neid maailma parimaid kõnesid koondavates antoloogiates, kusjuures autoritena olid märgitud väidetavad kõnelejad ise, mitte Johnson.[295] Kuuldes kord pidulikul õhtusöögil pealt seltskonna vaimustunud vestlust William Pitt vanema hiilgava kõne teemal, sekkus Johnson, öeldes: „Selle kõne kirjutasin ma Exeteri tänaval katusekambris."[296]

Johnson elas tänapäeval tuttavat, kuid tema ajal ebatavalisemat elu, mille jooksul pidi ta ikka ja jälle iseenda eest vastutama. Ilma kindla ameti – näiteks põllupidaja või õpetaja elukutse – ja perekondlike toetavate sidemeteta oli ta sunnitud elama vabakutselisena, sõltudes vaid iseenda nutikusest. Kogu ta saatus – rahaline kindlus, kogukondlik staatus, sõprussuhted, arvamused ja tähendus inimesena – olenes ta peas olevatest ideedest.

Sakslastel on sellise seisundi kohta eraldi sõna: *Zerrissenheit*, mis vabalt tõlgituna tähendab „killustumist". See tähendab seesmise sidususe kadumist, mis võib olla rööprähkleva, sajas suunas kulgeva elu tagajärg. Kierkegaard nimetas seda „vabaduse peapöörituseks". Kui välised piirangud annavad järele, kui inimene võib teha, mida tahab, kui valikuid ja segajaid on tuhandeid, võivad elust kaduda sidusus ja suund, juhul kui inimesel puudub tugev seesmine raamistik.

Johnsoni seesmist killustatust süvendas ta loomus. „Kõik tema iseloomus ja käitumises oli jõuline ja äge," märkis Boswell – kuidas ta rääkis, sõi, luges, armastas ja elas. Paljud ta omadused olid pealegi üksteisega vastuolus. Tahtmatutest tõmblustest ja manerismist vaevatuna ei suutnud ta täielikult oma keha kontrollida. Depressioonist ja ebastabiilsusest vaevatuna ei suutnud ta täielikult oma vaimu kontrollida. Ta oli läbinisti seltskonnainimene, kes hoiatas terve elu üksindusega kaasnevate ohtude eest, kuid ta oli kinni kirjanikuametis ja kirjutamine nõudis pikki eraldatuseperioode. Ta elas faktiliselt poissmeheelu, kuid tal oli tohutult tugev seksuaaltung ja ta võitles kogu elu millegagi, mida ta pidas „rüvetavateks mõteteks". Ta ei olnud hea keskenduja. „Olen läbi lugenud vähe raamatuid," tunnistas ta. „Tavaliselt on need nii vastumeelsed, et ma lihtsalt ei suuda neid lugeda."[297]

1. KUJUTLUSVÕIME

Teda piinas ka ta enda kujutlusvõime. Meie, kes me elame post-romantilisel ajastul, peame kujutlusvõimet tavaliselt süütuks ja lapselikuks omaduseks, mis võimaldab olla loov ja pakub meeldivaid kujutluspilte. Johnsoni nägemuses oli kujutlusvõime midagi, mida tuli sama palju karta kui hinnata. Kõige hullem oli olukord öösiti. Neil pimedatel tundidel piinas kujutlusvõime teda, tekitades hirme, armukadedust, väärtusetusetunnet ning asjatuid kiituse ja imetluse pälvimise lootusi ja ettekujutusi. Johnsoni sünge seisukoha järgi pakub kujutlusvõime meile ideaalseid ettekujutusi kõikvõimalikest kogemustest – näiteks abielust –, põhjustades pettumust, kui kujutluspildid ei vasta tegelikkusele. Kujutlusvõime vastutab ka hüpohondria ja teiste murede eest, mis eksisteerivad vaid meie peas, ning paneb meid kadedalt võrdlema, tekitades kujutluspilte sellest, kuidas me võidutseme konkurentide üle. Kujutlusvõime lihtsustab me lõputuid ihasid ja tekitab ettekujutuse, et soovitu on teostatav. See röövib meilt suure osa saavutatu üle tuntavast rahulolust, pannes meid mõtlema peamiselt asjadest, mis on tegemata. See ei lase meil nautida hetke, vaid paneb mõtlema ees ootavatele võimalustele.

Johnsonit rabas, hämmastas ja hirmutas mõttemeele tabamatu loomus. Ta täheldas, et sarnaneme kõik veidi Don Quixote'iga, võideldes ettekujutatud kelmidega ja elades peas keerlevaid mõtteid, mitte tegelikku olukorda arvestades. Johnsoni aju tegi pidevalt tööd, olles endaga vastuolus. Ühes ajalehele The Adventurer saadetud essees kirjutas Johnson: „Me ei peaks olema väga üllatunud või solvunud, kui teised meie arvamust ei jaga, sest küllalt sageli on meil iseendagagi erimeelsusi."

Johnson ei alistunud neile vaimsetele deemonitele, vaid võitles nendega. Ta oli sõjakas nii teiste kui ka iseendaga. Kui toimetaja süüdistas teda aja raiskamises, lükkas Johnson, kes oli suur ja tugev mees, ta pikali maha ning pani jala kaelale. „Ta oli häbematu ja ma andsin talle peksa, ta oli puupea ja ma ütlesin talle seda."

Johnsoni päevikud kubisevad enesekriitikast ja lubadustest aega paremini plaanida. 1738. aastal kirjutab ta: „Mu jumal, luba mul ... lunastada aeg, mille olen veetnud laiseldes." 1757. aastal: „Kõikvõimas Jumal. Lase mul vabaneda laiskusest." 1769. aastal: „Ma kavatsen ja loodan hakata ärkama ... kell 8, ja jõuda samm-sammult selleni, et ärkan kell 6."[298]

Kui ta suutis tööpõlguse ületada ja pliiatsi paberile panna, oli ta ülimalt produktiivne. Ta võis korraga kirjutada 12 000 sõna ehk 30 raamatulehekülge. Selliste puhangute ajal kirjutas ta 1800 sõna tunnis ehk 30 sõna minutis.[299] Vahel seisis jooksupoiss ta kõrval ja viis täiskirjutatud paberi kohe trükkimisse ning Johnson ei saanud kirjutatu juurde tagasi pöörduda ega parandusi teha.

Johnsoni tänapäevane biograaf Walter Jackson Bate tuletab meile meelde, et kuigi Johnsoni vabakutselisena kirjutatud tööde hulk ja kvaliteet hämmastab meid, ei ilmunud esimese 20 aasta jooksul tema nime all ühtegi tööd. Osalt oli see ta enda otsus, osalt oli see tingitud tollastest Grub Streeti reeglitest. Keskeale lähenedes tundis ta, et ei ole teinud midagi, mille üle uhkust tunda, ega midagi, milles ta oleks enda arvates saanud piisavalt rakendada oma andeid. Ta oli peaaegu tundmatu, ärevusest tulvil ja emotsionaalselt katki. Tema enda sõnul oli ta elu olnud „üdini haletsusväärne".

Meie ettekujutus Johnsonist põhineb Boswelli meisterlikul elulooraamatul „Samuel Johnsoni elu" („Life of Johnson"). Boswell oli elunautleja ja vaimuliku abiline, kes tundis vaid vanemaealist Johnsonit. Boswelli Johnson on kõike muud kui haletsusväärne. Boswelli Johnson on lustlik, vaimukas, terviklik ja mõjus. Boswelli teosest leiame mehe, kes on saavutanud teatud sidususe. See oli ehitustöö tulemus. Kirjutamise ja vaimse pingutuse abil lõi Johnson sidusa maailmapildi. Ta saavutas teatud terviklikkuse lihtsustusi tegemata. Ta muutus usaldusväärseks, tema peale sai kindel olla.

Johnson püüdis kirjutiste kaudu teenida ja ülendada ka lugejaid. „Kirjaniku kohus on muuta maailma paremaks," kirjutas Johnson kord, ning täisikka jõudnuna oli ta selleks leidnud ka tee.

2. HUMANISM

Kuidas ta seda tegi? Ta ei teinud seda rohkem üksi kui me kõik. Tänapäeval räägitakse iseloomu ja ka teiste teemadega seoses peamiselt üksikisikutest, kuid iseloom tekib kogukonnas. Johnson juhtus saama täisealiseks ajal, mil Britannias tegutses seltskond uskumatult andekaid kirjanikke, maalikunstnikke, kunstnikke, riigimehi ja intellektuaale, Adam Smithist Joshua Reynoldsi ja Edmund Burke'ini. Igaüks neist tõstis oivalisuse latti järjest kõrgemale.

Nad olid humanistid, kelle teadmised pärinesid lääne ühiskonna suurte kanooniliste tekstide süvalugemisest. Nad olid kangelaslikud, kuid see oli intellektuaalne, mitte sõjaline kangelaslikkus. Nad püüdsid näha maailma selge pilguga, võideldes

inimloomusele omasest edevusest ja rikutusest tuleneva enesepet-
tusega. Nad püüdlesid praktilise ja moraalse tarkuse poole, mis
annaks neile seesmise terviklikkuse ja eesmärgi.
Johnson oli sellise inimtüübi ideaalne esindaja. Johnsoni bio-
graafi Jeffrey Meyersi sõnul oli ta „vastuolude kogum: laisk ja ener-
giline, agressiivne ja õrn, kurvameelne ja naljatlev, tervemõistuslik
ja irratsionaalne, usust lohutust leidev ja samas piinatud".[300] James
Boswelli sõnutsi võitles Johnson nende impulssidega enda sees
nagu Rooma gladiaator Colosseumis. „Ta võitles areenil metsikute
elajatega, kes olid valmis talle võimaluse avanedes kallale sööstma.
Pärast kokkupõrget ajas ta nad tagasi oma urgastesse, kuid ei tap-
nud neid, ning nad ründasid teda ikka ja jälle." Johnson kombi-
neeris kogu elu Achilleuse vaimset sitkust rabi, preestri või mulla
kaastundliku usuga.

Johnson töötas maailma läbi ainsal võimalikul moel: oma (vaevu
toimiva) silma, vestluste ja pliiatsi abil. Kirjanikud ei ole tavaliselt
suurepärased moraalsuse kehastused, aga võib ütelda, et Johnson
kirjutas end vooruslikuks.

Johnsoni töötamispaikadeks olid kõrts ja kohvik. Johnson –
paks, sagris ja inetu – oli üllatavalt lustlik inimene. Ka rääkimine
oli tema jaoks üks mõtlemise viise, ta puistas üksteise järel moraal-
seid mõtteteri ja vaimukusi, olles segu Martin Lutherist ja Oscar
Wilde'ist. „Johnsoniga ei ole mõtet vaielda," ütles kord romaani- ja
näitekirjanik Oliver Goldsmith, „sest kui ta püstol tõrgub tulis-
tamast, lööb ta su pikali selle päraga." Johnson kasutas vaidlustes
käepäraseid argumente ja vahetas sageli poolt, kui talle tundus,
et see võiks muuta väitluse nauditavamaks. Paljud ta kuulsad

ütlemised jätavad mulje, nagu oleksid need tekkinud spontaansete kõrtsivestluste käigus või nagu oleks neid niimoodi lihvitud, et need tunduksid spontaansed: „Patriotism on kaabaka viimane pääsetee ... Korralik vaeste eest hoolitsemine on inimühiskonna tõeline proovikivi ... Inimene, kes teab, et ta ripub kahe nädala pärast võllas, suudab oma meele oivaliselt keskendada ... Inimene, kes on tüdinud Londonist, on tüdinud elust."

Johnsoni kirjanduslikku stiili iseloomustas heale vestlusele omane poolt- ja vastuargumentide vaheldumine. Ta esitas seisukoha, tõi seejärel tasakaalustamiseks välja vastuargumendi, mille tasakaalustas omakorda uue vastuargumendiga. Ülaltoodud paljutsiteeritud mõtteterad jätavad Johnsonist vale mulje – mulje kellestki, kes on oma vaadetes kindel. Tema tavapärane vestlusstiil oli järgmine: ta võttis mõne teema, näiteks kaardimängu, loetles sellega seonduvad voorused ja pahed ning valis siis ettevaatlikult poole. Abielust kirjutades ilmneb Johnsoni kalduvus näha heaga kaasnevat halba: „Joonistasin märkmikku skeemi kõigist naiselikest voorustest ja pahedest, kus voorused piirnevad pahedega ja pahed on seotud voorustega. Leidsin, et nutikus on sarkastiline ja suuremeelsus kõrk; et ahnus on säästlik ja võhiklikkus alandlik."

Johnson oli tulihingeline dualist, kes uskus, et vaid pinged, paradoksid ja iroonia suudavad edasi anda tegeliku elu keerukust. Ta ei olnud teoreetik ja seega ei häirinud teda vasturääkivused ehk asjad, mis justkui ei kuulu kokku, kuid tegelikult teevad seda siiski. Kirjanduskriitik Paul Fussell täheldas, et Johnsoni kirjutistes sageli esinevad *aga*'d ja. *ometi*'d kujundasid ta kirjutiste põhiolemuse, tema arusaama, et millegi mõistmiseks ja kõikide vasturääkivuste nägemiseks tuleb vaadelda asja eri külgedest.[301]

Jääb mulje, et Johnson täitis palju aega lihtsalt olesklemise ja tillukeste tobedate ettevõtmistega, millega sõprade seltskonnas tavaliselt aega surnuks lüüakse. Saanud teada, et keegi on mõnes paigas jõkke uppunud, hüppas Johnson ka ise samas vette, et näha, kas ta jääb ellu. Saanud teada, et püss võib plahvatada, kui sellesse on pandud liiga palju laskemoona, pani Johnson kohe püssitorusse ühe kuuli asemel seitse ja lasi seina pihta.

Johnson sukeldus ülepeakaela Londoni ellu. Ta intervjueeris prostituute. Ta magas parkides koos luuletajatega. Ta ei arvanud, et teadmisi on kõige parem koguda üksinduses. Ta kirjutas: „Õnne ei leia üksinda mõtiskledes, seda on võimalik tajuda vaid teistelt tagasi peegeldumas." Ta lootis õppida ennast tundma kaudselt, katsetades oma tähelepanekuid silmanähtava reaalse maailma peal. „Pean kaotatuks iga päeva, mil ma ei tutvu mõne uue inimesega," märkis ta. Üksindus hirmutas teda. Ta oli alati viimane, kes pubist lahkus, eelistades allakäinud sõbra Richard Savage'iga öö läbi tänavatel jalutamist kodu kummituslike kambrite üksildusse naasmisele.

„Kõik rahvad on olemuselt tegelikult ühiselulised," täheldas ta. „Kombeid ei leia õppeasutustest ega suursugustest paleedest." Johnson suhtles kõigi ühiskonnaklasside inimestega. Elu lõpu poole pakkus ta oma majas peavarju hulkuritele. Ta rõõmustas ja solvas lorde. Kui Johnson oli suure vaevaga saanud valmis oma suure sõnaraamatu, üritas lord Chesterfield hilinenult taotleda tunnustust ettevõtmise patroonina. Johnson noomis teda, kirjutades ühe kõigi aegade silmapaistvaima protestikirja, mille haripunkt oli järgmine lõik.

Patroon, mu lord, ei ole ju keegi, kes vaatab osa-
võtmatult pealt, kuidas inimene vees oma elu eest võit-
leb, ja kui too inimene on kaldale jõudnud, teda abiga
koormab? Tähelepanu, mida olete mu tööle pööranud,
oleks olnud lahke, kui see oleks tulnud varem; kuid
see on viibinud, kuni olen muutunud ükskõikseks ega
tunne sellest heameelt, kuni olen üksildane ega saa sel-
lest osa võtta, kuni olen tuntud ega soovi seda.

3. TÄIELIK AUSUS

Johnson ei uskunud, et inimeste peamisi probleeme on võimalik
lahendada poliitika või ühiskondlike olude ümberkorraldamisega.
Lõppude lõpuks pärinevad tema sulest kuulsad värsiread: „Tilluke
on inimvaevades see / mida seadus või kuningas meil' teeb". Ka ei
olnud ta metafüüsik ega filosoof. Talle meeldis teadus, aga ta pidas
seda teisejärguliseks. Ta eiras neid, kelle elu möödus pedantse
uurimistöö tähe all, mida ümbritses „õppimise tolm", ning tundis
sügavat umbusku intellektuaalsete süsteemide vastu, mis püüdsid
kõike olemasolevat siduda üheks loogiliseks tervikuks. Ta lubas
endal huvituda kõigest, millele ta pilk peatuma jäi, luues mitme
valdkonna asjatundjana valdkondadevahelisi seoseid. Johnson
toetas seisukohta, et „seda, kes oskab rääkida vaid ühel teemal või
tegutseda vaid ühes valdkonnas, vajatakse harva või üldse mitte,
samas inimest, kes tunneb eri valdkondi, suudab sageli kasuks olla
ja alati heameelt valmistada".[302]

Ta ei olnud müstik. Tema elufilosoofia, mis keskendus tugevalt „elavale maailmale", nagu ta seda ise nimetas, oli maalähedane, tulenedes ajaloo- ja ilukirjanduse lugemisest ja vahetutest tähelepanekutest. Paul Fusselli hinnangul eitas Johnson igasugust determinismi. Ta ei pooldanud arvamust, mille järgi kujundavad käitumist ebaisikulised vääramatud jõud. Ta keskendas oma terava pilgu alati iga inimese eripäradele. Ralph Waldo Emerson märkis hiljem, et „hingi ei päästeta karjakaupa".[303] Johnson uskus tulihingeliselt igaühe salapärasesse keerukusse ja sisemisse väärikusse.

Kõigest hoolimata oli ta moralist selle sõna kõige paremas tähenduses. Ta uskus, et enamik probleeme on moraalse taustaga. „Ühiskondlik õnn peitub vooruslikkuses," kirjutas ta. Tema, nagu paljude tolleaegsete humanistide arvates tuleb inimesel eelkõige teha järjekindlaid moraalseid valikuid. Koos teiste humanistidega uskus ta, et ilukirjandus võib olla võimas moraalse arengu soodustaja. Ilukirjandus ei paku vaid uusi teadmisi, vaid ka uusi kogemusi. See võib avardada meie teadvuse piire ja anda tõuke olukorra hindamiseks. Ilukirjandus võib anda juhatust ka naudingute kaudu.

Tänapäeval vaatlevad paljud kirjanikud ilukirjandust ja kunsti vaid esteetilisest vaatepunktist, Johnson pidas neid aga moraalseteks ettevõtmisteks. Ta lootis, et teda arvatakse nende autorite hulka, kes lisavad „voorustele kirglikkust ja tõele kindlust". Ta lisas: „Kirjaniku kohus on muuta maailma paremaks." „Niisiis," kirjutab Fussell, „kujutab Johnson kirjutamist ette millegi kristliku sakramendi laadsena, mida anglikaani katekismuses defineeritakse kui „meile antud seesmise ja hingelise armu välist ja nähtavat märki"".

Johnson elas palgaliste sulemeeste maailmas, ning kuigi ta kirjutas kiiresti ja raha pärast, ei lubanud ta endale kehva tööd. Selle asemel püüdles ta täieliku kirjandusliku aususe ideaali poole. „Esimene samm suureks saamisel on olla aus," oli üks Johnsoni mõtteterasid.

Ta ei hinnanud inimloomust kõrgelt, kuid suhtus sellesse kaastundega. Vana-Kreeka ajal ei peetud Demosthenest heaks oraatoriks tema kogelemisest hoolimata; ta oli hea oraator kogelemise *tõttu*. Puudusest sai ajend vastava oskuse täiustamiseks. Kangelase tugevuseks saab tema nõrkus. Johnson oli suurepärane moralist oma puuduste tõttu. Ta mõistis, et ei suuda neid kunagi alistada. Ta mõistis, et tema lugu ei ole selline voorusega pahe alistamise lugu, mida inimestele meeldib rääkida. Parimal juhul on see lugu sellest, kuidas voorus õpib pahega koos elama. Ta kirjutas, et ta ei otsi oma puudustele ravi, vaid leevendust. Olles teadlik alalisest võitlusest, oli ta teiste puuduste suhtes kaastundlik. Ta oli küll moralist, aga ta oli ka õrna hingega.

4. HAAVATUD MEHE KAASTUNNE

Kui soovite teada, millised pahed piinasid Samuel Johnsonit, vaadake, millistel teemadel kirjutas ta esseesid: süütunne, häbitunne, pettumus, igavus ja nii edasi. Bate nendib, et neljandik Johnsoni Rambleri sarjas ilmunud esseedest puudutab kadedust. Johnson mõistis, et eelkõige on tal kalduvus pahaks panna teiste inimeste edukust: „Inimkonna peamine viga seisneb selles, et me ei ole rahul sellega, kuidas elu on oma ande jaganud."

Selle heastas Johnsoni intellektuaalne voorus, milleks oli mõtteselgus. Tänu sellele oli ta osav vormima selgeid ja tsiteeritavaid tähelepanekuid. Neist enamikus avaldub inimeksimusi puudutav psühholoogiline läbinägelikkus.

- Andekale inimesele toob vaid harva hukatust keegi teine peale ta enda.
- Kui oled jõude, ära ole üksi; kui oled üksi, ära ole jõude.
- On inimesi, kelle tahaks hea meelega kõrvale heita, tahtmata, et nemad sinu kõrvale heidaksid.
- Igasugune enesekriitika on kaudne kiitus. See näitab, kui paljuta inimene on võimeline läbi ajama.
- Inimese peamine saavutus on oma loomupäraste impulsside eiramine.
- Üheski paigas ei väljendu inimlootuste tühisus veenvamalt kui avalikus raamatukogus.
- Vähesed saavad uhkustada südamega, mida nad julgevad enda ette laiali laotada.
- Loe oma kirjatöö üle, ja kus tahes leiad lõigu, mis tundub sulle iseäranis suurepärane, tõmba see maha.
- Iga inimene usub loomupäraselt, et suudab teha, mida on otsustanud; teda ei veena tema nõrgamõistuslikkuses muu kui vaid pikk aeg ja paljud katsetused.

Moraali käsitlevate esseedega õnnestus Johnsonil maailm korrastada, ankurdada oma kogemused tõe püsivuse külge. Tal tuli end vaigistada, et saada maailmast objektiivne ettekujutus. Masendunud inimestel on sageli tunne, et nende üle on võimust võtnud mingi kõikehõlmav, kuid kirjeldamatu kurbus. Johnson seevastu sööstab otse keset valu, surub selle maad ligi, teostab lahkamise ja teeb selle osaliselt relvituks. Kurbusest kirjutatud essees nendib Johnson, et enamik tugevaid tundeid juhatavad sind tunde hääbumiseni. Nälg viib söömise ja küllastumuseni, hirm põgenemiseni ja iha seksini. Kurbus aga on erand. Kurbus ei suuna sind lahenduse poole. Kurbus toitub kurbusest.

See on nii seetõttu, et kurbus on „selline meeleseisund, mille puhul meie ihalus on suunatud minevikku, mitte ei vaata tulevikku; see on lakkamatu soov, et midagi oleks olnud teisiti; see on piinav ja ahistav soov mingi naudingu või omanduse järele, millest oleme ilma jäänud". Paljud püüavad kurbust vältida, elades tagasihoidlikku elu. Paljud püüavad kurbust leevendada, sundides end minema seltskonnaüritustele. Johnson ei kiida sellist taktikat heaks. Selle asemel soovitab ta: „Kurbuse turvaline ja üldlevinud rohi on töö ... Kurbus on kui rooste hingel, mida aitab eemaldada iga uus idee. See on seisma jäänud elust tingitud roiskumine, mida saab ravida tegutsemise ja liikumisega."

Johnson kasutab oma esseesid ka enesega silm silma vastas seismise harjutustena. „Johnsonile on elu võitlus," kirjutab Fussell, „moraalne võitlus."[304] Johnson kirjutab esseesid teda ennast vaevavatel teemadel: meeleheidest, uhkusest, uudsusejanust, igavusest, aplusest, süütundest ja upsakusest. Ta ei tee endale illusioone, et ta suudaks endale loenguid pidades vooruslikuks muutuda. Küll aga saab ta kavandada ja plaanida viise tahte treenimiseks. Näiteks oli kadedus varases täiskasvanueas tõesti Johnsoni tavapahe. Ta mõistis enda andeid, aga mõistis ka, et teised on edukad, samal ajal kui tema tegemised ebaõnnestuvad.

Ta mõtles välja strateegia südames peituva kadeduse alistamiseks. Ta ütles, et üldiselt ta ei arva, et ühte pahet peaks ravima teisega. Kadedus aga on nii halvaloomuline meeleseisund, et peaaegu mistahes teise omaduse domineerimine on eelistatav. Niisiis valis ta uhkuse. Ta ütles endale, et teise inimese kadestamine tähendab enda alaväärsuse tunnistamist, ning et on parem rõhuda enda paremusele kui alistuda kadedusele. Kui Johnsonil tekkis kiusatus kedagi kadestada, veenis ta end oma üleolekus.

Seejärel pöördus ta piibellikumate teemade juurde ning jutlustas ligimesearmastust ja halastust. Maailm on pattudest ja kurbusest pungil, mistõttu „pole kedagi kadestada". Igaühe elus on mõni suur mure. Pea keegi ei tunne oma saavutustest tõelist heameelt, sest nende soovid on neist alati ees, piinates neid nägemustega asjadest, mida neil pole.

5. TÕE PÜSIVUS

Johnsoni sõnu esseist Joseph Addisoni kohta võib üle kanda ka talle endale: „Ta oli mees, kel ei jäänud märkamata ükski laiduväärsus; ta tabas kiiresti ära möödalaskmised või naeruväärsused ega kartnud neid avalikustada."

Järjekindla vaatluse ja uurimise tulemusel õnnestus Johnsonil muuta oma elu. Noore mehena oli ta haiglane, masendunud ja läbi kukkunud. Keskea lõpuks polnud mitte ainult ta maised saavutused pälvinud laialdast imetlust, vaid teda peeti ka suure hingega inimeseks. Johnsoni biograaf Percy Hazen Houston selgitas, kuidas sai nii armetu ja valuliku lapsepõlvega inimene vaadelda maailma läbi sallivuse ja halastuse prisma.

Ta hing oli karastunud ja ta käsitles inimkäitumist puudutavaid küsimusi oma kohutava kogemuse valguses, mis võimaldas tal kindlalt ja mõistmisega tungida sügavale inimeste käitumismotiivide maailma. Tunnetades selgelt inimelu tühisust ja inimteadmiste piiratust, jättis ta lõplike põhjuste mõistatuse rahumeeli endast kõrgema jõu hoolde, sest Jumala eesmärgid pole teada ja inimese eesmärk selles maises elus peaks seisnema seaduste otsimises, mille abil on võimalik valmistada end ette jumaliku halastuse saabumiseks.[305]

Johnson mõtles pingsalt ning jõudis ennast ümbritseva keeruka ja mõrase maailma osas kindlale arusaamisele. Selleks püüdis ta järjekindlalt näha asju sellisena, nagu need on. Selleks oli vaja tõsist tahet, enesekriitikat ja moraalset kirge.

6. MONTAIGNE

Johnsoni moraalse uurimistöö kaudu toimunud iseloomukujundamise olemust saab avada kontrastses võrdluses teise suure esseisti, vaimustava 16. sajandi prantsuse kirjaniku Michel de Montaigne'iga. Nagu ütles üks mu õpilane, Haley Adams, on Johnson nagu idaranniku räppar – intensiivne, tõsine, võitluslik. Montaigne on nagu läääranniku räppar – sama elulähedane, aga ka pingevaba, mahlakas, päikesest läbi imbunud. Montagne oli silmapaistvam esseist kui Johnson. Tema meistriteosed lõid ja määratlesid selle kirjandusliku vormi. Omal moel oli ta moraalselt sama tõsine, sama pühendunud enesemõistmise ja vooruseni viiva tee leidmisele. Nende lähenemine aga oli erinev. Johnson püüdis end muuta otserünnaku ja tõsise pingutuse kaudu. Montaigne oli endast ja oma nõrkadest külgedest rohkem lõbustatud, taotledes vooruslikkust enesega leppimise ja leebete eneseparandamisele suunatud tegevuste kaudu.

Montaigne'i üleskasvamine erines Johnsoni lapsepõlvest nagu öö päevast. Montaigne'i lapsepõlv möödus Bordeaux' lähistel asuvas mõisas jõuka ja auväärse, ennast üles töötanud perekonna armastatud liikmena. Teda kasvatati leebelt ja hoolitsevalt humanistliku plaani järgi, mille mõtles välja mees, keda Montaigne pidas maailma parimaks isaks; muu hulgas nägi plaan ette hommikust sulnist äratust mõne muusikainstrumendi heli saatel. Kasvatuse tulemusel pidi temast saama haritud, mitmekülgne ja leebe inimene. Ta käis prestiižikas internaatkoolis ning teenis seejärel linnanõuniku ja kohaliku parlamendi liikmena.

Montaigne'i elu oli mõnus, erinevalt ajast, mil ta elas. Ta avalikus teenistuses olemise ajal toimus mitu kohalikku ususõda, millest mõne puhul püüdis ta täita vahendaja rolli. 38. eluaastal tõmbus ta avalikust elust tagasi. Ta soovis pöörduda tagasi oma valdustesse ja veeta aega teadmisi omandades. Johnson kirjutas Grub Streeti pulbitsevas kõrtsimelus; Montaigne kirjutas oma lossitornis asuva raamatukogu eraldatuses, avaras ruumis, mida kaunistasid Kreeka, Rooma ja piibli mõtteterad.

Esialgu kavatses Montaigne uurida klassikuid (Plutarchos, Ovidius, Tacitus) ja õppida oma kirikult (avalikult oli ta ortodokssete vaadetega rooma katoliiklane, kuigi tundus, et olles pigem maise kui abstraktse mõtlemisega, ammutas ta teoloogiast vähem tarkust kui ajaloost). Ta mõtles, et kirjutab õpetatud palasid sõjast ja kõrgpoliitikast.

Ta vaim aga ei lubanud tal seda teha. Nagu Johnsonile, hakkas ka Montaigne'ile keskeas tunduma, et ta on elanud kuidagi põhimõtteliselt valesti. Kui ta oli ametist lahkunud, et süveneda mõtisklustesse, avastas ta, et ta vaim ei lase tal rahulikult olla. Ta avastas, et ta vaim on killustunud, voolav ja korratu. Ta võrdles oma mõtteid veest peegelduva päikesevalguse tantsiskleva võbelusega lael. Ta aju tegeles pidevalt loendamatu hulga teemadega. Kui ta hakkas endast mõtlema, õnnestus see tal vaid hetkeks – kohe järgnes mõni muu mõte, mille järel tuli järgmine.

Montaigne langes depressiooni ning kannatuste tõttu sai temast iseenda kirjutamisteema. „Ma ei tea, kuidas, aga sisemuses on meid kaks," kirjutas ta. Kujutlusvõime tormab meie ees. „Ma ei suuda hoida teemat paigal. See on rahutu ja tuigerdab loomuldasa joovastunult aina edasi … Ma ei kajasta olemist. Ma kajastan kulgemist … Pean kirjutama, nagu asjad praegu on, sest võin peagi muutuda."

Montaigne taipas aja jooksul, kui raske on kontrollida oma vaimu ja isegi keha. Ta heitis meelt isegi oma suguti pärast, „mis sekkub nii häirivalt siis, kui seda pole vaja, ja veab nii ärritavalt alt, kui seda on vaja kõige rohkem." Aga suguti pole ainus, mis mässu tõstab. „Mõelgem, kas meil on üldse kohta kehas, mis meie taht-misele sageli vastu ei puikle ja meie tahet ei trotsi."

Niisiis pakkus kirjutamine võimaluse ennast ühendada. Montaigne'i teooria järgi tulenes suur osa fanatismist ja vägival-last, mida ta enda ümber nägi, paanikast ja ebakindlusest, mida inimesed tunnevad, sest ei suuda tabada endas tabamatut. Inime-sed, kes püüavad väliste vahenditega saavutada sisemist rahu ja sõprust iseendaga, taotlevad tulutult maist suursugusust ja igavest kuulsust. Ta kirjutas: „Kõik jooksevad eemale ja tulevikku, sest keegi pole jõudnud iseenda juurde."[vii] Montaigne kasutas iseenda juurde jõudmiseks oma esseesid. Kirjutamise kaudu lõi ta vaate-nurga ja proosastiili, mis kehtestasid ta killustunud olemuses korra ja tasakaalu.

Nii Johnson kui ka Montaigne taotlesid sügavat enesetead-likkust, kuid nad kasutasid selleks kumbki ise meetodeid. Johnson kirjeldas teisi inimesi ja välist maailma, lootes määratleda ennast kaudselt. Vahel kirjutas ta kellegi teise eluloo, milles leidus nii ohtralt ta enda omadusi, et kirjutatu tundub maskeeritud auto-biograafiana. Montaigne alustas teisest otsast. Ta kirjeldas ennast, oma reaktsioone eri asjadele, ja lootis enesevaatluse kaudu määrat-leda kõigile meestele ja naistele omase loomuse. Ta märkis: „Igas inimeses peegeldub kogu inimkonna olukord."

Johnsoni esseed kõlavad autoritaarsena, Montaigne'i esseed aga on kirjutamisstiililt tagasihoidlikud, katselised ja ebakind-lad. Montaigne ei valanud neid konkreetsesse vormi. Nende ülesehitus ei järgi selget loogikat, lood kasvavad tervikuks.

---

vii Siin ja edaspidi Michel de Montaigne'i esseede tsiteerimisel kasutatud Kristiina Rossi tõlget. Michel de Montaigne. Esseid. Tallinn, 2013. – Tlk.

Montaigne pani mingi väite kirja, ning kui tal tekkis kuid hiljem mõni sellega seotud mõte, kritseldas ta selle leheservale, et lisada see lõplikku väljaandesse. Selline korratu meetod varjas ta tegevuse tõsidust. Jäi mulje, et kõik on väga lihtne, aga Montaigne ei suhtunud oma ülesandesse kergel käel. Ta mõistis oma ettevõtmise uudsust: üdini aus enesepaljastus ja seeläbi arusaam moraalsest elust. Ta mõistis, et püüab luua uut iseloomu kujundamise meetodit, millega kaasneb uut tüüpi kangelane – kangelane, kes on enda mõistmisel halastamatult aus, kuid kaastundlik. Montaigne'i kirjutamislaad oli muretu, kuid ta ülesanne oli vaevanõudev: „Peame oma hinge kõvasti pingutama, et ta tunneks, kuidas ta minema libiseb." Montaigne ei soovinud vaid ennast paremini tundma õppida või niisama mõtetega mängida või end kuulsuse või tähelepanu või edu nimel paljastada. Ta eesmärk oli seista enesega silmitsi, et elada sidusat ja distsiplineeritud elu: „Hinge suurus ei seisne niivõrd suutlikkuses tungida ülespoole ja ettepoole, kuivõrd oskuses ennast kohandada ja piirata."

Montaigne püüdis tegeleda isiklike moraaliküsimustega enese tundmaõppimise ja ümberkorraldamise kaudu. Ta väitis, et sellise enesega silmitsi seismisega kaasnevad veel karmimad nõudmised, kui on need, mida esitatakse Aleksander Suure või Sokratese taolistele isikutele. Nemad tegutsevad avalikkuses ning pärjatakse au ja tunnustusega. Üksik ausa enesetundmise otsija tegutseb omaette. Teised inimesed otsivad masside poolehoidu, Montaigne taotles enesest lugupidamist. „Igaüks suudab osaleda kometis ja teha ausa rolli laval. Kuid olla distsiplineeritud enda sisemuses, kus kõik on lubatud ja kõik on varjatud. Selles on asja mõte."

Montaigne katkestas eduka karjääri, sest tundis, et võitlus seesmise sügavuse ja enesest lugupidamise nimel on palju olulisem. Selleks vaatas ta julgelt näkku oma tõelisele olemusele. Isegi enesega silmitsi seismise hetkel jäi ta tasakaalukaks, mis on lummanud lugejaid järgnenud sajandite jooksul. Ta oli valmis seisma silmitsi teda ennast puudutavate ebameeldivate tõdedega, ilma, et oleks tõmbunud kaitsesse või püüdnud neid mõistuspärastada. Enamjaolt ajasid ta puudused teda lihtsalt muigama.

Montaigne'il oli endast tagasihoidlik, kuid kindel ettekujutus. Ta möönab, et ta on väikesekasvuline ja ebakarismaatiline mees. Kui ta alluvate seltsis ringi liigub, ei osata öelda, kes on isand ja kes teenija. Ta ütleb sulle, kui tal on kehv mälu. Ta ütleb sulle, kui ta on vilets males ja muudes mängudes. Ta ütleb sulle, kui tal on väike suguti. Ta ütleb sulle, kui ta tervis käib vanadusega alla.

Ta märkab, et nii nagu enamik inimesi on temagi veidi korrumpeerunud: „Ükskõik, kes kaevab oma südames, leiab, et meie sisemised soovid sünnivad ja toituvad suuresti teiste arvelt." Ta märgib, et enamik asju, mida taotleme, on kaduvad ja haprad. Filosoof võib välja arendada ajaloo silmapaistvaima mõistuse, aga piisab marutõbise koera hammustusest ja temast võib saada märatsev idioot. Montaigne'il on tiibu kärpiv ütlus, mille järgi „ka maailma kõige kõrgemal troonil istudes toetume ikka oma tagumikule". Ta väidab, et „kui teised uuriksid end tähelepanelikult, nagu mina, leiaksid nad, nagu mina, et nad on täis arulagedust ja mõttetusi. Ma ei saa sellest vabaneda ilma, et vabaneksin iseendast. Me kõik oleme sellest läbi imbunud, täiesti võrdsel määral; kuid need, kes on sellest teadlikud, on veidi paremas seisus – kuigi ma pole selles kindel". Nagu Sarah Bakewell märgib biograafias „Kuidas elada"

(„How to Live"), on see viimane fraas „kuigi ma pole selles kindel" puhas Montaigne.

Ühel päeval kihutas üks Montaigne'i taga ratsutanud teenritest täie galopiga Montaigne'ile ja ta hobusele otsa. Montaigne paiskus hobusest kümne sammu kaugusele maha ja jäi teadvusetult maapinnale lebama – tundus, et ta on surnud. Kohkunud teenijad hakkasid ta elutut keha tagasi lossi viima. Teel hakkas Montaigne teadvusele tulema. Teenijad rääkisid Montaigne'ile hiljem, kuidas ta oli käitunud: ahminud õhku, kratsinud raevukalt rinnaesist, rebinud end riietest, nagu tahaks end neist vabastada, silmanähtavalt agoonias. Seesmiselt avaldunud vaimne olupilt aga oli sootuks teistsugune. „Tundsin tohutut mõnu ja puhkust," meenutas ta, et tundis rahuldust „lõtvumisest ning enese minnalaskmisest". Tal oli tunne, nagu oleks teda võluvaibal õrnalt kõrgustesse kantud.

Milline erinevus välisilme ja seesmise kogemuse vahel, mõtiskles Montaigne hiljem. Kui hämmastav. Üks lootusrikas järeldus, mille ta tegi, oli see, et kellelgi pole vaja õppida suremist: „Kui te ei oska surra, ärge muretsege, küll loodus seda teile vajaduse korral õpetab, põhjalikult ja korralikult; selle töö teeb ta teie eest suurepäraselt ära, võite täiesti rahulik olla."[306]

Montaigne'i temperamendi võiks peaaegu et valemiks taandada: kehv, kuid täpne hinnang oma loomusele pluss võime loodu veidruste üle imestada ja hämmastuda võrdub rahustava tasakaalukusega. Nagu Bakewell ütleb, oli ta „vabanenud muretuseni".[307] Ta tundus olevat tasakaalus – ta ei muutunud joviaalseks, kui asjad läksid hästi, ega heitnud meelt, kui läks halvasti. Ta lõi proosastiili, mis oli elegantse muretuse kehastus, ja püüdis seejärel saada ise sama rahulikuks nagu tema kirjutised. „Püüdlen vaid ükskõiksuse

ja lõdvestuse poole," kirjutab ta ühel hetkel. Essee essee järel on
näha, et ta püüab end veenda end omaks võtma: „Võin soovida olla
sootuks teistsugune; võin mõista hukka oma iseloomu ja paluda
Jumalal mind täielikult muuta ning andestada mu loomuomased
nõrkused. Aga ma arvan, et ma ei peaks nimetama seda patu-
kahetsuseks, samuti nagu ma ei peaks kahetsema, et ma pole ingel
või Cato. Minu teod vastavad sellele, mis ma olen ja milline on
minu elu. Paremini ma ei suuda." Ta lõi endale modereeriva juht-
lause: „Ma hoian tagasi."

Montaigne on aeglane lugeja ja keskendub seetõttu vaid mõnele
raamatule. Ta on laisapoolne, seega õpib ta lõdvestuma. (Johnson
pidas endale kirglikke jutlusi enesetäiustamisest, aga Montaigne ei
teinud seda. Johnson oli moraalselt range, Montaigne ei olnud.)
Montaigne'il on loomu poolest ekslev vaim, seega kasutab ta seda
ära ja õpib nägema asju mitme kandi pealt. Iga puudusega kaasneb
hüvitis.

Innukad ja enese suhtes nõudlikud inimesed pole Montaigne'ist
kunagi lugu pidanud. Nad peavad ta emotsionaalset registrit
liiga kitsaks, ta püüdlusi liiga tagasihoidlikeks, ta tüünust liialt
ilmetuks. Neil on keeruline ümber lükata tema väiteid (kuna
Montaigne'i kirjutised ei järgi tavapärast loogilist ülesehitust, on
raske leida kohta, millest kinni hakata), kuid nende seisukoht on,
et Montaigne'i läbiv skeptitsism ja enesega leppimine põhjustavad
enesega rahulolu, millel on nihilismi kõrvalmaik. Nad heidavad
Montaigne'i kõrvale, pidades teda meistriks emotsionaalse dis-
tantsi hoidmises ja konfliktide vältimises.

Selles seisukohas on terake tõtt, sest Montaigne oleks loomu-
likult olnud esimene, kes oleks tunnistanud: „Valulik mõte on

halvav; leian, et selle muutmine käib kiiremini kui selle alistamine. Asendan selle vastupidise mõttega, või kui ma ei suuda, siis igal juhul mõtlen midagi muud. Vaheldus pakub alati lohutust, aitab lahustada ja hajutada. Kui ma ei suuda sellega võidelda, põgenen ma selle eest; põgenedes põikan ma selle eest kõrvale. Olen kaval."

Montaigne'i näide õpetab, et kui sul on väikesed ootused, jääd rahule enamikus olukordades. Montaigne ei ole siiski üksnes muhe mees, 16. sajandi rannavurle, kellel on oma loss. Vahel ta teeskleb muretust, ja sageli varjab oma tõsiseid kavatsusi, kuid tal on olemas ülevam ettekujutus heast elust ja heast ühiskonnast. See ei põhine lõplikul lunastusel või lõplikul õiglusel, nagu eelistaksid ambitsioonikamad hinged, vaid sõprusel.

Essee sõprusest on üks ta kõige tugevamini liigutavaid kirjatükke. Ta kirjutas selle tähistamaks sidet kalli sõbra Étienne de La Boétiega, kes suri umbes viis aastat pärast nende sõpruse algust. Nad mõlemad olid kirjanikud ja mõtlejad. Tänapäeval ütleksime, et nad olid hingesugulased.

Sellise sõpruse puhul on kõik ühine: tahtmised, mõtted, arvamused, omand, perekonnad, lapsed, au, elu. „Meie hinged olid nii täielikult ühte köidetud, nad pidasid teineteisest nii tuliselt lugu ning avasid selle lugupidamise tõttu teineteisele nii põhjani oma sisemuse, et ma mitte ainult ei tundnud tema hinge nagu enda oma, vaid ma oleksin enese kindlasti meelsamini usaldanud tema kui iseenda hoolde." Ta jõuab järeldusele, et ideaalses ühiskonnas oleksid valdavad just sellised sõprussidemed.

7. HEADUSE KAKS TEED

Johnson ja Montaigne olid mõlemad suurepärased esseistid, vaatenurga muutmise meistrid. Mõlemad olid omamoodi humanistid, püüdes kangelaslikult avastada kirjanduse abil suuri tõdesid, mida inimmõistus oli nende arvates võimeline mõistma, tehes seda samas ka alandlikkuse, kaastunde ja ligimesearmastusega. Mõlemad püüdsid proosa abil määratleda olemasolule iseloomulikku kaost ning luua seesmise korra ja distsipliinitunnetust. Johnsonile on samas omased äärmuslikud tundmused; Montaigne'i tundmusi iseloomustab mõõdukus. Johnson jagab enesele karme käske; Montaigne'ist õhkub muretust ja iroonilist enesega leppimist. Johnson võitleb ja kannatab, Montaigne on heatujuline tegelane, keda maailma nõrkused omal moel lõbustavad. Johnson uuris maailma, et muutuda selliseks, nagu soovis; Montaigne uuris ennast, et näha maailma. Johnson on nõudlik moralist tundelises ja võistlevas linnas. Ta üritab sütitada moraalset kirge ja panna edasipürgivaid väikekodanlasi keskenduma lõplikele tõdedele. Montaigne on rahustav isiksus riigis, kus lokkab kodusõda ja usufanatism. Johnson soovis innustada inimesi kangelasi imiteerima. Montaigne pelgas, et need, kes püüavad tõusta inimlikust tasandist kõrgemale, vajuvad lõpuks ebainimlikkusesse, põletades inimesi puhtuse nimel tuleriidal.

Igaüks meist võib otsustada, kas ta sarnaneb rohkem Montaigne'i või Johnsoniga, või millises olukorras milliselt meistrilt saame õppida. Minu hinnangul jõudis Johnson vaevanõudva töö kaudu kõrgemale. Ta osales rohkem tegeliku maailma tegemistes. Montaigne'i tasakaalukus tulenes osalt sellest, et ta pärines jõukast perest, ta seisus oli kindlustatud, ja ta võis ajaloorahutuste küüsist taanduda oma lossi mugavusse. Mis kõige olulisem – Johnson mõistis, et iseloomu kujundamiseks on vaja tugevat survet. Töödeldav materjal on vastupanuvõimeline. Vaja on tõsist pingutamist, kärpimist ja rügamist. Seda tuleb teha tegeliku maailma pingeliste sündmuste kontekstis, mitte neid välistavalt. Ehk piisas Montaigne'il oma äärmiselt leebe loomuse tõttu iseloomu kujundamiseks tagasihoidlikest tähelepanekutest, kuid enamik meist lõpetaks sellise lihtsa tee valimisel keskpärase ja enesega leppivana.

8. TÖÖKUS

1746. aastal sõlmis Johnson lepingu inglise keele sõnaraamatu koostamiseks. Nii nagu ta oli tasahilju loomas korda oma siseilmas, tahtis ta luua korda ka oma keeles. Prantsuse Akadeemia oli võtnud sarnase projekti ette 17. sajandil. Töö lõpetamiseks kulus neljakümnel õpetlasel 55 aastat. Johnson ja kuus ametnikku said oma ülesandega hakkama kaheksa aastaga. Johnson defineeris 42 000 sõna ning lisas sõnakasutuse illustreerimiseks umbes 116 000 tsitaati. Peale selle oli ta välja valinud veel 100 000 tsitaati, mida ta lõpuks ei kasutanudki.

Johnson uuris läbi kogu kättesaadava inglise kirjanduse, märkides üles sõnakasutuse ja sobivad tsitaadid. Ta lasi väljavalitu kirjutada paberilipikutele, millest koostas sõnaraamatu mahuka kondikava. Töö oli üksluine, kuid Johnson nägi üksluisuses vooruslikkust. Ta arvas, et sõnaraamat oleks hea riigile ja mõjuks rahustavalt talle endale. Ta alustas tööd, nagu ta kirjutas, „meeldiva ootusega, et kui see on tagasihoidlik, on see samal ajal ka turvaline. Mind ärgitas tegutsema võimalus teha tööd, mis küll ei oleks hiilgav, kuid oleks kasulik, ja mis küll ei tekitaks minu elu suhtes kadedust, kuid hoiaks selle süütuna; mis ei küta kirgi, ei seo mind vaidlustega, ega tekita minus kuidagi kiusatust teiste vaikust kriitika või enesekiitusega häirida".[308]

Samal ajal kui Johnson töötas sõnaraamatu kallal, suri ta naine Tetty. Tetty oli kehva tervisega ja jõi aastate möödudes aina enam. Ühel päeval oli ta haigena ülakorrusel voodis, kui keegi koputas uksele. Teenijanna läks uksele ja ütles külalisele, et Tetty on haige. Selgus, et külaline oli Tetty esimesest abielust sündinud, nüüdseks täiskasvanud poeg. Ta oli emast võõrdunud, kui Tetty abiellus Johnsoniga, ega olnud teda nende aastate jooksul kordagi näinud. Kui Tetty kuulis mõni hetk hiljem, et uksel oli olnud ta poeg, riietus ta kiiresti ja kiirustas trepist alla, et poega leida. Külaline aga oli juba ära läinud ja Tetty ei näinud teda enam kunagi.

Johnsonile mõjus Tetty surm rängalt. Ta päevikuid täidavad lubadused Tetty mälestust ühel või teisel viisil hoida. „Luba mul alustada ja täiustada muutust, mida talle lubasin ... Veetsin Tetty surma-aastapäeva palveis ja pisarais ... Otsustasin ... pidada oma otsuste üle nõu Tetty kirstu juures ... Mõtlesin Tettyle, kallile vaesele Tettyle, silmad täis pisaraid."

Sõnaraamat tegi Johnsoni kuulsaks, ja kuigi see ei teinud teda rikkaks, siis vähemalt andis see talle rahalise kindluse. Temast sai üks Briti kirjanduselu suurkujusid. Nagu tavaliselt, veetis ta päevi kohvikutes ja kõrtsides. Ta kuulus Klubisse, mis koondas endasse seltskonna mehi, kes kohtusid regulaarselt, et einestada ja juttu vesta. Tõenäoliselt oli tegemist kõige silmapaistvama intellektuaalide ja kunstnike sõpruskonnaga Briti ajaloos, ja võib-olla veel suuremas plaanis. Johnsoni kõrval kuulusid liikmete hulka veel riigimees Edmund Burke, majandusteadlane Adam Smith, maalikunstnik Joshua Reynolds, näitleja (ja Johnsoni endine õpilane) David Garrick, romaani- ja näitekirjanik Oliver Goldsmith ja ajaloolane Edward Gibbon.

Johnson käis läbi lordide ja intellektuaalidega, kuid ta kodune elu möödus elule jalgu jäänud inimeste seltsis. Tema kodus viibis pidevalt veider kogum puudust kannatavaid ja tähtsusetuid asukaid. Tema juures elasid endine ori, vaesunud arst ja pime poetess. Ühel ööl leidis ta tänavalt lamamast haige ja kurnatud prostituudi. Johnson vinnas ta selga, tõi enda juurde koju ja andis talle koha, kus elada. Johnsoni halastuse pälvinud võitlesid üksteise ja Johnsoniga, muutes elamise ülerahvastatud ja korratuks paigaks, kuid Johnsonile oli nende välja viskamine vastumeelt.

Samuti kirjutas ta hämmastavalt palju sõprade eest. Mees, kes ütles, et „vaid puupea kirjutab tasuta", kirjutas tasuta tuhandeid lehekülgi. 82aastane endine arst oli püüdnud aastaid välja mõelda, kuidas merel täpsemalt pikkuskraade määrata. Nüüd oli ta suremas, kuid ta töö polnud andnud tulemust. Johnson, kes tundis mehele kaasa, tutvus navigeerimise ja mehe teooriatega ning avaldas mehe nime all raamatu pealkirjaga „Katsest määrata merel pikkuskraade" („An Account of an Attempt to Ascertain the Longitude at Sea"), et mees tunneks elu lõpul, et ta ideed elavad edasi. Teine sõber – 29aastane meesterahvas nimega Robert Chambers – valiti Oxfordi õigusteaduste professoriks. Paraku ei olnud Chambers ei tuntud õigusmõtleja ega hea kirjutaja. Johnson lubas teda aidata, kirjutades Chambersi eest õigusloenguid. Johnson kirjutas Chambersi eest 60 loengut, mida oli kokku üle 600 lehekülje.

Johnson töötas palavikuliselt pea surmani. 68–72 aasta vanuses, ajastul, mil 70 eluaastat tähendas tõesti eakust, kirjutas ta oma „Poeetide elulood" („Lives of the Poets") – 52 biograafiat, kokku 378 000 lehekülge. Ta ei saavutanud kunagi meelerahu, mis tundub olevat tähistanud Montaigne'i küpsusaastaid, ega ka rahulikkust ja vaoshoitust, mida ta hindas teistes inimestes. Teda saatsid kogu elu perioodilised meeleheite-, depressiooni-, häbi-, masohhismi- ja süütundepuhangud. Vanuigi palus ta sõpra, et too hoiaks tema tarbeks valmis tabalukku, puhuks, kui ta peaks hulluks minema ja vajaks füüsilist tõkestamist.

Hoolimata kõigest võib Johnsoni viimaste eluaastate iseloomu kahtlemata nimetada avaraks. Elu lõpul sai temast koos kaaslase ja biograafi Boswelliga üks kõigi aegade kuulsaimaid vestlejaid. Ta oli võimeline andma pikki teravmeelseid vastuseid pea igal teemal ja igas olukorras. Need tähelepanekud ei sündinud niisama spontaanselt. Need olid eluaegse vaimse töö tulemus.

Ta kujundas ka püsiva vaatenurga. Selle aluseks oli teadmine isekuse pidevast kohalolust, enesekesksusest ja enesepettusest. Taganttõukajaks aga oli ta enda mässumeelne hing. Alates lapsepõlvest ja ülikoolipäevist ning kogu täiskasvanuelu kestel oli tal vaistlik soov mässata võimu vastu. Ta pööras oma mässumeelse hinge iseenda loomuse vastu. Ta pööras selle nii seesmise kui ka välise kurjuse vastu. Ta kasutas seda kütusena, mis tiivustas teda võitlema iseendaga.

Enesega võitlemine oli tema tee lunastuseni. Ta määratles teist tüüpi julguse, milleks oli julgus olla aus (see iseloomustas ka Montaigne'i). Ta uskus, et kirjanduse väljendusjõud, kui seda kasutada täieliku moraalse siirusega, suudab alistada deemoneid. Tõde vabastas ta köidikutest. Bate kirjutab: „Johnson võtab ikka ja jälle ette pea kõikvõimaliku ärevuse ja hirmu, mida inimsüda suudab tunda. Kui asetame käed otse tunde kohale ja seda lähedalt silmitseme, langeb lõvinahk, mille alt leiame sageli vaid eesli, või võib-olla vaid puitkarkassi. Seetõttu avastamegi end tema kirjutisi lugedes sageli naermas. Osalt naerame puhtast kergendustundest."[309]

Johnsonile oli kogu elu moraalne võitlus, võimalus täiustuda või kahetseda. Ta vestlus, isegi kui see oli käratsev, kandis täiustamise eesmärki. Vana mehena meenutas ta episoodi nooruspõlvest. Ta isa oli teda palunud appi perekonna raamatuletti Uttoxeteri linna turuväljakul. Johnson, kes pidas ennast isast paremaks, keeldus. Nüüd, vana mehena, tundes möödunu pärast ikka veel häbi, reisis ta spetsiaalselt Uttoxeteri turuväljakule ja seisis paigas, kus oli olnud isa raamatulett. Hiljem meenutas ta:

> Tollase keeldumise põhjus oli uhkus ja mälestus sellest oli valus. Mõni aasta tagasi soovisin oma vea lunastada. Läksin väga kehva ilmaga Uttoxeterisse ja seisin märkimisväärse aja palja peaga vihma käes ... Seisin ja kahetsesin pattu, ja loodan, et mu tegu heastas tehtud patu.

Johnson ei saavutanud kunagi võitu, kuid saavutas terviklikkuse, ehitades üles püsikindlama terviku, kui oleks tundunud võimalik, arvestades tema killustunud loomust. Nagu Adam

Gopnick 2012. aastal The New Yorkeris kirjutas: „Ta oli vaal, mille ta tõi ise koju."

Lõpuks, kui Johnson oli 75aastane, lähenes surm. Tal oli suur hirm hukkamõistu ees. Ta kinnitas käekellale piiblirea „Tuleb öö", et tal oleks meeles mitte teha pattu, mis tooks kaasa halva lõpliku kohtuotsuse. Kõigest hoolimata ei suutnud ta sellest mõttest vabaneda. Boswell paneb kirja sõbraga peetud vestluse.

Johnson: Kardan, et olen üks neist, kes mõistetakse
hukka (rõõmutult).
Dr Adams: Mida sa hukkamõistmise all silmas pead?
Johnson: (kirglikult ja valjult) Põrgusse saatmist, söör,
ja igavest karistust.

Johnsoni viimasel elunädalal ütles arst talle, et surm saabub peagi. Johnson palus, et talle ei antaks enam oopiumi, et ta ei peaks Jumala palge ette ilmuma „idiootses seisundis". Kui arst tegi ta jalgadesse vedeliku eemaldamiseks mõne sisselõike, karjatas Johnson: „Sügavamalt, sügavamalt; tahan pikemat elu ja teie kardate valmistada mulle valu, millest ma ei hooli." Hiljem võttis Johnson käärid ja lükkas need oma jalgadesse, et püüda välja lasta veel rohkem vedelikku. Surmaga silmitsi seistes kuulutas Johnson iseloomulikult: „Ma jään alla; ma ei anna alla."

Tänapäeval on Johnson näide inimlikust tarkusest. Noorpõlve killustatusest koondusid ta mitmekülgsed vaimuanded üheks – maailma nägemise ja hindamise viisiks, mis oli võrdselt tundeline ja intellektuaalne. Iseäranis ta elu lõpu poole valminud kirjutisi on keeruline kategoriseerida. Tema ajakirjanduslikud tekstid tõusid ilukirjanduslike tekstide tasemele; ta biograafiad sisaldasid eetikat; ta teoloogia oli täis praktilisi nõuandeid. Temast sai universaalne mõtleja.

Kõige selle aluseks oli ta tohutu kaastundevõime. Ta elulugu algab kehaliste kannatustega. Teismelise ja noore mehena oli ta üks maailma heidikutest, keda saatus oli muserdanud. Paistab, et ta jäi selles osas alatiseks haavatavaks, kuid raske tööga õnnestus tal muuta oma puuded ja puudused eelisteks. Mehe kohta, kes nuhtles end pidevalt laiskuse pärast, oli ta töövõime tohutu.

Ta maadles küsimustega, mis olid tõeliselt olulised, küsimustega, mis puudutasid ta enda olemust. „Raskustega võitlemine ja nende alistamine on inimese suurim õnn," kirjutas ta ühes oma essees. „Sellest järgmine on püüdlemine selle poole, et vääriksid nende alistamist; kuid see, kelle elu on möödunud ilma võitlusteta, ja kes ei saa kiidelda ei edu ega teenetega, võib end pidada vaid kasutuks eksistentsi tühimiku täitjaks."

Nimetatud maadlus võeti ette kartmatu aususe nimel. Victoria ajastu kirjanik John Ruskin kirjutas: „Mida rohkem ma sellele mõtlen, seda enam veendun, et tähtsaim, mida inimhing siin maailmas kunagi teha saab, on *näha* midagi ja öelda lihtsas keeles, mida ta *nägi*. Sajad inimesed suudavad rääkida ja vaid üks neist mõelda, aga tuhanded suudavad mõelda ja vaid üks neist näha."

Johnsoni anne kirjutada epigramme ja teha tuumakaid vaatlusi tulenes ka ta erakordsest tundlikkusest ümbritseva maailma suhtes. Seda soodustas ka ta enesekriitilisus – võime kahelda enda motiivides, näha läbi enda mõistuspärastamistest, naerda enda edevuse üle ja mõista, et ta on sama rumal kui teised.

Rahvas leinas Johnsonit pärast tema surma. Kõige rohkem on tsiteeritud William Gerard Hamiltoni reageeringut, mis kajastab kõige täpsemini Johnsoni saavutusi ja tühimikku, mille tema surm tekitas: „Temast on jäänud tühimik, mida mitte ainult ei saa miski täita, vaid mida millelgi ei ole kalduvustki täita. Johnson on surnud. Lähme edasi ja võtame paremuselt järgmise – meil ei ole kedagi; pole inimest, kes meenutaks Johnsonit."[310]

10. PEATÜKK

SUUR MINA

1969. aasta jaanuaris seisid Ameerika jalgpalli ajaloo kolmandas finaalmängus vastakuti kaks suurt mängujuhti. Nii Johnny Unitas kui Joe Namath olid pärit Lääne-Pennsylvania teraselinnadest. Nende lapsepõlv aga jäi eri kümnenditesse ja kumbagi neist ümbritses isesugune moraalne kultuur.

Unitas kasvas kesk vana, enda tagaplaanile hoidmist ja enda alistamist soosivat kultuuri. Kui Unitas oli viiene, suri ta isa ja ema võttis üle pere söeveoäri, valvates firma ainsa autojuhi üle. Unitas käis vana kombe kohaselt ranges katolikukoolis. Kooliõpetajad olid moraalselt nõudlikud ning võisid olla karmid ja julmad. Valitsev isa Barry jagas tunnistusi isiklikult, visates neid üksteise järel poistele, märkides julmalt: „Sinust saab ühel päeval hea veoautojuht. Sina lähed kraavi kaevama." Sellised ettekuulutused hirmutasid poisse.[311]

Lääne-Pennsylvania jalgpallurid olid uhked oma valu talumise võime üle.[312] Keskkooli meeskonnas mängujuhina tegutsedes kaalus Unitas 66 kilogrammi ja sai igas mängus kõvasti klobitud. Ta käis enne iga mängu kirikus, kuuletus treenerite autoriteedile ja elas jalgpallist läbi imbunud elu.[313] Unitas jäi Notre Dame'i ülikooli ukse taha ning hakkas mängujuhiks Louisville'i ülikoolis. Ta oli lühikest aega katsetamas Pittsburgh Steelersite juures, kuid eemaldati koosseisust. Ta läks tagasi ehitustöödele ja mängis poolprofessionaalset jalgpalli, kuni sai kutse Baltimore Coltsilt. Ta võeti meeskonda ning ta veetis oma karjääri algusaastad Baltimore Coltsis, kes pidevalt kaotas.

Unitas ei saanud NHLis kuulsaks üleöö, vaid küpses pikkamisi, lihvides oskusi ja toetades meeskonnakaaslaste arengut. Kui profisportlase karjäär tundus olevat kindel, ostis ta Marylandi Towsonisse maja ja läks tööle korporatsiooni Columbia Container, kus teenis aasta ringi 125 dollarit nädalas.[314] Mustade ketside, rangjalgade, längus õlgade ja siilisoenguga Namath hoidis teadlikult tagasihoidlikku joont. Meeskonna reisipiltidel näete meest, kes näeb oma valge lühikeste varrukatega triiksärgi ja kitsa musta lipsuga välja nagu 1950. aastate kindlustusagent. Ta istub koos sarnaselt riietatud ja samasuguse soenguga sõpradega bussides ja lennukites ning mängib bridži.

Ta ei toretsenud ega suurustlenud. „Mõtlesin alati, et mõningane ilmetus käib profiks olemise juurde. Ei võidu ega kaotuse korral ei lahkunud ma väljakult kunagi enne, kui olin mõelnud, mida igavat [pressile] öelda," ütles ta hiljem. Ta oli ustav klubile ja meeskonnakaaslastele. Platsil kritiseeris ta jõuliselt temalt söödu saanud mängijaid mängu vussi keeramise ja vale jooksutrajektoori valiku pärast. „Ma ei viska sulle enam kunagi, kui sa mängima ei õpi," haukus ta. Pärast mängu aga valetas reporterile: „Minu viga, viskasin halvasti," kõlas ta standardvastus.

Unitas oli kindel oma mänguoskuses, kuid ta mängulaad ei tekitanud poolehoidu. Steve Sabol filmikompaniist NFL Films kirjeldas ta maneeri: „Minu töö on alati olnud mängu ülistada. Ma olen niikuinii suur romantik. Olen jalgpalli ikka vaadelnud dramaturgia vaatepunktist. Punktiseis ei olnud kõige olulisem; oluline oli võitlus, ja millist muusikat lisada? Kui ma aga kohtusin Unitasega, mõistsin, et ta on selle kõige täielik vastand. Ta mängis jalgpalli, nagu torumees paigaldab torusid. Ta oli ausat tööd tegev aus töömees. Ta suhtus kõigesse ükskõikselt. Ta oli nii ebaromantiline, et viimaks oli see juba romantiline."[315] Unitas, nagu Joe DiMaggio pesapallis, hakkas kehastama ennast tagaplaanile jätva ajastu spordikangelast.

Namath, kelle lapsepõlv möödus samas piirkonnas pool inimpõlve hiljem, elas teistsuguses moraalses universumis. Joe Namath, hüüdnimega Broadway Joe, oli valgete tenniste ja lehvivate juustega toretsev staar, kes lubas ninakalt alati võita. Ta oli ütlemata huvitav ja lõbus inimene. 5000dollarilisi kasukaid kandev, pikkade bakenbardide ja *playboy*-maneeridega Namath oli tähelepanu keskpunkt ja vaatamisväärsus nii tavaelus kui ka väljakul. Ta ei hoolinud, mida teised temast räägivad, või vähemalt ütles, et ei hooli. „Mõnele inimesele ei meeldi mu svingeri maine," ütles Namath Jimmy Breslinile 1969. aastal ajakirjas New York avaldatud kuulsas loos „Namath öö läbi" („Namath All Night"). „Ma ei järgi ühiskondlikke tavasid. Ma harrastan partnerite vahetamist. Ma ei tea, kas see on hea või halb, aga mulle see meeldib."

Namath kasvas Unitase varjus vaeses Lääne-Pennsylvanias, kuid kujunes sootuks teistsuguseks. Ta vanemad lahutasid, kui Namath oli seitsmene, ning ta mässas oma perekonna vastu, kes oli

Ameerika Ühendriikidesse sisse rännanud, üritades endast lahedat muljet jätta, jõlkudes mööda piljardisaale ja omandades James Deaniliku uhkeldava kõnnaku.

Namathi jalgpallianne oli kaugele näha. Ta oli üks hinnatumaid mängijaid kogu riigis. Ta tahtis minna Marylandi ülikooli, mis tema arvates asus lõunas, aga ta õpitulemused polnud piisavalt head. Seega läks ta Alabama ülikooli, kus temast sai üks riigi parimaid kolledži tasemel mängujuhte. New York Jetsi meeskonnaga liitudes sai ta lepingule alla kirjutades hiiglasliku lisatasu ning teenis esimesest päevast peale kõikidest meeskonnakaaslastest palju rohkem.

Ta arendas välja isikliku kaubamärgi, mis ulatus meeskonnast palju kaugemale. Ta ei olnud üksnes jalgpallitäht, vaid ka ta eluviis säras tähena. Ta maksis trahvi, et kanda väljakul Fu Manchu vuntse. Ta reklaamis sukkpükse, vaidlustades sellega vanamoodsa ettekujutuse mehelikkusest. Ta poissmeheurgas oli kuulus pikakarvaliste vaipade poolest ning ta hakkas naiste kohta kasutama sõna *foxes*, mis läks laialt käibele. Ta kirjutas autobiograafia pealkirjaga „Ma ei suuda ära oodata homset, sest muutun iga päevaga aina kenamaks" („I Can't Wait Until Tomorrow ... 'Cause I Get Better-Looking Every Day"). Johnny Unitas poleks sellist pealkirja valinud.

Namathi täht sündis ajal, mil uus ajakirjandus oli hakanud endisaegset ajakirjanikutööd ümber kujundama. Namath oli ideaalne kõneaine. Kuna temas polnud kübeketki vaoshoitust, kutsus ta reportereid vaatama, kuidas ta mängude-eelsetel öödel viskipudeleid kummutas. Ta praalis avalikult, kui suurepärane sportlane ta on ja kui hea ta välja näeb. Ta oli häbematult aus. „Joe! Joe! Sa oled kõige ilusam asi maailmas!" hüüdis The Saturday

Evening Posti reporteri jälitatud Namath ühel 1966. aasta õhtul Copacabanas tualetis olles enda peegelpildile.[316]

Olles äärmiselt iseseisev, ei tahtnud ta end lähemalt siduda ühegi naisega. Ta oli esimene, kes harrastas midagi tänapäevaste üheöösuhete sarnast. „Mulle ei meeldi niivõrd kohtamistel käia kui lihtsalt vooluga kaasa minna," ütles ta 1966. aastal Sports Illustratedi reporterile. Ta kehastas sõltumatuse eetost, mis oli hakanud riigis levima. „Ma usun sellesse, et inimene võib elada, kuidas ta tahab, kui ta ei tee kellelegi liiga. Tunnen, et kõik, mida teen, on mulle hea ega mõjuta kedagi teist, sealhulgas ka tüdrukuid, kellega väljas käin. Ma elan ja lasen teistel elada. Nagu kõik teised."[317]

Namath kuulutas uut profisportlaseks olemise viisi. Selle juurde käis isikliku kaubamärgi loomine ja külluslikud sponsorlepingud, mille kaudu täht väljendas enda tarmukat isiksust ja jättis meeskonna enda varju.

9. KULTUURIMUUTUS

Kultuuride muutumisel muutub kõik. Esseist Joseph Epstein pani nooruses tähele, et apteegis olid sigaretid avariiulil ja kondoomid leti taga. Tänapäeval on apteegis kondoomid avariiulil ja sigaretid leti taga.

Tavaliselt arvatakse, et nihe Unitase ujedast tagasihoidlikkusest Namathi ninaka toretsemise suunas toimus 1960. aastate lõpus. Tavapärane lugu kõlab umbes nii. Kõigepealt oli Suurim Sugupõlv, mille liikmed oli ennastohverdavad, tagaplaanile hoidvad ja kogukonnameelsed. Seejärel saabusid 1960. aastad ja sõjajärgne põlvkond (beebibuumerid), kes olid ennastimetlevad, ennast väljendavad, isekad ja moraalselt lodevad.

Faktid sellist lugu ei toeta. Tegelikult toimus asi nõnda: piibli aegadest alates eksisteeris moraalse realismi traditsioon, humanismi „kõvera puu" koolkond. See traditsioon, või maailmavaade, toonitas pattu ja inimese nõrkusi. Selline inimloomuse käsitus avaldub Mooseses, kõige alandlikumas inimeses, kes sellest hoolimata juhtis teisi, ning samuti Taavetis ja teistes sarnastes piiblitegelastes, kes olid ränkadest puudustest hoolimata silmapaistvad kangelased. Sellist piibellikku metafüüsikat väljendasid hiljem sellised kristlikud mõtlejad nagu Augustinus, kes rõhutas patte, hülgas ilmaliku edu, uskus armu vajalikkusse ja alistus Jumala ärateenimata armastusele. Seejärel leidis see moraalne realism väljundi humanistide Samuel Johnsoni, Michel de Montaigne'i ja George Elioti kaudu, kes rõhutasid, kui vähe oleme võimelised teadma, kui raske on tunda iseennast ja kui ränka tööd peame tegema pikal teekonnal vooruslikkuseni. „Me kõik oleme sündinud moraalselt rumalana, suhtudes maailma kui udarasse, mille kaudu nuumame oma üliminasid," kirjutas Eliot.[318] Samuti väljendus moraalne realism teisel kujul ja teisel ajal Dante, Hume'i, Burke'i, Reinhold Niebuhri ja Isaiah Berlini mõtlemises. Kõik need mõtlejad peavad üksikisiku juurdlemisvõimet tagasihoidlikuks. Nad suhtuvad umbusuga abstraktsesse mõtlemisse ja uhkusse. Nad rõhutavad üksikisiku loomuse puudusi.

Mõni neist puudustest on epistemoloogiline: mõistus on nõrk ja maailm on keerukas. Me ei ole võimelised tõeliselt taipama maailma keerukust ega täit tõde iseenda kohta. Mõni neist puudustest on moraalne: need on vead me hinges, mis juhivad meid isekuse ja uhkuseni, mis ahvatlevad meid eelistama madalamaid armastusi kõrgematele. Mõni neist puudustest on psühholoogiline: oleme seesmiselt lõhestunud ning paljud meie kõige pakilisemad mõttekäigud on alateadlikud ja me omame neist vaid hägusat aimust. Mõni puudustest on sotsiaalne: me ei ole iseseisvad olendid. Selleks, et kõik laabuks, peame heitma end sõltuvusse – teistest, institutsioonidest, jumalikust. See puudus on „kõvera puu" koolkonna seisukohalt väga kaalukas.

Umbes 18. sajandil tekkis moraalsele realismile konkurent moraalse romantismi näol. Kui moraalsed realistid toonitasid sisemist nõrkust, siis moraalsed romantikud, näiteks Jean-Jacques Rousseau, rõhutasid meie seesmist headust. Realistid suhtusid inimese minasse umbusuga ning usaldasid väliseid institutsioone ja tavasid; romantikud usaldasid inimese mina ja umbusaldasid välise maailma tavasid. Realistid uskusid enesearendamisse, inimühiskonda ja lihvitusse; romantikud uskusid loodusse, üksikisikusse ja avalusse.

Teatud aja vältel eksisteerisid need kaks traditsiooni ühiskonnas kõrvuti; nende vahel oli loomingulist pinget ja toimus mõttevahetus. Kõikjal peale kunstiringkondade valitses realism. 20. sajandi alguse Ameerika Ühendriikide lapsed kasvasid suureks moraalse realismi sõnavara ja põhimõistetega, mis tõlgiti vastavalt kas praktilisse ilmalikku või religioossesse keelde. Perkins kasvas suureks kutsumuse sõnavaraga, vajadusega suruda alla osa endast, et olla vahend suurema eesmärgi saavutamisel. Eisenhower kasvas enesealistamise vaimus. Day õppis noore naisena tundma lihtsust, vaesust ja allaheitlikkust. Marshall õppis institutsionaalset mõtlemist, vajadust pühenduda organisatsioonidele, mis on püsivamad kui inimelu. Randolph ja Rustin õppisid vaoshoitust ja enese-distsipliini loogikat, vajadust endas kahelda isegi õilsa ristiretke pidamise ajal. Need inimesed ei teadnud, et nad iseloomustavad realistliku traditsiooni teatud jooni. Selline eetos lihtsalt oli nende sissehingatavas õhus ja kasvatusviisis.

Siis aga varises moraalne realism kokku. Selle sõnavara ja mõtte-mustrid unustati või pagendati ühiskonna äärealadele. Realismi ja romantismi vahekord muutus. Moraalisõnavara vajus unustuse-hõlma ja sellega koos kadus ka hingeloomemetoodika. See nihe ei toimunud 1960. ja 1970. aastail, kuigi see oli suur romantismi õitseaeg. See juhtus varem, 1940. aastate lõpus ja 1950. aastail. See oli Suurim Sugupõlv, kes hülgas realismi.

1945. aasta sügiseks olid inimesed kõikjal maailmas elanud üle 16 puuduseaastat – kõigepealt suure depressiooni ja seejärel sõja-aastad. Nad olid valmis laskma lahti, lõdvestuma ja nautima. Tarbimine ja reklaam said jalad alla, kui inimesed tormasid poodi-desse, et osta asju, mis teeksid elu lihtsamaks ja lõbusamaks. Sõjale järgnenud aastail tahtsid inimesed pääseda vaoshoituse ahelatest ja kõigist sellistest süngetest teemadest nagu patt ja rikutus. Nad olid valmis unustama holokausti- ja sõjaõudused.

Vahetult pärast sõda olid inimesed valmis lugema mis tahes raamatut, mis pakkus elust ja selle võimalustest elurõõmsamat ja elujaatavamat pilti. 1946. aastal avaldas rabi Joshua L. Liebman raamatu pealkirjaga „Meelerahu" („Peace of Mind"), milles ärgi-tas inimesi jätma kõrvale mõtte, nagu oleks vaja mingi osa endast alla suruda. Ta kehutas inimesi omaks võtma uue moraalsuse, mis põhines sellel, et tuli jätta kõrvale enda alla surumise mõte. Selle asemel pead „end korralikult armastama ... mitte kartma varjatud impulsse ... endast lugu pidama ... ennast usaldama." Liebmani iseloomustas piiritu usk inimese headusse. „Usun, et inimene on kõikvõimas, ja et õige juhendamise korral ei leidu naljalt tööd, mida ta ei suudaks teha, või meisterlikkuse taset töös ja armastuses, mida ta ei suudaks saavutada."[319] Ta tabas naelapead. Tema raamat püsis New York Timesi raamatumüügi edetabeli esikohal jahmatama panevad 58 nädalat.

Samal aastal avaldas Benjamin Spock oma kuulsa raamatu lastekasvatusest. See oli keeruline raamat ja seda on sageli ebaõiglaselt mustatud, kuid eriti selle esimestes trükkides oli inimloomuse käsitlus märkimisväärselt roosiline. Spock ütles, et kui su laps varastab midagi, peaksid talle kinkima midagi varastatud eseme sarnast. See näitab, et hoolid oma lapsest ja et „laps peaks mõistlikkuse piires saama, mida ta süda ihkab".[320]

1949. aastal avaldas Harry Overstreet meeletult populaarse raamatu pealkirjaga „Küps mõistus" („The Mature Mind"), mis läks mõttega veelgi kaugemale. Overstreeti seisukoht oli, et püha Augustinuse sugused inimesed, kes tõid esile inimese patusust, „jätsid meie liigi ilma eneseaustuse tervislikust õnnistusest".[321] Seesmise nõrkuse rõhutamine tingis selle, et inimesed „umbusaldasid ja mustasid ennast".

Seejärel, 1952. aastal, ilmutas Norman Vincent Peale kõigi optimistlike raamatute ema, teose nimega „Positiivse mõtlemise vägi" („The Power of Positive Thinking"), milles ta soovitas inimestel heita peast negatiivsed mõtted ja pidada endale suurtele tegudele innustavaid ergutuskõnesid. See raamat püsis Timesi menukite nimekirja tipus muljetavaldavad 98 nädalat.

Sellele järgnes humanistlik psühholoogia, mille üks eestvedajaid oli 20. sajandi mõjukaim psühholoog Carl Rogers. Humanistlikud psühholoogid eemaldusid Freudi süngemast alateadvuse kontseptsioonist ja propageerisid inimloomuse ülikõrget hindamist. Rogersi hinnangul seisnes peamine psühholoogiline probleem selles, et inimesed ei armasta ennast piisavalt, niisiis vallandasid terapeudid suure enese-armastuse laine. Rogers kirjutas: „Inimese käitumine on oivaliselt mõistuspärane, liikudes märkamatu ja korrapärase keerukusega eesmärgi poole, mida ta organism püüab saavutada."[322] Tema hinnangul kirjeldavad inimloomust kõige paremini sõnad „positiivne, edasipürgiv, konstruktiivne, realistlik ja usaldusväärne". Inimestel ei tule endaga võidelda, neil on vaja vaid avaneda, vabastada oma seesmine mina, et võimust saaks võtta neile seesmiselt omane eneseteostuse ind. Enesearmastus, enesekiitus ja enesega leppimine viivad õnnelikkuseni. Arvati isegi, et kui inimene „saab olla vabalt kontaktis oma seesmise hinnanguprotsessiga, käitub ta ennast täiustaval moel".[323]

Humanistlik psühholoogia on kujundanud pea iga kooli, õppeprogrammi, personaliosakonda ja eneseabiraamatut. Peagi leidus kõikjal koolide seintel plakateid kirjaga „IALAC" – OLEN ARMASTUSVÄÄRNE JA VÕIMEKAS (I AM LOVABLE AND CAPABLE). Eneseväärikuse liikumine oli sündinud. Meie nüüdisaegne suhtlus toimub selle romantilise nägemuse kontekstis.

10. ENESEVÄÄRIKUSE AJASTU

Üleminek ühest moraalsest kultuurist teise ei ole lugu järsust allakäigust, langemisest suursugusest vaoshoitusest nautlevasse dekadentsi. Iga moraalne õhustik on kollektiivne vastus oma aja probleemidele. Victoria ajastu inimesed seisid silmitsi religioossuse vähenemisega ja võtsid kompensatsioonina omaks range moraalikoodeksi. 1950. ja 1960. aastail pistsid inimesed rinda teistsuguste probleemidega. Üks moraaliökoloogia vahetatakse teise vastu muutuvatest oludest tulenevalt. Kuna erinevad õigustatud tõekspidamised on üksteisega vastuolus, rõhutatakse ühe moraalse õhustiku raames nii heas kui ka halvas rohkem üht ja vähem teist. Teatud voorusi viljeletakse, teatud tõekspidamistega minnakse liiale ning teatud olulised tõed ja moraalsed voorused langevad kogemata unustusehõlma.

1950. ja 1960. aastail toimunud pööre sellise kultuuri poole, mis asetas rohkem rõhku uhkusele ja eneseväärikusele, tõi endaga kaasa palju positiivset; see aitas teha parandusi mitme sügava ühiskondliku ebaõigluse osas. Kuni selle ajani olid paljud suured ühiskonnarühmad – naised, vähemused ja vaesed – saanud tunda alavääristamist ja alandamist. Neid õpetati ennast alahindama. Eneseväärikuse kultuur julgustas allasurutud ühiskonnarühmadesse kuuluvaid inimesi endasse uskuma, sihtima ja püüdlema kõrgemale.

Näiteks oli paljusid naisi õpetatud elama nii kuulekalt ja teenivalt, et see põhjustas enesesalgamist. Katharine Meyer Grahami elu aitab selgitada, miks nii paljud inimesed vahetasid enesesalgamise meeleldi eneseväljenduse vastu.

Katharine Meyer kasvas üles rikkas kirjastajaperekonnas Ameerika Ühendriikide pealinnas Washingtonis. Ta käis Madeira koolis, mis oli edumeelne, kuid peen erakool, kus noorte naiste harimisel lähtuti sellistest motodest nagu „Säilita katastroofis kaine mõistus. Lõpeta elegantselt" (ingl k „*Function in disaster. Finish in style*"). Kodus allus Katharina täielikult isale, kes oli saamatu ja kauge, ja emale, kes nõudis allaheitlikule ja kuulekale koduperenaisele omast täiust: „Tundsime ilmselt kõik, et me polnud millegipärast vastanud ta ootustele või soovidele, ja sellest tulenenud ebakindlus ning vähene enesekindlus avaldasid kauakestvat mõju," kirjutas ta aastaid hiljem mälestustes.[324]

Tüdrukutelt oodati, et nad oleksid vaiksed, tagasihoidlikud ja korralikud, mistõttu pööras Katharine endale ja oma tegemistele piinavalt palju tähelepanu. „Kas ma ütlesin kõik õigesti? Kandsin ma õigeid riideid? Olin ma kena? Need küsimused tegid mu rahutuks ja panid endasse sulguma, vahel lausa matsid enda alla."

1940. aastal abiellus Katharine Philip Grahamiga, sarmika, vaimuka ja elavaloomulise mehega, kes tegi tagasihoidlikul või mitte nii tagasihoidlikul moel Katharine'i vaateid ja võimeid maha. „Nägin oma rolli järjest enam seisnevat tema tuules liikumises, ja mida enam ma tundsin, et tema varju jäin, seda enam mu elu selline ka oli."[325] Grahamil oli palju kõrvalsuhteid, millest Katharine sai teada ning mis mõjusid talle laastavalt.

Depressiooni käes vaevelnud Graham sooritas 1963. aasta 3. augustil enesetapu. Kuus nädalat hiljem valiti Katharine Washington Post Company presidendiks. Esialgu nägi ta end sillana surnud abikaasa ja laste vahel, kes pidid firma ühel päeval päranduseks saama. Siiski sulges ta silmad, hakkas tegevjuhiks, tegi järgmise sammu, ja avastas, et saab tööga hakkama. Järgneva mõnekümne aasta jooksul julgustas ümbritsev kultuur Katharine'i end maksma panema ja enda võimeid täiel määral rakendama. Samal aastal, mil ta võttis üle Washington Posti, avaldas Betty Friedan Carl Rogers'i humanistlikule psühholoogiale tugineva raamatu pealkirjaga „Naiselik salapära" („The Feminine Mystique"). Hiljem kirjutas Gloria Steinem menuraamatu „Sisemine revolutsioon. Raamat eneseväärikusest" („Revolution from Within: A Book of Self-Esteem"). Tollane silmapaistev nõuandekolumni autor dr Joyce Brothers sõnastas eetose otsekoheselt: „Aseta end esikohale – vähemalt vahetevahel. Ühiskonna propaganda tõttu arvavad naised, et nende abikaasade ja laste soovid peaksid alati olema nende omadest eespool. Ühiskond ei ole kunagi sisendanud naistele sarnaselt meestega inimlikku vajadust asetada end esikohale. Ma ei propageeri isekust. Ma räägin elu põhitõdedest. Sina ise pead otsustama, mitut last tahad, milliseid sõpru soovid, milliseid peresuhteid soovid."[326]

Eneseteostuse ja eneseväärikuse tähtsustamine andis miljonitele naistele keele, mille abil sõnastada ja teostada enda maksmapanekut, jõudu ja identiteeti. Grahamist sai lõpuks üks imetletuimaid ja vägevaimaid kirjastuse juhte kogu maailmas. Tema käe all sai Washington Postist tähtis ja väga tulus üleriigiline ajaleht. Ta pani vastu Nixoni ajastu Valgele Majale ja Watergate'i skandaali aegsele sõimulainele, jäädes kindlalt toetama Bob Woodwardi, Carl Bernsteini ja teisi ajakirjanikke, kes loo avalikustasid. Ta ei saanud ebakindlusest kunagi täielikult lahti, kuid õppis avaldama muljet. Ta mälestusteraamat on suurteos, mis on vaoshoitud, kuid aus ja usaldusväärne, kus ei leidu kübetki enesehaletsust või teesklust.

Nagu paljud naised ja vähemuste esindajad, vajas ka Katharine Graham paremat ja täpsemat enesekuvandit, mis oli vajalik, et Väikesest Minast saaks Suur Mina.

11. EHTSUS

Üleminek Suurele Minale muutis ettekujutust inimloomusest ja inimelust. Kui sa oled sündinud millalgi viimase kuuekümne aasta jooksul, sündisid ilmselt „eheduse kultuuri", nagu on filosoof Charles Taylor seda nimetanud. See mõttelaad põhineb romantilisel ideel, mille järgi igaühel on sügaval sisimas Kuldne Kuju. On olemas sünnipäraselt hea Tõeline Mina, mida võib usaldada, millelt võib küsida nõu, millega saab võtta ühendust. Sinu isiklikud tundmused on parim teejuht hea ja halva eristamisel.

See eetos ütleb, et ennast tuleb usaldada, mitte endas kahelda. Su soovid on kui seesmine kompass – need ütlevad, milline suund on õige ja tõeline. Sa tead, et toimid õigesti, kui tunned end sisimas hästi. Sinu elus kehtivad reeglid, mille oled ise loonud või omaks võtnud ning mis tunduvad sulle õiged.

„Me saavutame moraalse lunastuse," kirjutab Taylor seda kultuuri kirjeldades, „kui taastame tõelise moraalse ühenduse iseendaga." Oluline on jääda kindlaks sellele puhtale sisehäälele ja mitte järgida moraalselt laostava maailma tavasid. Nagu Taylor ütleb: „On olemas olemise viis, mis on minu oma. Olen kutsutud elama oma elu sel viisil, mitte jäljendama kellegi teise elamise viisi ...

Kui ma seda ei tee, siis kaotan oma elu mõtte. Kaldun kõrvale enda inimeseks olemise eesmärgist."[327]

Liigume vanema enesega võitlemise traditsiooni juurest enese vabastamise ja väljendamise juurde. Moraalset autoriteeti ei otsita enam migist välisest objektiivsest headusest; see peitub igaühe ainulaadses ja isikupärases minas. Hea ja halva määratlemisel pannakse suuremat rõhku isiklikele tundmustele. Tean, et käitun õigesti, sest tunnen, et mu sees valitseb harmoonia. Midagi on aga valesti, kui tunnen, et minu autonoomiat ohustatakse, kui tunnen, et ma ei ole iseendale ustav.

Selle eetose puhul ei peitu patt üksikisiku minas; see peitub ühiskonna välistes tarindites – rassismis, ebavõrdsuses ja rõhumises. Selleks, et inimene saaks end täiustada, peab talle õpetama, et ta armastaks ennast, oleks endale ustav, ei kahtleks endas ega võitleks endaga. Nagu laulab filmi „Keskkoolimuusikal" üks tegelastest: „Kõik vastused on minu sees / Vaid uskuda on vaja veel."

12. STAATUSE UUENDUSED

Seda intellektuaalset ja kultuurilist nihet Suure Mina poole toetasid majanduslikud ja tehnoloogilised muutused. Tänapäeval ümbritseb meid kõiki tehnoloogiline kultuur. Ma ei usu eriti, et sotsiaalmeedia oleks mõjunud kultuurile hukatuslikult, nagu pelgavad paljud tehnofoobid. Pole tõendeid, mis kinnitaksid, et tehnoloogia on ärgitanud inimesi elama võltsis virtuaalilmas ja loobuma tegelikust maailmast. Infotehnoloogia on siiski mõjutanud

moraalset ökoloogiat kolmel moel, mis on võimendanud inim-
loomuse Suure Mina Aadam I poolt ja vähendanud tagasihoidli-
kumat Aadam II-t.

Esiteks on suhtlemine muutunud kiiremaks ja tihedamaks.
Keerulisem on tähele panna sügavalt sisemusest kostvaid õrnu ja
vaikseid hääli. Kogu inimajaloo vältel on inimesed leidnud, et nad
on oma sisemuses toimuvast kõige paremini teadlikud puhates,
lahusoleku- ja vaikusehetkedel, vaiksetel ühtekuuluvushetkedel.
Nad on mõistnud, et vajavad aega, pikki vaikusehetki, enne kui
vaikib väline Aadam ja on kuulda sisemist Aadamat. Sellised rahu- ja
ja vaikusehetked on tänapäeval lihtsalt haruldasemad. Me haarame
nutitelefoni järele.

Teiseks võimaldab sotsiaalmeedia enesekohasemat infokesk-
konda. Inimestel on enam vahendeid ja võimalusi, et luua kul-
tuuri, vaimset keskkonda, mis on kohandatud just neile. Kaas-
aegne tehnoloogia võimaldab peredel istuda koos samas ruumis,
igaüks süvenenud isikliku ekraani privaatsuses ise telesaatesse,
filmi või mängu. Selmet olla kõrvalosaline Ed Sullivani sõu massi-
meediamaailmas, saab igaüks olla päike omaenda meedia päikese-
süsteemis, luues enda vajaduste järgi programmide, rakenduste ja
lehekülgede võrgustiku. Üks Yahoo reklaamikampaaniatest tõo-
tas: „Nüüd on internetil isikupära – Sinu isikupära!“ Earthlinki
reklaamlause kõlas: „Earthlink keerleb ümber sinu.“

Kolmandaks õhutab sotsiaalmeedia oma isiku reklaamimist.
Meil on loomulik kalduvus otsida ühiskonna heakskiitu ja pel-
jata kõrvalejäetust. Sotsiaalse võrgustumise tehnoloogia võimal-
dab meil veeta aega ülitiheda tähelepanu nimel võistlemisega,
kusjuures võidu mõõdupuu on „meeldimiste“ hulk. Inimestel on

rohkem võimalusi enda reklaamimiseks, kuulsuste iseloomujoonte omaksvõtmiseks, enda kuvandi haldamiseks ja selliste selvepiltide üles panemiseks, mis loodetavasti avaldavad maailmale muljet ja valmistavad heameelt. See tehnoloogia loob kultuuri, mis muudab inimesed tillukesteks tootejuhtideks, kes loovad Facebooki, Twitteri, tekstisõnumite ja Instagrami abil võltsilt rõõmsameelse, veidi liialt ülevoolava välise mina, kes võib esialgu olla kuulus väikeses ja seejärel – hea õnne korral – suures ringis. Selle mina juht mõõdab edukust saadud tagasisidevoo järgi. Sotsiaalmeediaekspert kulutab aega, luues endast karikatuuri, mis on võrreldes tegeliku eluga palju rõõmsam ja fotogeenilisem. Märkamatult hakkavad inimesed end võrdlema teiste inimeste ajajoonel esiletõstetuga ja tunnevad end loomulikult kehvemana.

13. INIMHING MERITOKRAATIA TINGIMUSTES

Meritokraatlik puhastumine on tugevdanud ka ettekujutust, et kõik inimesed on seesmiselt imelised. Samuti on see õhutanud ennast ülistavaid kalduvusi. Kui oled elanud viimased 60–70 aastat, oled sa võistlevama meritokraatia toode. Oled nagu minagi püüdnud kogu elu endast midagi teha, püüdnud jätta jälge, olla selles maailmas piisavalt edukas. See on kaasa toonud selle, et on tulnud palju võistelda ja isiklikele saavutustele rõhku panna: koolis edukas olla, õigesse ülikooli saada, õige töökoht leida ning edu ja staatuse poole liikuda.

See võistluslik surve tähendas, et oleme pidanud kulutama rohkem aega, energiat ja tähelepanu välise Aadam I edu poole pürgimisele ja meil on jäänud vähem aega, energiat ja tähelepanu, mida pühendada Aadam II siseilmale.

Olen märganud enda ja teiste juures teatud meritokraatlikku ellusuhtumist, mis põhineb romantilise traditsiooni ennastusaldaval ja ennastupitaval arusaamal, kuid on samas kaotanud luulelisuse ja hingestatuse. Kui moraalsete realistide jaoks oli inimese mina metsik alge, mis vajas taltsutamist, ja 1970. aastate *New Age*'i inimesed nägid inimese mina Eedenina, mis tuli valla päästa, siis äärmiselt pingelise meritokraatia tingimustes elavad inimesed näevad oma mina pigem ressursina, mida tuleb arendada. Tõenäosus, et inimese mina peetakse hinge asupaigaks või mõne üleloomuliku vaimolendi peidupaigaks, on väiksem. Selle asemel on inimese mina inimkapitali hoiupaik. Inimkapital tähendab andeid, mida tuleb tõhusalt ja arukalt arendada. Inimese mina määratlevad tööd ja saavutused. Inimese mina tähendab andeid, mitte iseloomu.

Selline meritokraatlik mõtteviis kajastus hästi dr Seussi poolt 1990. aastal välja antud raamatus „Oh neid paiku, kuhu sa kord jõuad" („Oh, the Places You'll Go"), mis on New York Timesi kõigi aegade raamatumüügi edetabelis viiendal kohal ning on siiani menukas koolilõpukink.

Raamat räägib poisist, kellele meenutatakse kõiki ta vapustavaid andeid ja täielikku vabadust kujundada oma elu: „Sul on mõistus peas. Sul on jalad all. Sa võid end suunata, kuhu soovid." Poisile tuletatakse meelde, et ta elu on mõeldud ta enda unistuste täitmiseks. „Sinu elu on sinu teha. Ja sa tead, mida sa tead. Ja SINA oled see, kes otsustab, kuhu liikuda." Poissi elus ees ootavad raskused on peamiselt välised. Elu eesmärgid, mille poole ta püüdleb, on kõik Aadam I elu eesmärgid. „Kuulsus! Sa üle kõige kuulsaks saad, / kogu maailm vaatab su võidutsemist telekast." Ülim eesmärk elus on edu, välise maailma mõjutamine. „Kas sul see õnnestub? / Jah! Muidugi! / 98,8 protsenti on garantii."[328] Ja peategelane selles eduloos oled SINA. See lühike sõna esineb selles väga lühikeses raamatus 90 korda.

Selle raamatu peategelaseks olev poiss on täiesti iseseisev. Ta on vaba valima just nii, nagu ta ise soovib. Talle meenutatakse, kui suurepärane ta on. Teda ei koorma seesmised nõrkused. Ta tõestab oma väärtust töö ja edenemise kaudu.

Meritokraatia vabastab tohutu energia ning reastab inimesi heal ja halval moel. Samas on sel raskesti hoomatav mõju ka iseloomule, kultuurile ja väärtustele. Mis tahes ülivõistluslik süsteem, mis on üles ehitatud väärtuslikele omadustele, paneb inimesi palju endast ja oma oskuste arendamisest mõtlema. Töö muutub elus määravaks, eriti kui hakkad saama kutseid koosviibimistele oma ameti tõttu. Vaikselt ja tasahilju, kuid läbivalt sisestab see süsteem meisse kõigisse teatud puhtpraktilise arvestuse. Meritokraatia soodustab tasahilju kasulikkuse eetost, mistõttu saab igast sündmusest – peost, õhtusöögist – ja igast tuttavast inimesest võimalus edendada isiklikku staatust ja professionaalse elu projekti. Inimesed mõtlevad suurema tõenäosusega kaubanduslikes kategooriates – räägivad alternatiivkuludest, skaleeritavusest, inimkapitalist, kulu-tulu analüüsist, ja seda isegi siis, kui asi puudutab nende vaba aja veetmist.

Muutub sõna „iseloom" tähendus. Seda kasutatakse vähem, tähistamaks maisele edule vahel takistuseks saavaid iseloomujooni, nagu isetus, heldus, eneseohverdamine. Selle asemel tähistab see omadusi, mis muudavad maise edu tõenäolisemaks: enesevalitsus, visadus, paindlikkus ja püsivus.

Meritokraatlik süsteem tahab, et sa tähtsustaksid ennast – ajaksid ennast puhevile, oleksid endas täiesti kindel, usuksid, et oled palju väärt ja kindlustaksid endale selle, mida arvad end väärt olevat (kui see on hea). Meritokraatia tahab, et sa kehtestaksid ja reklaamiksid ennast. Et tõstaksid esile oma saavutused ja liialdaksid nendega. Saavutusmasin premeerib sind, kui suudad demonstreerida üleolekut – kui suudad tuhande tillukese žesti, vestlus- ja riietumisstiiliga näidata, et oled veidi targem, moekam, täiuslikum, elukogenum, kuulsam, informeeritum ja moeteadlikum kui teised su ümber. Meritokraatia soodustab piiratust. See toetab sinu muutumist nutikaks loomaks.

Nutikas loom on muutnud oma seesmise inimlikkuse veelgi rohkem voolujooneliseks, et tõus oleks aerodünaamilisem. Ta haldab hoolikalt oma aega ja emotsionaalseid kohustusi. Asjadele, millele läheneti kunagi poeetilisest mõtteviisist lähtuvalt – näiteks ülikooli minek, tulevase armastatuga kohtumine või tööandjaga suhete loomine –, lähenetakse nüüd professionaalsest seisukohast. Kas sellest inimesest, võimalusest või kogemusest on mulle kasu? Pole lihtsalt aega, et armastusest või kirest hoogu sattuda. Enda kogu hingest ühe kutsumuse või armastusega sidumisel on oma hind. Ühele suurele asjale pühendudes loobud võimalusest pühenduda teistele suurtele asjadele. Sind vaevab hirm, et jääd ilma millestki olulisest.

Üleminek Väikese Mina kultuurilt Suure Mina kultuurile oli põhjendatud, kuid läks liiga kaugele. Piiratust ja moraalset võitlust rõhutav realismitraditsioon marginaliseerus paratamatult ja jäeti kõrvale, kõigepealt positiivse psühholoogia romantilise õitsengu, seejärel sotsiaalmeedia enesebrändimise eetose ja lõpuks meritokraatliku võistlemisega kaasnevate pingete poolt. Järele jäi moraaliökoloogia, mis kasvatab välise Aadam I muskleid, aga eirab seesmise Aadam II lihaseid, tekitades tasakaalutust. See on kultuur, kus inimesi määratletakse nende väliste võimete ja saavutuste järgi, kus tekib hõivatuse kultus – kõik räägivad üksteisele palavikuliselt, kui ülekoormatud nad on. Nagu üks mu õpilane Andrew Reeves kunagi ütles, tekitab see kultuur ebarealistliku ootuse, et elu kulgeb sirgjooneliselt ülesmäge, mööda loomulikku tõusu edu poole. See kultuur õhutab inimesi leppima „rahuldavate lahendustega", ajama läbi ande ja piisava hulga tööga, mis võimaldab saada ülesandega õigel ajal hakkama, ilma et pühenduksid hingega ühessegi töösse.

See traditsioon ütleb sulle, *kuidas* teha asju, mis viivad sind tippu, kuid ei pane sind endalt küsima, *miks* sa neid asju teed. See traditsioon pakub vähe juhatust küsimuses, kuidas valida eri teenistuskäikude ja kutsumuste vahel selle järgi, milline on moraalselt kõrgeim ja parim. See julgustab inimesi muutuma heakskiitu otsivateks masinateks, mõõtma oma elu välise kiituse järgi – kui sa inimestele meeldid ja nad on su staatusega päri, teed sa ilmselt midagi õigesti. Meritokraatiaga kaasnevad teatud kultuurilised vastuolud. See julgustab rakendama oma võimeid täiel määral, kuid paneb samas kärbuma sellised moraalsed võimed, mis on vajalikud selleks, et saaks välja mõelda, kuidas suunata oma elu tähenduslikus suunas.

14. TINGIMUSLIK ARMASTUS

Lubage mul kirjeldada ühte viisi, kuidas meritokraatia praktiline, instrumentalistlik meelelaad võib teatud juhtudel väärastada püha liitu: lapse ja vanema suhet.

Tänapäevasel lastekasvatusel on kaks olulist eripära. Esiteks kiidetakse tänapäeval lapsi enneolematult palju. Dorothy Parker teravmeelitses, et Ameerika Ühendriikides lapsi mitte ei kasvatata, vaid kehutatakse – neile pakutakse süüa, peavarju ja aplausi. Tänapäeval on see veel rohkem nii. Lastele räägitakse lakkamatult, kui erilised nad on. 1966. aastal oli vaid umbes 19 protsendi keskkoolilõpetajate keskmine hinne A või A–. 2013. aastal oli Los Angelese California ülikooli (UCLA) sisseastunute uuringute järgi sama keskmine hinne 53 protsendil keskkoolilõpetajatest. Noori inimesi ümbritseb sedavõrd palju kiitust, et nad seavad endale ülikõrgeid eesmärke. Ernst & Youngi ühe uuringu põhjal arvab 65 protsenti üliõpilastest, et neist saavad miljonärid.[329]

Teine eripära on see, et lapsi lihvitakse enneolematult palju. Vähemalt haritumatesse ja varakamatesse ühiskonnaklassidesse kuuluvad vanemad kulutavad varemate põlvkondadega võrreldes laste eest hoolitsemisele palju enam aega, investeerides nende oskustesse ning sõidutades neid trennidesse ja proovidesse. Richard Murnane Harvardi ülikoolist selgitas välja, et kõrgharidusega vanemad investeerivad aastas ühe lapse huviharidusse 5700 dollarit rohkem kui 1978. aastal.[330]

Need kaks olulist suundumust – rohkem kiitust ja rohkem hoolitsust – moodustavad huvitavaid kombinatsioone. Lapsed on armastusega üle ujutatud, kuid sageli on selline armastus eesmärgipärane. Lapsevanemad külvavad lapsed üle kiindumusega, kuid see ei ole tavaline kiindumus, vaid meritokraatlik – see on põimunud sooviga aidata saavutada oma lastel maist edu.

Mõni lapsevanem kujundab oma armastusavaldusi alateadlikult nii, et suunata oma järeltulijaid käituma moel, mis nende arvates viib saavutuste ja õnnelikkuseni. Vanemad muutuvad eriti innukaks, kui nende laps õpib kõvasti, harjutab palju, võidab esikoha, saab sisse prestiižsesse ülikooli või liitub auseltsiga (tänapäeva koolides tähendab sõna „au" heade hinnete saamist). Vanemlik armastus muutub teenetepõhiseks. Ei ole lihtsalt „Ma armastan sind". On „Ma armastan sind, kui sa vastad minu mõõdupuule. Kui sa vastad mu mõõdupuule, külvan su üle kiituse ja hoolega."

Võrreldes tänapäevaste lapsevanematega, kes ütlevad küsitlejaile, et nad tahavad, et nende lapsed mõtleksid oma peaga, ütlesid lapsevanemad 1950. aastail suurema tõenäosusega, et nad eeldavad lapselt kuulekust. Kuulekussoov pole siiski kadunud, vaid lihtsalt läinud põranda alla – selgest reeglite ja loengute süsteemist, piitsast ja präänikust kiituste ja laituste poolvarjatud maailma.

Teenetepõhise armastuse varjus hiilib oht, et armastus kaob, kui laps valmistab pettumuse. Vanemad eitaksid seda, aga tingimusliku armastuse oht peitub just siin. Tingimusliku armastuse varjatud kohalolek tekitab hirmu – hirmu, et pole olemas täiesti turvalist armastust, et pole olemas täiesti turvalist paika, kus noor inimene saaks olla täiesti aus ja tema ise.

Teisest küljest võivad vanemate ja laste suhted olla lähedasemad kui kunagi varem. Lapsed, isegi ülikoolieas, suhtlevad oma vanematega pidevalt. Vaid kergete kõhklustega on noored inimesed leppinud neid ümbritseva tohutu saavutustesüsteemiga. Nad alluvad sellele, sest igatsevad heakskiitu, mida jagavad täiskasvanud, keda nad armastavad.

Kogu olukord on siiski plahvatusohtlikum, kui esmapilgul paistab. Mõni laps eeldab, et selline teenetega läbipõimunud armastus on kõiksuse loomupärane kord. Tillukesed heakskiitvad ja laitvad vilgatused on suhtlusmustritesse niivõrd sügavale sisse kootud, et neid ei tajuta. Järjest süvenev arvamus, et teiste armastuse ärateenimiseks on vaja käituda teatud moel, tekitab tohutuid sisepingeid. Sisimas kardab laps paaniliselt kaotada kõige sügavamaid suhteid, mida ta tunneb.

Mõni lapsevanem suhtub alateadlikult lapsesse kui millessegi, mis sarnaneb kunstiprojektiga, mida saab vormida vaimsete ja emotsionaalsete korralduste andmisega. Nõudmises, et lapsed käiksid ülikoolis ja elaksid elu, mis annab vanematele teatud staatuse ja valmistab heameelt, on veidi lapsevanemlikku eneseimetlust. Lastel, kes pole oma vanemate armastuses kindlad, tekib tohutu armastuse nälg. Selline tingimuslik armastus on nagu hape, mis söövitab lapse seesmist mõõdupuud, tema võimet otsustada ise oma huvide, karjääri, abielu ja üldse elu üle.

Vanema suhe lapsesse peaks olema üles ehitatud tingimusteta armastusele – kingitusele, mida ei saa osta ega ära teenida. Tingimusteta armastus on meritokraatliku loogika väline ning see on kõige lähem jumalikule armulikkusele, mis inimesel on võimalik saavutada. Ülaltoodud juhtumite puhul aga on surve saavutada edu Aadam I maailmas kahjustanud suhet, mis peaks järgima teistsugust loogikat – Aadam II moraali loogikat. Seetõttu on paljude meie ühiskonna laste südamed katkised.

15. SELVEPILTIDE AJASTU

Selline kultuuriline, tehnoloogiline ja meritokraatlik keskkond ei ole meid muutnud hukkaläinud barbariteks. Küll aga ei suuda me end enam moraalselt nii selgesti väljendada. Paljud meist tunnetavad vaistlikult, mis on hea ja mis halb, kuidas tekivad headus ja iseloom, kuid see kõik on hägune. Paljudel meist puudub selge arusaam sellest, kuidas kujundada iseloomu, puudub konkreetne viis, kuidas sellistest teemadest mõelda. Meile on arusaadavad välised, tööga seonduvad asjad, aga ebaselged seesmised, moraalsed teemad. Meie suhe moraalsusega on nagu Victoria ajastu inimeste suhe seksiga – kõik on eufemismide taha peidetud.

See kultuurinihe on meid muutnud. Esiteks oleme muutunud materialistlikumaks. Tänapäeva üliõpilased ütlevad, et nad väärtustavad rohkem raha ja karjääriedu. Igal aastal küsitlevad Los Angelese California ülikooli teadurid Ameerika Ühendriikide esimese aasta tudengeid nende väärtushinnangute ja elule esitatavate ootuste kohta. 1966. aastal ütles 80% esmaskursuslastest, et neil on kindel soov arendada välja tähendusrikas elufilosoofia. Tänapäeval ütleb sama vaid alla poole esmaskursuslastest. 1966. aastal pidas rikkaks saamist oluliseks elueesmärgiks 42% tudengitest. 1990. aastaks nõustus sama väitega 74% õpilastest. Majanduslik kindlustatus, mis oli kunagi väärtuste nimekirja keskpaigas, jagab nüüd õpilaste nimekirjas esikohta. Teisisõnu tundsid õpilased 1966. aastal, et on oluline end vähemalt näidata filosoofilise ja tähendust oluliseks pidava inimesena. 1990. aastaks ei tundunud enda sellisena esitlemine õpilastele enam vajalik. Nad tundsid, et on täiesti vastuvõetav öelda, et nad on huvitatud peamiselt rahast.[331]

Tänapäeval elame märksa individualistlikumas maailmas. Kui usud alandlikult, et sa pole piisavalt tugev enda nõrkuste alistamiseks, siis tead, et sõltud välisest lunastavast abist. Olles aga uhkelt veendunud, et tõeseimad vastused peituvad sinu sisemuses, pead tõenäoliselt tegema teistega vähem tegemist. Ootuspäraselt on pidevalt halvenenud lähedased sõprussuhted. Aastakümnete eest ütlesid inimesed küsitlejaile tavaliselt, et neil on neli kuni viis lähedast sõpra, kellele nad saavad rääkida kõigest. Tänapäeval on tavaline vastus kaks kuni kolm sõpra, ning nende inimeste arv, kellel usaldusalused puuduvad täielikult, on kahekordistunud. 35% vanemaealistest täiskasvanutest on enda sõnade järgi tundnud end pikemat aega üksildasena; kümme aastat tagasi oli vastav protsent 20.[332] Samal ajal on vähenenud inimestevaheline usaldus. Uuringutes küsitakse: „Kas Teie arvates on enamik inimesi usaldatavad või tuleb inimestega asju ajades olla alati ettevaatlik?" 1960. aastate alguses olid enamik küsitletutest arvamusel, et üldiselt võib inimesi usaldada. 1990. aastail aga oli umbusaldajaid 20% võrra enam kui usaldajaid ja järgnenud aastail on nende hulk veelgi kasvanud.[333]

Inimesed on muutunud vähem empaatiliseks – või vähemalt kirjeldavad nad ennast vähem empaatilisena. Ühes Michigani ülikooli uuringus leiti, et tänapäeva üliõpilastel on teiste inimeste tunnete mõistmise võime võrreldes nende 1970. aastate eelkäijatega langenud 40% võrra. Suurim langus toimus pärast 2000. aastat.[334]

Ka avalik keelekasutus on moraalselt laostunud. Google'i Ngram-programm mõõdab sõnakasutust. Google võib raamatute ja teiste trükiste sisu läbi kammida kuni aastakümnete taha ulatuva ajani. Kui sisestad otsisõna, saad vaadata, milliseid sõnu on aastate lõikes kasutatud sagedamini ja milliseid harvemini. Viimase mõnekümne aasta jooksul on märgatavalt kasvanud enesekohaste sõnade ja väljendite hulk – näiteks *self* (mina) ja *personalized* (isikupärastatud), *I come first* (mina ise olen kõige tähtsam) ja *I can do it myself* (saan ise hakkama) – ning märgatavalt kahanenud kogukondlike sõnade hulk – näiteks *community* (kogukond), *share* (jagama), *united* (ühendatud) ja *common good* (ühine hüve).[335] Kasvanud on majandusse ja ärivaldkonda puutuvate sõnade arv, samal ajal kui moraalsuse ja iseloomu kujundamisega seotud sõnakasutus on kahanemas.[336] Selliste sõnade nagu *character* (iseloom), *conscience* (südametunnistus) ja *virtue* (vooruslikkus) kasutus vähenes 20. sajandi jooksul.[337] Sõna *bravery* (vaprus) kasutus kahanes 20. sajandi jooksul 66%. Sõna *gratitude* (tänulikkus) kasutatakse 49% vähem. Sõna *humbleness* (tagasihoidlikkus) 52% vähem ja sõna *kindness* (lahkus) 56% vähem.

See Aadam II laiali pudenenud sõnavara on omakorda põhjustanud moraalset väljendusraskust. Praegusel moraalse autonoomia ajastul öeldakse, et iga inimene peab ise endale ilmavaate looma. Kui su nimi on Aristoteles, saad sellega ehk hakkama. Kui ei ole, siis ilmselt ei saa. Christian Smith Notre Dame'i ülikoolist uuris 2011. aastal ilmunud raamatut „Üleminekus kaduma läinud" („Lost in Transition") kirjutades Ameerika Ühendriikide üliõpilaste moraalset poolt. Ta palus neil kirjeldada mõnda moraalset dilemmat, millega nad viimati silmitsi seisid. Kaks kolmandikku tudengitest kas ei osanud kirjeldada moraalset probleemi või kirjeldasid probleeme, mil ei olnud midagi pistmist moraaliga. Näiteks ütles üks õpilane, et viimane moraalne dilemma tekkis tal siis, kui ta oli auto ära parkinud, aga tal polnud parkimisautomaadi jaoks piisavalt raha.

„Paljud neist ei ole varem selliste moraali puutuvate küsimuste üle, mida neile esitasime, eriti või üldse mitte pead murdnud," kirjutasid Smith ja ta kaasautorid. Nad ei saanud aru, et moraalne dilemma tekib siis, kui omavahel põrkuvad kaks enam-vähem võrdse kaaluga moraalset väärtust. Enamjaolt arvati, et moraalse valiku tegemine tähendab lähtumist sellest, kas valik tundub sisimas õige ja kas see tekitab meeldivaid emotsioone. Üks õpilane tõi vastuseks tavapärase seisukoha: „Ma arvan, et õige on see, mis tundub mulle õige. Kuna igaüks tunnetab asju omamoodi, ei saanud ma teiste eest öelda, mis on õige ja mis vale."[338]

Kui usud, et lõplikku tõde teab sinu Tõeline Mina, muutud loomulikult emotivistiks ja langetad moraalseid otsuseid enda seest üles kerkivate tunnete põhjal. Loomulikult muutud relativistiks. Ühel Tõelisel Minal puudub alus teisele Tõelisele Minale hinnagu andmiseks või temaga vaidlemiseks. Loomulikult muutud individualistiks, sest lõplik vahekohtunik on su seesmine tõeline mina, mitte mõni kogukondlik norm või tähtis väline asjaolu. Loomulikult kaotad kontakti moraalisõnavaraga, mis on vajalik selliste küsimuste üle mõtisklemiseks. Loomulikult muutub su siseelu ühetasasemaks – eetiliste otsuste tegemise innustavate tippude ja ahastama panevate kuristike asemel on laugjad künkad – ei midagi, mille pärast ülearu muretseda.

Vaimse ruumi, mida kunagi täitis moraalne võitlus, on järk-järgult hõivanud võitlus saavutuste nimel. Moraalsus on asendunud kasulikkusega. Aadam II asemele on tulnud Aadam I.

16. VÕLTS ELU

1886. aastal avaldas Lev Tolstoi kuulsa novelli „Ivan Iljitši surm". Novelli peategelane on edukas advokaat ja kohtunik, kes riputab ühel päeval oma uues uhkes korteris akna ette kardinaid, kuid kukub veidralt külje peale. Esialgu ei pea ta seda millekski, kuid seejärel tekib talle suhu kummaline maitse ning ta jääb haigeks. Lõpuks taipab 45aastane mees, et ta on suremas.

Iljitš oli elanud tõusvas joones kulgevat viljakat elu. Tolstoi jutustab meile, et ta oli „andekas, lõbus, heasüdamlik ja seltsiv inimene, kes seejuures ometi täitis rangelt seda, mida ta pidas oma kohuseks; oma kohuseks aga pidas ta kõike seda, mida peeti selleks kõrgel seisvate isikute poolt"[viii].[339] Teisisõnu oli ta oma aja moraaliökoloogia ja sotsiaalse staatuse süsteemi edukas toode. Tal oli hea töö ja suurepärane maine. Ta abielusuhted olid külmad, kuid ta veetis perega vähem aega ja pidas seda normaalseks.

Iljitš püüab naasta endise mõttelaadi juurde, aga tõtliku surma kohalolek tekitab teistsuguseid mõtteid. Ta mõtleb erilise hellusega oma lapsepõlvele, aga mida rohkem ta mõtleb täiskasvanupõlvele, seda vähem rahuldav see tundub. Ta oli kiirustanud abiellu poolkogemata. Aasta aasta järel oli raha hõivanud ta tähelepanu. Ta karjääri tipphetked tunduvad nüüd tühised. „Võib-olla ei elanud ma nii nagu vaja?" küsib ta endalt ühtäkki.[340]

Kogu lugu keerleb mõistete *kõrge* ja *madal* ümber. Mida kõrgemale liigub peategelane väliselt, seda madalamale langeb sisemiselt.

---

viii Kasutatud Jüri Piigi tõlget: Lev Tolstoi. Kreutzeri sonaat. Tallinn 1998, „Ivan Iljitši surm". – Tlk.

Tal tekib kujutlus elatud elust kui „järjest kasvava kiirusega langevast kivist“.[341]

Talle meenub, et ta oli tundnud kergeid, vaevu hoomatavaid impulsse võidelda ühiskonna poolt heaks ja kohaseks peetava vastu. Ta ei olnud aga pööranud neile erilist tähelepanu. Ta mõistab nüüd: „Tema amet, elukorraldus ja perekond, need ametialased ning ühiskondlikud huvid – kõik need võisid olla ebaõiged. Ta püüdis kõike seda kaitse alla võtta, ning tundis äkki, kuivõrd mannetu oli kõik see, mida ta kaitses. Tegelikult ei olnudki, mida kaitsta.“[342]

Tolstoi läheb Ivan Iljitši Aadam I elu maha salgamisega ilmselt liiale. Kogu ta elu ei olnud võlts ja kasutu. Ta maalib siiski ilustamata portree mehest, kel puudub enne surmaga silmitsi seismist sisemaailm. Neil viimastel tundidel näeb mees viimaks vilksamisi midagi, mida ta oleks pidanud teadma algusest peale: „Ta langes auku ja seal, augu põhjas, hakkas miski helendama ... Samal silmapilgul langes Ivan Iljitš auku, nägi valgust ja talle sai selgeks, et ta elu ei olnud see, mis oleks pidanud olema, kuid et seda võib veel parandada. Ta küsis eneselt, missugune tema elu oleks pidanud olema, ning jäi kuulatama.“

Paljud meist on Ivan Iljitši olukorras, tajudes, et meid ümbritsev sotsiaalne süsteem sunnib meid elama teatud laadi küündimatut välist elu. Ometi on meil midagi, mida Iljitšil polnud: aega vigade parandamiseks. Küsimus on, kuidas seda teha.

Vastusena peaks valdavatele kultuurituultele vähemalt mingil määral vastu seisma. Vastusena tuleb ühineda mõne vastukultuuri liikumisega. Et elada sündsat elu ja tegeleda hingeharidusega, on tõenäoliselt vaja välja öelda, et Suurt Mina tagant õhutavad jõud, mis on mitmel moel küll vajalikud ja vabastavad, on läinud liiale.

Oleme tasakaalust väljas. Tõenäoliselt oleks vaja olla ühe jalaga saavutusmaailmas ja teise jalaga mõnes vastukultuuri liikumises, mis on saavutuseetosega vastuolus. Ilmselt on vaja taastada tasakaal Aadam I ja Aadam II vahel ja mõista, et Aadam II on olulisem kui Aadam I.

17. ALANDLIKKUSE KOODEKS

Iga ühiskond loob endale oma moraaliökoloogia. Moraaliökoloogia on teatud normide, oletuste, uskumuste ja käitumuslike tavade kogum ning iseenesest tekkivate moraalsete nõudmiste institutsionaliseeritud kogum. Valitsev moraaliökoloogia julgustab meid olema teatud laadi isikud. Kui käitud ühiskonnas valitseva moraaliökoloogia järgi, teenid inimestelt naeratusi ja leiad toetust samal moel jätkamiseks. Teatud ajahetkel kehtiva moraaliökoloogia suhtes ei valitse ühiskonnas kunagi üksmeel – alati on mässajaid, kriitikuid ja kõrvalejäänuid. Igasugune moraalne kliima on siiski ühine vastus antud hetke probleemidele ja see kujundab inimesi, kes selle tingimustes elavad.

Viimase mõnekümne aasta jooksul oleme rajanud moraaliökoloogia ümber Suure Mina, ümber uskumuse inimeses peituvast kuldsest kujust. See on toonud kaasa nartsissismi ja eneseülistamise vohamise. See on pannud meid keskenduma oma loomuse välisele, Aadam I küljele ja eirama Aadam II siseilma.

Tasakaalu taastamiseks, Aadam II taasavastamiseks, ülistuskõne väärtuste viljelemiseks tuleb tõenäoliselt taaselustada ja järgida midagi, mille jätsime kogemata selja taha: moraalse realismi vastutraditsiooni, seda, mida olen kutsunud „kõvera puu" koolkonnaks. Tõenäoliselt tuleb moraaliökoloogia rajada selle koolkonna ideedele, järgida nende poolt kõige olulisematele küsimustele antud vastuseid. Millele peaksin suunama oma elu? Kes ma olen ja milline on mu loomus? Kuidas peaksin kujundama oma loomust, et see muutuks päev päeva järel paremaks? Milliseid voorusi on kõige olulisem arendada ja milliseid nõrkusi peaksin kõige rohkem kartma? Kuidas kasvatada oma lapsi, tunnetades täielikult nende olemust ning pakkudes praktilisi ideid, kuidas rännata mööda pikka iseloomu kujundamise teed?

„Kõvera puu" traditsiooni määratlevad teesid on laiali pillutatud mööda selle raamatu peatükke. Mõtlesin, et ehk oleks kasulik need kokku koondada ja siinkohal punktidena lühidalt üle korrata, kuigi nende esitamine nummerdatud loeteluna kipub neid lihtsustama ja kujutama lihtsakoelisemana, kui need tegelikult on. Üheskoos moodustavad need teesid „Alandlikkuse koodeksi", mis annab selge pildi sellest, mille nimel ja kuidas elada. Selle „Alandlikkuse koodeksi" põhiteesid on järgmised.

1. Me ei ela õnne, vaid pühaduse nimel. Otsime päevast päeva naudinguid, kuid sisimas on inimesed õnnistatud moraalse kujutlusvõimega. Kõik inimesed soovivad elada mitte ainuüksi naudinguterikast, vaid eesmärgipärast, õiglast ja vooruslikku elu. John Stuart Mill ütles, et inimestel on kohustus saada aja jooksul moraalsemaks. Parim elu on suunatud kasvavale hingesuurusele ja seda toidavad moraalne rõõm, vaikne tänutunne ja eduka moraalse võitluse kõrvalsaadusena saabuv rahu. Tähendusrikas elu on seesama igavikuline nähtus, teatud

ideaalide kombinatsioon ja mõne mehe või naise võitlus nende ideaalide nimel. Elu on põhiolemuselt moraalne, mitte hedonistlik draama.

2. Esimene tees määratleb elu eesmärgi. Pikk tee iseloomuni algab täpse arusaamisega inimloomusest; selle arusaamise tuum on tõdemus, et inimene on mõrane olend. Me kaldume loomupäraselt olema isekad ja liialt enesekindlad. Kaldume end nägema universumi keskpunktina, justkui tiirleks kõik ümber meie. Otsustame teha ühte, aga teeme teist. Teame, mis on sügavamõtteline ja elus oluline, kuid ometi taotleme pealiskaudset ja tühist. Lisaks ülehindame oma tugevust ja mõistuspärastame oma äpardumisi. Teame vähem, kui arvame end teadvat. Anname järele lühiajalistele himudele, kuigi teame, et ei tohiks. Kujutame endale ette, et hingelisi ja moraalseid vajadusi saab rahuldada staatuse ja aineliste esemetega.

3. Kuigi oleme puudulikud olendid, oleme samas tõeliselt õnnistatud. Oleme sisimas kahestunud, meis on nii hirmsat kui ka armsat. Me küll patustame, kuid meil on ka võime pattu ära tunda, pattu häbeneda ja patust jagu saada. Oleme nii nõrgad kui ka tugevad, nii seotud kui ka vabad, nii pimedad kui ka kaugele nägijad. Seega suudame iseendaga võidelda. Iseendaga võitlevas inimeses on midagi kangelaslikku – südametunnistuse piinapingile tõmmatuna ja piineldes elab ta ometi edasi ja muutub tugevamaks, ohverdades maise edu seesmise võidu nimel.

4. Võitluses seesmise nõrkusega on suurim voorus alandlikkus. Alandlikkus tähendab tunda oma loomust ja kohta ilmaruumis. Alandlikkus tähendab teada, et oled võitluses oma nõrkustega kaotaja pool. Alandlikkus tähendab teada, et vaid sinu isiklikust andekusest ei piisa sulle antud ülesannete lahendamiseks. Alandlikkus tuletab

- sulle meelde, et sa ei ole universumi keskpunkt, vaid teenid suuremat süsteemi.

5. Peamine patt on uhkus. Uhkus on keerdsõlm tunnetusaparaadis. Uhkus ei lase meil näha meie loomuse kahestatust. Uhkus ei lase meil näha meie endi nõrkusi ja paneb meid arvama, et oleme paremad, kui tegelikult oleme. Uhkus muudab meid enesekindlamaks ja väiklasemaks, kui peaksime olema. Uhkus muudab raskeks haavatavuse näitamise neile, kelle armastust vajame. Uhkus muudab võimalikuks tundetuse ja julmuse. Uhkuse tõttu püüame tõestada, et oleme teistest paremad. Uhkus tekitab pettekujutluse ja lubab meil uskuda, et oleme oma elu loojad.

6. Kui ellujäämine on tagatud, saab pattude vastu ja vooruslikkuse eest peetud võitlusest elu keskne draama. Ükski väline konflikt ei ole nii tähtis või dramaatiline kui sisemine võitlus oma puudustega. See võitlus, näiteks isekuse või eelarvamuse või ebakindlusega, annab elule mõtte ja vormi. See on palju olulisem kui väline tõus mööda eduredelit. See võitlus pattudega on suur väljakutse, mistõttu pole elu ei tühine ega mõttetu. Seda lahingut on võimalik pidada hästi või halvasti, tõsiselt või elurõõmsalt. Nõrkustega võideldes tuleb sageli otsustada, millist osa endast arendada ja millist mitte. Pattude ja nõrkustega võitlemise eesmärk ei ole „võit", sest see pole võimalik; eesmärk on muutuda paremaks nende vastu võitlemisel. Pole vahet, kas töötad riskifondis või vaest?abiorganisatsioonis. Kangelasi ja tohmaneid on mõlemas maailmas. Kõige olulisem on see, kas sa oled valmis seda võitlust pidama.

7. Iseloom kujuneb seesmise vastasseisu tulemusel. See on kogum kalduvusi, soove ja harjumusi, mis tekivad tasahilju sisemise nõrkuse vastu võitluse tulemusel. Sa muutud distsiplineeritumaks, taktitundelisemaks

ja armastavamaks tuhande tillukese enesekontrolli nõudva teo, jagamise, teenimise, sõpruse ja rafineeritud naudingu kaudu. Tehes distsiplineeritud ja hoolivaid valikuid, talletad teatud kalduvused aegamisi oma meeltesse. Suureneb tõenäosus, et sa soovid edaspidi õigeid asju ja teed õigeid tegusid. Tehes isekaid, julmi või kaootilisi valikuid, käib su sisemus ajapikku alla, sa muutud heitlikuks või killustud. Võid oma tuuma kahjustada ka vääritute mõtetega, isegi kui sa ei kahjusta nendega kedagi teist. Võid oma tuuma ülendada, hoides end vaos, kuigi keegi ei näe. Kui sa sel moel endale sidusat iseloomu ei loo, puruneb su elu varem või hiljem kildudeks. Sinust saab oma kirgede ori. Kui sa aga harjud ennast distsiplineerima, muutud püsikindlaks ja usaldusväärseks.

8. See, mis juhib meid eksiteele, on lühiajaline – himu, hirm, edevus, aplus. See, mida nimetame iseloomuks, püsib pikka aega – julgus, ausus, alandlikkus. Iseloomuga inimesed on võimelised pikaacgseks samasuunaliseks kohusetundlikkuseks ning nad on võimelised jääma nii heas kui ka halvas püsivalt seotuks inimeste, eesmärkide ja kutsumustega. Iseloomuga inimestel on ka toimimisraadius. Nad ei ole lõpmatult paindlikud, vabalt triivivad ja üksildased. Nad on kinnitatud püsivate sidemetega olulise külge. Intellektuaalses plaanis on neil põhitõdede osas kindlad veendumused. Emotsionaalses plaanis on nad osa tingimusteta armastuste võrgustikust. Tegutsemise plaanis on nad püsivalt pühendunud ülesannetele, mida pole võimalik lõpetada ühe inimese eluajal.

9. Ükski inimene ei ole võimeline saavutama enesevaldamist iseseisvalt. Üksikisiku tahe, mõistus, kaastunne ja iseloom ei ole pidevaks isekuse, uhkuse, ahnuse ja enesepetmise alistamiseks piisavalt tugevad. Igaüks vajab lunastavat

abi väljastpoolt – Jumalalt, perekonnalt, sõpradelt, esi-
vanematelt, reeglitelt, traditsioonidelt, institutsioonidelt
ja eeskujudelt. Selleks, et võitlus iseendaga oleks edukas,
tuleb endas tekitada kiindumustunne. Selleks, et saada
hakkama jõududega enda sisemuses, pead toetuma mille-
legi endast väljaspool. Tuleb tugineda kultuuritraditsioo-
nile, mis harib südant, mis edendab teatud väärtusi, mis
õpetab meile, mida tunda teatud olukordades. Me peame
oma võitlusi samal ajal kui teised ja piirid meie vahel on
ähmased.

10. Lõpuks päästab meid kõiki armulikkus. Nõrkusevastane
    võitlus on sageli U-kujuline. Elad oma elu ja ühtäkki pai-
    satakse sind rajalt – olgu siis enese alla matva armastuse,
    läbikukkumise, haiguse, töökaotuse või saatusekäänaku
    tagajärjel. Kõigepealt edened, seejärel taganed ja seejärel
    edened taas. Taganedes tunnistad oma vajadust ja loo-
    vutad krooni. Tekitad ruumi, mille teised saavad täita.
    Sinna ruumi voolab armulikkus. See võib tulla sõprade
    ja perekonna pakutud armastusena, ootamatult ilmunud
    võõra abina või Jumalalt. Sõnum aga on üks ja seesama.
    Sa oled omaks võetud. Sa ei vehkle meeleheitlikult, sest
    käed hoiavad sind üleval. Sa ei pea võitlema koha pärast,
    sest sind on omaks võetud ja heaks kiidetud. Pead liht-
    salt omaks võtma teadmise, et sind on omaks võetud.
    Tänulikkus täidab hinge, tekib soov teenida ja vastata
    samaga.

11. Nõrkuse alistamine tähendab sageli oma mina vaigista-
    mist. Vaid oma mina vaigistamise, oma ego hääle sum-
    mutamise kaudu saad vaadata maailmale selge pilguga.
    Vaid oma mina vaigistamise kaudu saad avaneda välistele
    jõuallikatele, mida vajad. Vaid tundliku ego vaigistamise
    läbi saad võitlusega kaasnevatele rõõmudele ja mure-
    dele reageerida tasakaalukalt. Nõrkusega võitlemiseks

on vaja harjumust end tagaplaanil hoida – vaoshoitust, tagasihoidlikkust, kuuletumist millelegi suuremale – ning võimet tunda aukartust ja imetlust.

12. Tarkus algab epistemoloogilisest tagasihoidlikkusest. Maailm on mõõtmatult keerukas ja üksikisiku mõistmisvõime on piiratud. Üldiselt ei ole me võimelised aru saama sündmusi ajendavast keerukast põhjuste rägastikust. Me ei ole võimelised hoomama isegi oma vaimu alateadvuse sügavikke. Peaksime suhtuma kahtlevalt abstraktsesse arutlusse või katsesse kohaldada eri olukordades üldkehtivaid reegleid. Sajandite jooksul aga lõid meie esivanemad praktiliste tarkuste, traditsioonide, harjumuste, kommete, moraalsete tundmuste ja praktikate andmepanga. Seega iseloomustab tagasihoidlikku inimest terav ajalooteadlikkus. Ta pärib tänulikult oma liigikaaslaste sõnatu tarkuse, käitumisreeglid ja õpetamata tundmuste varu, mis on hädaolukorras kohe kasutatavad, mis annavad praktilist nõu eri olukordades käitumise kohta, mis edendavad harjumusi, mis koonduvad voorusteks. Tagasihoidlik inimene mõistab, et kogemus on parem õpetaja kui puhas mõistus. Ta mõistab, et tarkus ei tähenda teadmisi. Tarkus kerkib välja intellektuaalsete vooruste kogust. Tarkus tähendab teada, kuidas käituda, kui puuduvad täiuslikud teadmised.

13. Hea elu on võimalik vaid siis, kui see on seotud kutsumusega. Kui püüad tööga teenida iseennast, avastad, et su ambitsioonid ja ootused on pidevalt su käeulatusest väljas ja sa ei jää kunagi rahule. Kui püüad tööga teenida kogukonda, jääd alati kahtlema, kas sind väärtustatakse piisavalt. Kui aga teenid tööd, milleks tunned sisemist sundust ja püüad seda teha hästi, teenid kaudselt nii ennast kui kogukonda. Kutsumust ei leia endasse vaadates, sealt kirge leida püüdes. Seda leiab mujale vaada-

tes ja küsides, mida elu meilt soovib. Millist probleemi aitab lahendada mõni tegevus, millest sa sisimas rõõmu tunned?

14. Parim juht püüab oma töös järgida inimloomust, mitte ei eira seda. Ta mõistab, et nagu inimesed, keda ta juhib, on ka ta ise tõenäoliselt vahel isekas, kitsarinnaline ja tegeleb enesepettusega. Seetõttu eelistab ta tasaseid ja kindlaid korraldusi kõrgelennulistele ja kangelaslikele. Niikaua kui institutsiooni alustalad on korras, eelistab ta pidevat, järkjärgulist ja täiendavat muutust põhjalikule ja äkilisele muutusele. Ta mõistab, et avalik elu on pooltõdede ja õigustatud, kuid vastuoluliste huvide vaheline võitlus. Juhtimise eesmärk on leida õiglane tasakaal võistlevate väärtuste ja võistlevate eesmärkide vahel. Ta püüab olla kohendaja, kandes raskuse vastavalt olukorra muutumisele kord ühele, kord teisele poole, et paat püsiks püsti ja liiguks kindlal otsekursil. Ta mõistab, et poliitikas ja äris on sügavused suuremad kui kõrgused. Halbade otsustega kaasnev risk on suurem kui headest otsustest tulenev kasu. Seepärast hoolitseb tark juht oma organisatsiooni eest ja püüab selle edasi anda veidi paremana, kui tema selle sai.

15. Inimene, kes võitleb nõrkuste ja pattudega edukalt, võib, aga ei pruugi saada rikkaks ja kuulsaks, kuid kindlasti saab ta küpseks. Küpsus ei põhine andekusel ega ühelgi vaimsel või kehalisel võimel, mis aitavad sul edukalt sooritada intelligentsusteste, kiiresti joosta või nõtkelt liikuda. Küpsus ei ole võrreldav. Küpsust ei saavutata teistest inimestest millegi poolest parem olles, vaid olles ise parem kui varem. Küpsus saavutatakse, olles rasketel aegadel usaldusväärne ja ahvatlevatel aegadel kindlameelne. Küpsus ei sära. See ei põhine omadustel, mille tõttu saavad inimesed kuulsaks. Küpset

inimest iseloomustab eesmärgikindlus. Küps inimene on liikunud killustatuselt keskendatusele, on saavutanud seisundi, kus rahutus on lõppenud, segadus elu tähenduse ja mõtte osas rahunenud. Küps inimene suudab langetada otsuseid, toetumata austajate või halvustajate kiitustele või laitustele, sest küps inimene lähtub tõe leidmisel kindlatest kriteeriumitest. See inimene on öelnud mõne ülekaaluka jahi nimel lugematul hulgal eisid.

18. ELULAADID

Selle raamatu tegelased sammusid mööda eri radu ja olid ka ise erinevad. Ühed, näiteks Augustinus ja Johnson, tegelesid sisekaemusega. Teised, näiteks Eisenhower ja Randolph, seda ei teinud. Ühed, näiteks Perkins, olid valmis laskma end eesmärgi nimel poliitikal määrida. Teised, näiteks Day, ei tahtnud ainuüksi teha head, vaid ka olla hea, elada puhtaimat võimalikku elu. Ühed neist, näiteks Johnson ja Day, olid enda vastu väga ranged. Nad tundsid vajadust võidelda visalt oma nõrkustega. Teised, näiteks Montaigne, leppisid endaga ning võtsid elu kergemalt ja pingevabamalt, jättes elu põhiprobleemid looduse hooleks. Ühed, näiteks Ida Eisenhower, Philip Randolph ja Perkins, hindasid privaatsust, olles veidi eraklikud ja emotsionaalselt vaoshoitud. Teised, näiteks Augustinus ja Rustin, olid emotsionaalselt avatud. Ühed, näiteks Day, leidsid pääsetee usus, samal ajal kui teised, näiteks Eliot, kannatasid usu tõttu, või, nagu Marshall, polnud usklikud.

Ühed, näiteks Augustinus, loobusid ohjade enda kätte haaramisest ja lasid armul täita tühimiku. Teised, näiteks Johnson, võtsid elu ohjad enda kätte ja tegid hinge harimisel jõupingutusi.

Ka moraalse realismi traditsioonis endas leidub palju temperamente, tehnikaid, taktikaid ja maitseid. Kaks inimest, kes mõlemad jagavad „kõvera puu" maailmavaadet, võivad konkreetsetele küsimustele läheneda kumbki isemoodi. Kas jääda kannatama või liikuda võimalikult kiiresti edasi? Kas pidada parema eneseteadlikkuse huvides päevikut või põhjustab see lihtsalt halvavat eneseteadlikkust ja enesekesksust? Kas olla vaoshoitud või väljendusrikas? Kas võtta elu juhtohjad enda kätte või alistuda Jumala armule?

Ka ühe ja sama moraaliökoloogia piires on igal inimesel palju ruumi isikliku tee rajamiseks. Kõik selle raamatu tegelased olid elu algul sügavalt haavatavad ning sellest üle saamiseks tuli pingutada eluaeg. Johnson oli killustunud ja tormide pillutada. Rustin oli õõnes ja valimatu sugueluga. Marshall oli uje poiss. Eliot igatses kiindumust. Ja ometi osutus igaühe nõrkus tema lunastajaks. Igaüks neist võitles oma nõrkusega ja muutus tänu sellele tugevaks. Igaüks neist laskus alla alandlikkuse orgu, et tõusta tüünuse ja enesest lugupidamise tippudele.

19. KOMISTAJAD

Selle raamatu hea uudis on see, et mõrasuses pole midagi häbenemisväärset, sest me kõik oleme mõrased. Patt ja piiratus läbivad niidina meie elu. Oleme kõik komistajad ning elu ilu ja mõte selles seisnevadki – komistamise äratundmises ja püüdlustes muutuda aastate jooksul graatsilisemaks.

Komistaja lohistab end läbi elu, kaotab siin-seal tasakaalu, vahel taarub, vahel kukub põlvili. Samas astub ta ilustamata aususega ja valimatult silmitsi oma puuduliku loomuse, vigade ja nõrkustega. Vahel ta häbeneb oma rikutud loomust – isekust, enesepettust, aeg-ajalt tabavat soovi eelistada madalamaid armastusi kõrgematele.

Alandlikkus aga pakub enesemõistmist. Kui tunnistame, et vahel läheb meil midagi vussi, ja tunnetame oma piiratuse raskust, avastame, et seisame silmitsi tõsise vaenlasega, kellest tuleb jagu saada ja üle olla.

Võitlus muudab komistaja terviklikuks. Iga nõrkus annab võimaluse lahinguks, mis korrastab elu ja annab sellele mõtte ning muudab su paremaks inimeseks. Pattudega võideldes toetume üksteisele. Oleneme üksteisest pattude andeksandmisel. Komistaja käsi on välja sirutatud, valmis toetuma ja toetama. Ta on piisavalt haavatav, et kiindumust vajada, ja piisavalt helde, et kiindumust täiel rinnal pakkuda. Kui meil poleks patte, võiksime olla üksildased Atlased, aga komistaja elab kogukonnas. Tal on sõbrad, kellega vestelda ja kes annavad nõu. Ta esivanemad on andnud talle mitmesugust eeskuju, mida ta saab järele aimata ja millega end võrrelda.

Oma elu väiksuses pühendub komistaja ideedele ja uskumustele, mis on üllamad, kui ükski inimene saaks kunagi olla. Ta ei ela alati oma tõekspidamiste kohaselt ega ole otsusekindel. Kuid ta kahetseb ja saab lunastatud ja proovib uuesti – see on protsess, mis muudab läbikukkumise väärikaks. Võidud järgivad sama joont: alistamisest saab äratundmine ja äratundmisest lunastus. Alla nägemise orgu ja tagasi üles kiindumuse mägismaale. See on alandlik tee, mis viib ilusa eluni.

Igast võitlusest jääb jälg. Inimene, kes on niimoodi võidelnud, tundub kindlam ja sügavam. Maagilise alkeemia kaudu saab nõrkustest võitude tulemusel rõõm. Komistaja ei taotle rõõmu. Rõõm saabub kõrvalsaadusena inimeste juurde, kelle tähelepanu on suunatud millelegi muule. Aga rõõm tuleb.

Rõõmu on elus, mida täidab vastastikune sõltuvus teiste inimestega, elus, mida täidavad tänutunne, austus ja imetlus. Rõõm peitub vabatahtlikus kuuletumises teistele inimestele, endast suurematele ideedele ja kohustustele. Rõõm peitub tundes, et sa oled omaks võetud, teadmises, et kuigi sa ei vääri nende armastust, armastatakse sind siiski; sind on vastu võetud oma ellu. Moraalne heategu pakub esteetilist rõõmu, mille kõrval tundub iga teine rõõm tühine ja kiirelt kaduv.

Inimeste elamisoskus paraneb, kui nad suudavad olla alandlikud ja õppida. Ajapikku komistavad nad vähem ja lõpuks saabuvad katarsise hetked, mil välised pürgimused leiavad tasakaalu seesmiste püüdlustega, kui ühinevad Aadam I ja Aadam II pingutused, kui saabub lõplik rahu ja voogavusetunne – kui moraalne loomus ja välised oskused ühinevad üheks määravaks pingutuseks.

Rõõm ei teki sellest, kui teised sind kiidavad. Rõõm tekib käsu ja sunnita. Rõõm saabub kingitusena siis, kui sa seda kõige vähem ootad. Neil põgusatel hetkedel tead, miks sa siin oled ja millist tõde teenid. Need ei pruugi olla peadpööritavad hetked, sa ei

pruugi kuulda orkestri pööraseks paisunud helisid või näha puna-
seid ja kuldseid välgatusi, aga sa tunned rahuldust, vaikust, rahu –
vaikimist. Need on märgid ja õnnistused, mis näitavad, et oled ela-
nud hästi.

TÄNUSÕNAD

Anne C. Snyder oli selle raamatu sünni juures ja minu kõrval selle raamatu kirjutamise esimesel kolmel aastal. Esialgse plaani järgi pidi see olema raamat tunnetusest ja otsustamisest. Anne'i mõjutusel räägib see raamat moraalist ja inimese siseilmast. Ta algatas raamatu teemadel kümneid arutelusid, soovitas mulle oma teadmistepagasist lugemismaterjali, vaidlustas ühtepuhku mu mõtlemise pealiskaudsuse ja muutis kogu projekti. Kuigi mul ei õnnestunud olla sama tundeküllane, kui on tema kirjutamisstiil, olen siiski varastanud mitu tema tähelepanekut ja ideed ning imetlenud ta rõõmuküllast ja moraalselt järeleandmatut elu. Kui raamatus on midagi kvaliteetset, pärineb see tõenäoliselt Anne'ilt.

April Lawson liitus pingutusega viimaseks pooleteiseks aastaks. Ta on minu ajalehekolumni toimetaja ja ta lähenes sama otsusekindlalt ka mu käsikirjale. Võin õppida elu kohta paljugi, aga ei mõista ilmselt kunagi, kuidas saab nii noor inimene olla nii täiskasvanulikult ja kaalutletult tark, mõista nii hästi inimeste elu ning teha nii julgeid ja vajalikke soovitusi.

Campbell Schnebly-Swanson oli mu õpilane Yale'is ja ta aitas teha lõplikku uurimis- ja mõttetööd. Sellest naisest otsekui paiskub välja mõtteid, otsustusi ja entusiasmi. Tema reaktsioonid muutsid selle raamatu teksti teravamaks ja ta uurimistööd leidub kogu raamatus. Ootan aukartusega, millise jälje jätab ta maailmale.

Olen Yale'i ülikoolis andnud kolmel aastal ainet, mis põhineb teatud määral ka raamatus esitatud mõtetel. Minu õpilased on selle teemaga koos minuga rinda pistnud ja pakkunud nii klassiruumis kui ka The Study hotelli baaris hindamatuid vaatenurki. Tänu neile on mu iga nädala kaks esimest päeva uskumatult lõbusad. Eriti sooviksin tänada oma Yale'i kolleege Jim Levinsohni, John Gaddist, Charles Hilli ja Paul Kennedyt sooja vastuvõtu eest. Üks teine Yale'i professor, Bryan Garsten, luges läbi suure osa käsikirjast ning aitas muuta teksti selgemaks ja sügavamaks. Mind kuulasid ära paljud Yale'i ja Wheaton College'i õppejõud ning andsid tagasisidet ja nõu.

Will Murphy on inimene, kellega olen teinud koostööd kahe Random House'i kirjastuse raamatu tarvis. Temast toetavamat toimetajat on raske ette kujutada. Olen see harv autor, kel on oma kirjastuse kohta öelda üksnes häid sõnu. Mul on olnud õnn kirjutada entusiastlikule, professionaalsele ja toetavale meeskonnale, kelle hulgast tooksin eraldi välja London Kingi, selle raamatu kirjastamise peamise korraldaja, kes teeb oma tööd suurepäraselt.

Tänan ka paljusid teisi inimesi. Minu vanemad, Michael ja Lois Brooks on endiselt minu parimad ja karmimad toimetajad. Cheryl Miller aitas kirjutamise algfaasis luua raamatu esialgse kavandi ja valida tegelasi. Pete Wehner pakkus väsimatult abi ja nõu. Yuval Levin on minust palju noorem, kuid temast on saanud mu vaimne nõuandja. Kirsten Powers luges läbi olulised kohad ja pakkus terve kirjutamisprotsessi vältel moraalset ja emotsionaalset tuge. Davidson College'i president Carol Quillen aitas mul paremini mõista Augustinust ja ka paljut muud. Üks oikumeeniline vaimulike ja ilmikute rühm on aidanud mul tulla läbi mu elu ühest olulisest ajast; olgu siinkohal ära nimetatud Stuart ja Celia McAlpine, David Wolpe, Meir Soloveichik, Tim Keller ja Jerry Root. Minu esindajad, Glen Hartley ja Lynn Chu on olnud mu sõbrad alates ülikooliajast ja jäävad selleks elu lõpuni.

Lõpuks tahan tänada Blair Millerit, kes luges läbi terve käsikirja, andis tagasisidet, aitas välja mõelda raamatu pealkirja, julgustas mind, kui seda vajasin, ja lubas mul heita pilgu enda maailma. Iseloom ei ole ideede kogumik. See on elulaad. Blair teenib maailma ja selle vaesemaid inimesi hämmastava julguse ja aususega. Ta suudab olla ühtaegu nii väärikas kui ka rõõmsameelne, nii praktiline kui ka idealistlik, nii innukas kui ka isetu. Tema tee iseloomuni on olnud lühike, kuid mõju minu ja paljude teiste elule pikk ja lai.

AUTORIST

David Brooks on New York Timesi kolumnist, ta õpetab Yale'i ülikoolis ja on regulaarne külaline saadetes „PBS News-Hour", NPRi „All Thing Considered" ja NBC „Meet the Press". Varem on ta olnud ajalehe The Weekly Standard vanemtoimetaja, Newsweeki ja The Atlantic Monthly kaastoimetaja ning The Wall Street Journali toimetaja. Tema sulest on ilmunud järgmised raamatud: „Bobos in Paradise: The New Upper Class and How They Got There" („Boheemlasest väikekodanlane paradiisis: Uus kõrgklass ja nende tee sinna"), „On Paradise Drive: How We Live Now (And Always Have) in the Future Tense" („Paradiisi teel. Kuidas me elame (ja oleme alati elanud) tuleviku võtmes") ja „The Social Animal: The Hidden Sources of Love, Character, and Achievement" („Sotsiaalne loom: Armastuse, iseloomu ja saavutuse varjatud allikad"). Tema artiklid on ilmunud The New Yorkeris, The New York Times Magazine'is, Forbesis, The Washington Postis, The Times Literary Supplementis, Commentarys, The Public Interestis ja paljudes teistes ajakirjades. David Brooks elab Marylandis.

ALLIKAD

1   Wilfred M. McClay. The Masterless: Self and Society in Modern America (University of North Carolina Press, 1993), 226.

2   Alonzo L. Hamby. „A Wartime Consigliere", arvustus David L. Rolli raamatule „The Hopkins Touch: Harry Hopkins and the Forging of the Alliance to Defeat Hitler" (Oxford University Press, 2012). Wall Street Journal, 29.12.2012.

3   David Frump. How We Got Here: The 70's, the Decade That Brought You Modern Life (for Better or Worse), 103.

4   Jean Twenge, W. Keith Campbell. The Narcissism Epidemic: Living in the Age of Entitlement (Simon & Schuster, 2009),13.

5   How Young People View Their Lives, Futures and Politics: A Portrait of „Generation Next". The Pew Research Center For The People & The Press (9. jaanuar, 2007).

6   Elizabeth Gilbert. Eat, Pray, Love: One Woman's Search for Everything (Penguin, 2006), 64.

7   James Davison Hunter. The Death of Character: Moral Education in an Age Without Good or Evil (Basic Books, 2000), 103.

8   Jean M. Twenge ja W. Keith Campbell, The Narcissism Epidemic: Living in the Age of Entitlement (Simon and Schuster, 2009), 248.

9   C. J. Mahaney. Humility: True Greatness (Multnomah, 2005), 70.

10   Daniel Kahneman. Thinking, Fast and Slow (Farrar, Straus and Giroux, 2011), 201.

11   Harry Emerson Fosdick. On Being a Real Person (Harper and Brothers, 1943), 25.

12   Thomas Merton. The Seven Storey Mountain (Harcourt, 1998), 92.

13   Henry Fairlie. The Seven Deadly Sins Today (New Republic Books, 1978), 30.

14   David Von Drehle. Triangle: The Fire That Changed America (Atlantic Monthly Press, 2003), 195.

15   Frances Perkins. Loeng „The Triangle Factory Fire", Cornell University *online*-arhiiv. http://trianglefire.ilr.cornell.edu/primary/lectures/francesperkinslecture.html.

16   Von Drehle. Triangle, 158.

17   George Martin. Madam Secretary: Frances Perkins; A Biography of America's First Woman Cabinet Member (Houghton Miffin, 1976), 85.

18   Von Drehle. Triangle, 138.

19   Von Drehle. Triangle, 130.

20   Von Drehle. Triangle, 152.

21   Von Drehle. Triangle, 146.

22   Perkins. Loeng „Triangle Fire".

23   Naomi Pasacho. Frances Perkins: Champion of the New Deal (Oxford University Press, 1999), 30.

24   Viktor Frankl. Man's Search for Meaning (Beacon, 1992), 85.

25   Frankl, Man's Search for Meaning, 99.

26 Frankl. Man's Search for Meaning, 104.

27 Frankl. Man's Search for Meaning, 98.

28 Toim Mark R. Schwehn and Dorothy C. Bass. Leading Lives That Matter: What We Should Do and Who We Should Be (Eerdmans, 2006), 35.

29 Kirstin Downey. The Woman Behind the New Deal: The Life of Frances Perkins, FDR's Secretary of Labor and His Moral Conscience (Nan Talese, 2008), 8.

30 Downey. Woman Behind the New Deal, 5.

31 Martin. Madam Secretary, 50.

32 David Hackett Fischer. Albion's Seed: Four British Folkways in America (Oxford, 1989), 895.

33 Lillian G. Paschal. Hazing in Girls' Colleges. Household Ledger 1905.

34 Martin. Madam Secretary, 46.

35 Russell Lord. Madam Secretary. New Yorker 2.09.1933.

36 Mary E. Woolley. Values of College Training for Women. Harper's Bazaar, september 1904.

37 Martin, Madam Secretary, 51.

38 Jane Addams, Twenty Years at Hull House: With Autobiographical Notes (University of Illinois, 1990), 71.

39 Addams, Twenty Years at Hull House, 94.

40 Frances Perkins, „My Recollections of Florence Kelley," Social Service Review, vol. 28, nr. 1 (märts 1954), 12.

41 Martin, Madam Secretary, 146.

42 Downey, Woman Behind the New Deal, 42.

43 Downey, Woman Behind the New Deal, 42.

44 Martin, Madam Secretary, 98.

45 Downey, Woman Behind the New Deal, 56.

46 Martin, Madam Secretary, 125.

47 Downey, Woman Behind the New Deal, 66.

48 Martin, Madam Secretary, 232.

49 Martin, Madam Secretary, 136.

50 Downey, Woman Behind the New Deal, 317.

51 Frances Perkins, „The Roosevelt I Knew", (Penguin, 2011), 29.

52 Perkins, „Roosevelt I Knew", 45.

53 Martin, Madam Secretary, 206.

54 Martin, Madam Secretary, 206.

55 Martin, Madam Secretary, 236.

56 Martin, Madam Secretary, 237.

57 Perkins, „Roosevelt I Knew", 156.

58 Downey, Woman Behind the New Deal, 284.

59 Downey, Woman Behind the New Deal, 279.

60 Martin, Madam Secretary, 281.

61 Downey, Woman Behind the New Deal, 384.

62 Christopher Breiseth, „The Frances Perkins I Knew", essee, Franklin D. Roosevelt American Heritage Center Museum, (Worcester, MA).

63 Martin, Madam Secretary, 485.

64 Reinhold Niebuhr, The Irony of American History (University of Chicago Press, 2008), 63.

65 The Eisenhower Legacy: Discussions of Presidential Leadership (Bartleby Press, 1992), 21.

66   Jean Edward Smith, Eisenhower in War and Peace (New York: Random House, 2012), 7.

67   Smith, Eisenhower in War and Peace, 8.

68   Mark Perry, Partners in Command: George Marshall and Dwight Eisenhower in War and Peace (Penguin, 2007), 68.

69   Dwight D. Eisenhower, At Ease: Stories I Tell to Friends (Doubleday, 1967), 76.

70   Eisenhower, At Ease, 31.

71   Smith, Eisenhower in War and Peace, 59.

72   Eisenhower, At Ease, 52.

73   Anthony T. Kronman, The Lost Lawyer: Failing Ideals of the Legal Profession (Harvard University Press, 1995), 16.

74   Smith, Eisenhower in War and Peace, 59.

75   Evan Thomas, Ike's Bluff: President Eisenhower's Secret Battle to Save the World (Little, Brown, 2012), 27.

76   Thomas, Ike's Bluff, 27.

77   Paul F. Boller, Jr., Presidential Anecdotes (Oxford University Press, 1996), 292; Robert J. Donovan, Eisenhower: The Inside Story (New York: Harper and Brothers, 1956), 7.

78   Thomas, Ike's Bluff, 33.

79   Kõne olukorrast riigis, Washington, D. C., 10. jaanuar, 1957.

80   Thomas, Ike's Bluff, 30; Confidence, 31.

81   Fred Greenstein, The Presidential Difference: Leadership Style from Roosevelt to Clinton (Free Press, 2000), 49.

82   Stephen E. Ambrose, Eisenhower: Soldier and President (Simon and Schuster, 1990), 65.

83   Smith, Eisenhower in War and Peace, 19.

84   Smith, Eisenhower in War and Peace, 48.

85   Eisenhower, At Ease, 155.

86   Eisenhower, At Ease, 135.

87   William Lee Miller, Two Americans: Truman, Eisenhower, and a Dangerous World (Vintage, 2012), 78.

88   Thomas, Ike's Bluff, 26; John S. D. Eisenhower, Strictly Personal (Doubleday, 1974), 292.

89   Smith, Eisenhower in War and Peace, 61.

90   Smith, Eisenhower in War and Peace, 65.

91   Dwight D. Eisenhower, Ike's Letters to a Friend, 1941–1958 (University Press of Kansas, 1984), 4.

92   Eisenhower, At Ease, 193.

93   Boller, Presidential Anecdotes, 290.

94   Eisenhower, At Ease, 213.

95   Eisenhower, At Ease, 214.

96   Eisenhower, At Ease, 228.

97   Smith, Eisenhower in War and Peace, 147.

98   Smith, Eisenhower at War and Peace, 443.

99   Ambrose, Eisenhower: Soldier and President, 440.

100   Thomas, Ike's Bluff, 153.

101   Thomas, Ike's Bluff, 29.

102   Tsiteeritud Steven J. Rubenzer ja Thomas R. Faschingbauer, Personality, Character, and Leadership in the White House: Psychologists Assess the Presidents (Potomac Books, 2004), 147.

103   Thomas, Ike's Bluff, sissejuhatus, 17.

104   Thomas, Ike's Bluff, 161.

105   Thomas, Ike's Bluff, 161.

106   Smith, Eisenhower in War and Peace, 766.

107   Eisenhower, Ike's Letters to a Friend, 189, July 22, 1957.

108   Dorothy Day, The Long Loneliness: The Autobiography of the Legendary Catholic Social Activist (Harper, 1952), 20.

109   Day, Long Loneliness, 21.

110   Paul Elie, The Life You Save May Be Your Own: An American Pilgrimage (Farrar, Straus and Giroux, 2003), 4.

111   Elie, Life You Save, 4.

112   Day, Long Loneliness, 24.

113   Day, Long Loneliness, 35.

114   Elie, Life You Save, 16.

115   Day, Long Loneliness, 87.

116   Jim Forest, All Is Grace: A Biography of Dorothy Day (Orbis Books, 2011), 47.

117   Elie, Life You Save, 31.

118   Forest, All Is Grace, 48.

119   Forest, All Is Grace, 50.

120   Deborah Kent, Dorothy Day: Friend to the Forgotten (Eerdmans Books, 2004), 35.

121   Day, Long Loneliness, 79.

122   Day, Long Loneliness, 79.

123   Elie, Life You Save, 38.

124   Day, Long Loneliness, 60.

125   Robert Coles, Dorothy Day: A Radical Devotion (Da Capo Press, 1989), 6.

126   Elie, Life You Save, 45.

127   Nancy Roberts, Dorothy Day and the Catholic Worker (State University of New York Press, 1985), 26.

128   Forest, All Is Grace, 62.

129   Day, Long Loneliness, 141.

130   Coles, Radical Devotion, 52.

131   Coles, Radical Devotion, 53.

132   All the Way to Heaven: The Selected Letters of Dorothy Day (Marquette University Press, 2010), 23.

133   Roberts, Dorothy Day, 26.

134   Day, Long Loneliness, 133.

135   William Miller, Dorothy Day: A Biography (Harper & Row, 1982), 196.

136   Day, Long Loneliness, 165.

137   Forest, All Is Grace, 61.

138   Dorothy Day, The Duty of Delight: The Diaries of Dorothy Day (Marquette University, 2011), 519.

139   Day, Long Loneliness, 182.

140   Day, Long Loneliness, 214.

141   Day, Duty of Delight, 68.

142   Mark R. Schwehn and Dorothy C. Bass, toim, Leading Lives That Matter: What We Should Do andWho We Should Be (Eerdmans, 2006), 34.

143 Day, Duty of Delight, 42.

144 Coles, Radical Devotion, 115.

145 Coles, Radical Devotion, 120.

146 Day, Long Loneliness, 236.

147 Forest, All Is Grace, 168.

148 Forest, All Is Grace, 178.

149 Forest, All Is Grace, 118.

150 Day, Long Loneliness, 243.

151 Day, Long Loneliness, 285.

152 Day, Duty of Delight, 9.

153 Voices, Rosalie Riegle Troester, Voices from the Catholic Worker (Temple University Press, 1993), 69.

154 Troester, Voices, 93.

155 Day, Duty of Delight, 287.

156 Day, Duty of Delight, 295.

157 Coles, Radical Devotion, 16.

158 Forrest C. Pogue, George C. Marshall, 4 vols. (Viking Press, 1964), vol. 1, Education of a General, 1880–1939, 35.

159 Ed Cray, General of the Army: George C. Marshall, Soldier and Statesman (W. W. Norton, 1990), 20.

160 Cray, General of the Army, 25.

161 William Frye, Marshall: Citizen Soldier (Bobbs-Merrill, 1947), 32–65.

162 Pogue, Marshall, vol. 1, Education of a General, 1880–1939, 63.

163 Pogue, Marshall, vol. 1, Education of a General, 1880–1939, 63.

164   Richard Livingstone, On Education: The Future in Education and Education for a World Adrift (Cambridge, 1954), 153.

165   James Davison Hunter, The Death of Character: Moral Education in an Age Without Good or Evil (Basic Books, 2000), 19.

166   Leonard Mosley, Marshall: Hero for Our Times (Hearst Books, 1982), 13.

167   Mosley, Hero for Our Times, 14.

168   Mosley, Hero for Our Times, 15.

169   Frye, Citizen Soldier, 49.

170   David Hein, „In War for Peace: General George C. Marshall's Core Convictions & Ethical Leadership" Touchstone, märts, 2013.

171   Mosley, Hero for Our Times, sissejuhatus, xiv.

172   Mosley, Hero for Our Times, 19.

173   Cray, General of the Army, 64.

174   Tsiteerinud major James R. Hill, magistritöö, General Staff College, Fort Leavenworth, KS, 2008.

175   Mosley, Hero for Our Times, 64.

176   Pogue, Marshall, vol. 1, Education of a General, 1880–1939, 79.

177   Pogue, 246; Mosley, Hero for Our Times, 93.

178   André Comte-Sponville, A Small Treatise on the Great Virtues: The Uses of Philosophy in Everyday Life (Macmillan, 2002), 10.

179   Frye, Citizen Soldier, 85.

180   Cray, General of the Army, 276.

181   Mark Perry, Partners in Command: George Marshall and Dwight Eisenhower in War and Peace (Penguin, 2007), 15.

182   Cray, General of the Army, 278.

183 Cray, General of the Army, 297.

184 Mosley, Hero for Our Times, 211.

185 Mosley, Hero for Our Times, 292.

186 Dwight D. Eisenhower, Crusade in Europe (Doubleday, 1948), 197.

187 Perry, Partners in Command, 238.

188 Pogue, George C. Marshall (Viking, 1973), vol. 3, Organizer of Victory, 1943–1945, 321.

189 Perry, Partners in Command, 240.

190 John S. D. Eisenhower, General Ike: A Personal Reminiscence (Simon and Schuster, 2003), 99, taasavaldatud Dwight D. Eisenhower, Crusade in Europe, 208.

191 John Eisenhower, General Ike, 103.

192 Mosley, Hero for Our Times, 341.

193 Mosley, Hero for Our Times, proloog, xxi.

194 Frye, Citizen Soldier, 372.

195 Robert Faulkner, The Case for Greatness: Honorable Ambition and Its Critics (Yale University Press, 2007), 39.

196 Faulkner, Case for Greatness, 40.

197 Aristotle, Nichomachean Ethics (Focus Publishing, 2002), 70; Faulkner, Case for Greatness, 43.

198 Mosley, Hero for Our Times, 434.

199 Mosley, Hero for Our Times, 522.

200 Mosley, Hero for Our Times, 523.

201 Mosley, Hero for Our Times, 523.

202 Cynthia Taylor, A. Philip Randolph: The Religious Journey of an African American Labor Leader (New York University Press, 2006), 13.

203 Jervis Anderson, A. Philip Randolph: A Biographical Portrait (University of California Press, 1973), 43.

204 Anderson, Biographical Portrait, 9.

205 Anderson, Biographical Portrait, 10.

206 Anderson, Biographical Portrait, 272.

207 Anderson, Biographical Portrait, 339.

208 Aaron Wildavsky, Moses as Political Leader (Shalem Press, 2005), 45.

209 Irving Kristol, The Neoconservative Persuasion: Selected Essays, 1942–2009, toim. Gertrude Himmelfarb (Basic Books, 2011), 71.

210 Murray Kempton, „A. Philip Randolph: The Choice, Mr. President", New Republic, 6. juuli, 1963.

211 Anderson, Biographical Portrait, 176.

212 Larry Tye, Rising from the Rails: Pullman Porters and the Making of the Black Middle Class (Owl Books, 2005), 154.

213 Doris Kearns Goodwin, No Ordinary Time: Franklin and Eleanor Roosevelt: The Home Front in World War II (Simon & Schuster, 2013), 251.

214 Paula F. Pfeffer, A. Philip Randolph: Pioneer of the Civil Rights Movement (Louisiana State University Press, 1996), 66.

215 Pfeffer, Pioneer, 58.

216 John D'Emilio, Lost Prophet: The Life and Times of Bayard Rustin (Simon and Schuster, 2003), 11.

217 D'Emilio, Lost Prophet, 16.

218 D'Emilio, Lost Prophet, 19.

219 Rachel Moston, „Bayard Rustin on His Own Terms", Haverford Journal, 2005, 82.

220 Michael G. Long, toim., I Must Resist: Bayard Rustin's Life in Letters (City Lights, 2012), 228.

221 Moston, „Bayard Rustin on His Own Terms", 91.

222 D'Emilio, Lost Prophet, 77.

223 Long, I Must Resist, 50.

224 D'Emilio, Lost Prophet, 172.

225 Long, I Must Resist, 49.

226 Long, I Must Resist, 51.

227 Long, I Must Resist, 65.

228 D'Emilio, Lost Prophet, 112.

229 D'Emilio, Lost Prophet, 159.

230 David L. Chappell, A Stone of Hope: Prophetic Religion and the Death of Jim Crow (University of North Carolina Press, 2004), 48.

231 Chappell, Stone of Hope, 54.

232 Chappell, Stone of Hope, 179.

233 Chappell, Stone of Hope, 55.

234 Chappell, Stone of Hope, 56.

235 D'Emilio, Lost Prophet, 150.

236 Chappell, Stone of Hope, 50.

237 Reinhold Niebuhr, The Irony of American History (University of Chicago Press, 2008), 5.

238 Niebuhr, Irony of American History, 23.

239 D'Emilio, Lost Prophet, 349.

240 D'Emilio, Lost Prophet, 352.

241 Anderson, Biographical Portrait, 332.

242   George Eliot, Daniel Deronda (Wordsworth, 2003), 15.

243   Kathryn Hughes, George Eliot: The Last Victorian (Cooper Square Press, 2001), 16.

244   Hughes, Last Victorian, 18.

245   Frederick R. Karl, George Eliot: Voice of a Century; A Biography (W. W. Norton, 1995), 36.

246   Karl, George Eliot: Voice of a Century, (Norton, 1996), 36.

247   Rebecca Mead, My Life in „Middlemarch" (Crown, 2013), 28.

248   Kathryn Hughes, George Eliot: The Last Victorian (Cooper Square Press, 2001), 47.

249   Mead, My Life in „Middlemarch", 66.

250   Mead, My Life in „Middlemarch", 125.

251   Karl, George Eliot: Voice of a Century, 146.

252   Gordon S. Haight, George Eliot: A Biography (Oxford University Press, 1968), 133.

253   Brenda Maddox, George Eliot in Love (Palgrave Macmillan, 2010), 59.

254   Haight, George Eliot, 144.

255   Karl, Voice of a Century, 167.

256   Michael Ignatieff, Isaiah Berlin: A Life (Henry Holt, 1999), 161.

257   Christian Wiman, My Bright Abyss: Meditation of a Modern Believer (Farrar, Straus, Giroux, 2013), 23.

258   William Shakespeare, Romeo ja Julia, teine vaatus, teine stseen.

259   Karl, Voice of a Century, 178.

260   Karl, Voice of a Century, 157.

261   Hughes, Last Victorian, 186.

262   Mead, My Life in „Middlemarch", 266.

263   Virginia Woolf, „George Eliot", The Times Literary Supplement, 20. november, 1919.

264   Barbara Hardy, George Eliot: A Critic's Biography (Continuum, 2006), 122.

265   Peter Brown, Augustine of Hippo: A Biography (University of California Press, 2000), 17.

266   Brown, Augustine of Hippo, 18.

267   Matthew Arnold, Culture and Anarchy (Cambridge University Press, 1993), 130.

268   Arnold, Culture and Anarchy, 128.

269   Arnold, Culture and Anarchy, 128.

270   Arnold, Culture and Anarchy, 132.

271   Brown, Augustine of Hippo, 13.

272   Garry Wills, Saint Augustine (Penguin, 1999), 7.

273   Brown, Augustine of Hippo, 36.

274   Wills, Saint Augustine, 26.

275   Brown, Augustine of Hippo, 37.

276   Reinhold Niebuhr, The Nature and Destiny of Man: A Christian Interpretation: Human Nature, vol. I (Scribner's, 1996), 155.

277   Brown, Augustine of Hippo, 173; Augustine, Confessions, kümnes raamat, 37. paragrahv

278   Niebuhr, Nature and Destiny of Man, 157.

279   Lewis B. Smedes, Shame and Grace: Healing the Shame We Don't Deserve (Random House, 1994), 116.

280   Augustine, Psalm 122: God Is True Wealth; Mary Clark, Augustine of Hippo: Selected Writings (Paulist Press, 1984), 250.

281   Timothy Keller, Freedom of Self Forgetfulness (10Publishing, 2013), 40.

282   Jennifer A. Herdt, Putting On Virtue: The Legacy of the Splendid Vices (University of Chicago Press, 2008), 176.

283   Herdt, Putting On Virtue, 57.

284   Augustine, The Works of Saint Augustine: A Translation for the 21st Century (New City Press, 1992), 131.

285   Paul Tillich, The Essential Tillich (Scribner, 1999), 131.

286   Brown, Augustine of Hippo, 157.

287   Brown, Augustine of Hippo, 157.

288   Jeffrey Meyers, Samuel Johnson: The Struggle (Basic Books, 2008), 6.

289   W. Jackson Bate, Samuel Johnson: A Biography (Counterpoint, 2009), 8.

290   Bate, Samuel Johnson, 31.

291   John Wain, Samuel Johnson (Macmillan, 1980), 49.

292   Boswell, Boswell's Life of Johnson (Harper, 1889), 74.

293   Meyers, Samuel Johnson: The Struggle, 50.

294   Bate, Samuel Johnson, 211.

295   Meyers, Samuel Johnson: The Struggle, 205.

296   Bate, Samuel Johnson, 204.

297   Paul Fussell, Samuel Johnson and the Life of Writing (Norton, 1986), 236.

298   Bate, Samuel Johnson, 218.

299   Meyers, Samuel Johnson: The Struggle, (Basic, 2008), 114.

300   Meyers, Samuel Johnson, 2.

301   Fussell, Samuel Johnson and the Life of Writing (Norton, 1986), 163.

302   Fussell, Johnson and the Life of Writing, 51.

303   Emerson, The Spiritual Emerson: Essential Writings (Beacon, 2003), 216.

304   Fussell, Johnson and the Life of Writing, 147.

305   Percy Hazen Houston, Doctor Johnson: A Study in Eighteenth Century Humanism (Cambridge University Press, 1923), 195.

306   Sarah Bakewell, How to Live: Or a Life of Montaigne in One Question and Twenty Attempts at an Answer (Other Press, 2010), 21.

307   Bakewell, How to Live, 14.

308   Fussell, Johnson and the Life of Writing, 185.

309   Bate, Samuel Johnson, 4.

310   William Gerard Hamilton (1729–1796).

311   Tom Callahan, Johnny U: The Life and Times of John Unitas (Random House, 2007), 16.

312   Michael Novak, The Joy of Sports: Endzones, Bases, Baskets, Balls, and the Consecration of the American Spirit (Madison Books, 1976), 241.

313   Callahan, Johnny U, 20.

314   Jimmy Breslin, „The Passer Nobody Wanted", Saturday Evening Post, 1. november, 1958.

315   Callahan, Johnny U, 243.

316   John Skow, „Joe, Joe, You're the Most Beautiful Thing in the World", Saturday Evening Post, 3. detsember, 1966.

317   Dan Jenkins, „The Sweet Life of Swinging Joe", Sports Illustrated, 17. oktoober, 1966.

318 George Eliot, Middlemarch, (Penguin, 2003), 211.

319 Joshua L. Liebman, Peace of Mind: Insights on Human Nature That Can Change Your Life (Simon and Schuster, 1946), 56.

320 Benjamin Spock, The Pocket Book of Baby and Child Care (Duell, Sloan and Pearce, 1946), 309.

321 Harry A. Overstreet, The Mature Mind, 261.

322 Carl Ransom Rogers, On Becoming a Person: A Therapist's View of Psychotherapy (Harcourt, 1995), 194.

323 Carl Ransom Rogers, The Carl Rogers Reader, (Houghton Milin, 1989), 185.

324 Katharine Graham, Personal History (Random House,1997), 51.

325 Graham, Personal History, 231.

326 Eva Illouz, Saving the Modern Soul: Therapy, Emotions, and the Culture of Self-Help (University of California Press, 2008), 117.

327 Charles Taylor, Multiculturalism: Examining the Politics of Recognition (Princeton University Press, 1994), 30.

328 Dr. Seuss, Oh, the Places You'll Go! (Random House, 1960).

329 Ernst & Young Survey, „Sixty-Five Per Cent of College Students Think They Will Become Millionaires" (Canada, 2001).

330 Greg Duncan and Richard Murnane, Whither Opportunity? Rising Inequality, Schools, and Children's Life Chances (Russel Sage Foundation, 2011), 11.

331 „The American Freshman", Thirty Year Trends, 1966–1996. By Alexander W. Astin, Sarah A. Parrott, William S. Korn, Linda J. Sax. Higher Education Research Institute Graduate School of Education & Information Studies. University of California, Los Angeles. Veebruar, 1997.

332 Gretchen Anderson, „Loneliness Among Older Adults: A National Survey of Adults 45+" (AARP Research and Strategic Analysis, 2010).

333 Francis Fukuyama, The Great Disruption: Human Nature and the Reconstitution of Social Order (Profile, 1999), 50.

334 Sara Konrath, „Changes in Dispositional Empathy in American College Students Over Time: A Meta- Analysis" (University of Michigan, 2011).

335 Jean M. Twenge, W. Keith Campbell, and Brittany Gentile, „Increases in Individualistic Words and Phrases in American Books, 1960–2008" (2012), PLoS ONE 7(7): e40181, doi:10.1371/journal. pone.0040181.

336 David Brooks, „What Our Words Tell Us", New York Times, 20. mai, 2013.

337 Pelin Kesebir and Selin Kesebir, „The Cultural Salience of Moral Character and Virtue Declined in Twentieth Century America", Journal of Positive Psychology, 2012.

338 Christian Smith, Kari Christofersen, Hilary Davidson, Lost in Transition: The Dark Side of Emerging Adulthood (Oxford University Press, 2011), 22.

339 Leo Tolstoy, The Death of Ivan Ilyich (White Crow Books, 2010), 20.

340 Tolstoy, The Death of Ivan Ilyich, 66.

341 Tolstoy, The Death of Ivan Ilyich, 68.

342 Tolstoy, The Death of Ivan Ilyich, 71.